梅毅说中华英雄史

辛亥革命

启蒙、光荣与梦想

梅毅 著

天地出版社 | TIANDI PRESS

图书在版编目（CIP）数据

辛亥革命：启蒙、光荣与梦想 / 梅毅著. —成都：天地出版社，2017.10（2024年11月重印）
（梅毅说中华英雄史）
ISBN 978-7-5455-3173-2

Ⅰ. ①辛… Ⅱ. ①梅… Ⅲ. ①辛亥革命－通俗读物 Ⅳ. ①K257.09

中国版本图书馆CIP数据核字（2017）第235333号

XINHAIGEMING: QIMENG、GUANGRONG YU MENGXIANG
辛亥革命：启蒙、光荣与梦想

出品人 杨 政
作 者 梅 毅
责任编辑 杨永龙 聂俊珍 陈文龙
装帧设计 水玉银文化
责任印制 王学锋

出版发行 天地出版社
（成都市锦江区三色路 238 号 邮政编码：610023）
（北京市方庄芳群园3区3号 邮政编码：100078）
网 址 http://www.tiandiph.com
电子邮箱 tianditg@163.com
经 销 新华文轩出版传媒股份有限公司

印 刷 北京中科印刷有限公司
版 次 2018年1月第1版
印 次 2024年11月第7次印刷
开 本 660mm×920mm 1/16
印 张 27.5
字 数 368千字
定 价 75.00元
书 号 ISBN 978-7-5455-3173-2

咨询电话：（028）86361282（总编室）
购书热线：（010）67693207（营销中心）

名家评论

李国文（著名作家）

梅毅在评骘论定某段历史事实、审知识鉴某个历史人物时，与时下某些史学家、某些文学家，刻意要将历史写成某种样子，以达到取悦谁，讨好谁，达到获取更大利益的个人目的，是有着天壤之别的。……他宁愿坐冷板凳，啃硬骨头，溯本追源，寻出真情，回顾返视，以求真知。有什么说什么，秉持史学家的直笔；有多少说多少，体现文学家的良知，这是难能可贵的治学精神。

蒋子龙（著名作家）

梅毅英美文学专业出身，毕业后即入金融界工作，浸淫资本市场二十余载，风华正茂之年，信笔游缰，以“赫连勃勃大王”名头驰骋互联网，大哉壮哉！吾尝细谈其历史小说《南北英雄志》第一部《驺虞幡》，英伟雄健，如此笔力如此才，“茅盾文学奖”，不亦易乎！

高洪波（著名作家）

“梅毅说中华英雄史”的出现，让我们中国作家这个群体感到欣喜：因为，梅毅让我们看到了作为作家自我扩展的无限可能性，认识到作家书写历史，其实是自司马迁以来的传统！而作家梅毅所撰写的历史著作，无论从文笔还是史实，都可以称之为“好的”。一部“好的”历史书与“坏的”历史书的区别，就在于好的历史学家能够运用他自己独特的判断力去解析历史。

沈渭滨（复旦大学历史系教授）

要写活历史，除了扎实的史学功底和睿智的识见外，生动的文笔当不可少。我细读了“梅毅说中华英雄史”，感到梅毅的文笔确实生动，具有亦庄亦谐的感人魅力。他的一系列历史纪实体作品，似乎有着共同的写作风格：他力图继承太史公开创的历史文学余绪和评判史实的精神，努力效法历史演义家的结构布局和善于演绎的流风，倾心于散文、小说家捕捉细节、铺叙感受的技巧，试图熔于一炉。

王学泰（中国社会科学院文学研究所古代史研究员）

梅毅没有像过去有些历史学家那样，只要不利的资料，都否定。梅毅的书附的史料也很多，包括一些当时人的记载，包括内部文件，还包括一些外国人的记载，给我们开阔了眼界，为我们理解某一段历史提供了一个评价平台。

雷　颐（中国社会科学院近代史研究所研究员）

“梅毅说中华英雄史”有很重要的意义，他把史学界的成果大众化了。从前教条主义的教育，对梅毅来说没有形成一个框架，没有形成一个偏见。他的书里面的很多东西，虽然是近代史学界已经研究过的，已经谈得很多了，但是他的突出意义在于把它大众化。

张　鸣（中国人民大学国际关系学院教授）

梅毅虽然写得很通俗，有点像小说，但是一看就知道他是下狠功夫看过史料的，跟那些网络上完全演绎、完全口语化、变成现代化的历史叙述、根据一点东西进行演绎的东西，还是很不一样的。……梅毅很注意那种历史细微的细节，你一看就感觉挺有趣的，实际上史料都有，但是过去没有人揭示这个。

杨念群（中国人民大学清史研究所教授）

梅毅的书比较可贵的地方在于，在整个的叙事过程中，历史人物的悲欢离合和成败得失，是在历史的叙述中一环环展现出来的，没有马上就进入一种历史判断。……按照历史情景的本身来展现双方的对垒的过程，实事求是地，可以说是相对平实地去展示历史。这样出来的效果，相对来说是有一定的说服力的。

钱文忠（复旦大学历史系教授）

像梅先生这一批具有金融背景的人，可能更了解现代人在想什么。……梅先生“一方面沉醉于纸醉金迷的生活，一方面留恋于历史的幽暗光线”，这种生活状态，这么一种冲突，在一个写作人身上体现出来，经过微妙的递嬗后，又去影响他们的文字，而这种文字，以其独特的韵味来影响现代人的心志。

雷　达（著名评论家）

梅毅高产，又有见解，而且能辩证地看时代、文学的发展，这一点非常棒。最近这些年，我们国内关于历史方面非常“热”，电视热播、网络热聊、影院热映、图书热销。而他 2003 年底就已经开始写中国大历史，可见他极富预见性。

白　烨（著名评论家）

梅毅的历史写作，基本上还是正史的写法，同时有天马行空的类似杂史、野史的感觉，所以让人印象深刻。梅毅的大手笔，是他能在写事件时突出人物，以点带面，这种写法是他的首创。梅毅与众不同的历史写作，还在于他能用现代意识回顾以前的历史，他从人性角度细腻观察历史。

肖复兴（《人民文学》副主编）

梅毅讲述历史一点也不枯燥，正因为他是以人来贯穿的，并不是以从前传统的方式来进行断代史的研究。形象演绎是梅毅书写历史的专长，他写起历史来不仅好看，而且能活灵活现地把过去的历史再现于我们面前。

叶延滨（《诗刊》主编）

梅毅的历史写作有两大优点，第一，他确实有见识，他的历史观察力非常奇特。如果讲历史的真实性，人们宁肯去相信枯燥的教科书，但是人们读梅毅的历史著作，主要是想读作者的见识。第二个优点，梅毅的历史写作以文笔取胜。

刘鸿儒（中国证监会首任主席）

我看“梅毅说中华英雄史”的时候，符契相合，感到由衷的欣喜。在我们证券监管单位的梅毅，竟然打着一面“赫连勃勃大王”的大旗，成为声名显赫的历史学家，而且风生水起，已成“中国互联网历史写作先行者”。他不仅写出了几百万字的中国历史作品，可谓“著作等身”，而且坊内畅销，洛阳纸贵。从 2010 年开始，他又在中央电视台《百家讲坛》节目开讲《鲜为人知的杨家将》《隋唐英雄志》，好奇之余，我更多感到的还是欣喜。

朱伟一（证监会研究员、社科院法学所兼职教授）

读了梅毅的历史书，我觉得历史比小说更深刻。……梅毅的视角独特，让人读之津津有味。

曹可凡（著名电视节目主持人）

他（梅毅）发现了很多别人没有发现的材料，当然他更多的是可以从现有平凡的材料当中找出历史的端倪。这些可能显而易见，但是有时对显而易见的东西不忽略，反而可以找出历史的真谛，这是梅先生的书突出的地方。……作为一个传媒从业者或者一个普通的读者，通过这个书，我可以获得很多知识。

自序

英雄是民族最闪亮的坐标

2016年11月30日，我作为中国作协九大代表，在人民大会堂，亲耳聆听了习近平总书记的讲话：“中华民族生生不息绵延发展、饱受挫折又不断浴火重生，都离不开中华文化的有力支撑。中华文化独一无二的理念、智慧、气度、神韵，增添了中国人民和中华民族内心深处的自信和自豪。”

话语入心，感受颇深！

联想到我本人的创作，从2003年到2015年，12年时间，正是为了弘扬中华传统文化，为了找回中华民族那份沉甸甸的文化自信和历史自信，在中国最物质的南方城市深圳，我坐着冷板凳，独立完成了10卷本、500多万字的《帝国真史》系列丛书。

抚今追昔，纵观历史，如今，我静下心来，俯首思之，得出这样的结论：我们这个民族之所以伟大，就在于我们是一个历史上有无数英雄的民族！

回望中国历史数千年进程，特别是朝代更迭的那些铁血岁月，英雄鹰扬，豪杰虎跳，确确实实让后人无限神往！在每一个令人目眩神迷的伟大时代中，各类英雄横空出世，他们之间的纠葛、交结、争斗，无不充满了动人心魄的感人故事，处处闪耀着人性的光辉，荡溢着历史的波谲云诡，迸发出惊人的感动力！即使在今天，无数中华历史英雄那些激动人心的时刻，肝肠寸断的瞬间，那些汗与泪倾泻而成的故事，依旧晶莹闪耀……

一个没有英雄的民族是不可想象的！物质时代，我们对中华民族的英雄崇拜，可以治疗拜金主义的“软骨症”，可以治愈蝇营狗苟的精神瘫痪，可以让我们在庸常生活中重新体味诗性的、崇高的人性大美与激情，可以一砖一瓦地重新建砌我们民族精神的巍峨华殿，可以让我们在对英雄人物的遭遇感同身受的同时，细细咀嚼诗性而永恒的苦难、孤独与崇高——一切的一切，就是要进一步提升和重铸我们伟大民族的精神风骨！

我在“以人为本”“以人带史”的独特历史讲述中，总会给大家展示历史洪流中那些血肉英雄的人生传奇。大哉英雄，他们离奇跌宕的命运和令人扼腕叹息的结局，他们之间的惺惺相惜和恩义散场，连我这样冷静的写作者都每每为之流泪动容。我希望能够以客观的、现场感的讲述，消除流水账式的干巴巴的教科书式的平铺直叙，一改宫廷史书荒诞不经的星宿下凡式的神化，一改旧时代民间叙事中英雄故事天命巧合的际遇铺陈，泯除昔日怪力乱神的“超现实”力量冲突——最终的目的，就是要重力突破传统中国通史写作那种老旧的格套，从崭新的、完全的、人性义理的角度，去描写、描摹历史中的“人”在乱世之中生存挣扎所遇到的矛盾、痛苦，从而进一步展示出那些伟大时代伟大英雄的反省、发愤、坚忍，展现乱世之中人性的恢宏壮美和平凡生命力的顽强不屈。

在两千多年中国历史的宏大画幅中，我们面对灿若群星的历史人物，有时候，确实不能以成败论英雄。波澜壮阔之间，我总会发现那些欢乐或悲伤英雄身上的熠熠闪光，他们高尚的友情、撼天动地的义气、深沉的亲情以及奋不顾身的勇气——所有这些，无不具体而形象地展现出我们国人一直以来崇尚的价值观，体现出我们最原始、传统的道德。他们的英雄传奇、他们的侠义勇武、他们之间的惺惺相惜，无不与我们中华民族传统的道德观相契合，故而历久弥新！

以历史的逻辑和历史的纵轴、横轴构建传奇化的个人经历，确实非常不容易。为此，如同入群山寻宝，我只能对史料细细爬梳，从汗牛充栋的史料中仔细挖掘，以历史真实为基础，增添合理想象，还原历史，润饰附会，撷取那些细微、深刻而又不经意处的细节，继而细细雕琢，默默推想，最终来张扬我们心目中的历史英雄楷模，体现出那些英雄们平凡中自然而然的感人情怀，挖掘出埋藏于历史深处的复杂而伟大的人性！

正如习近平总书记所言："祖国是人民最坚实的依靠，英雄是民族最闪亮的坐标。歌唱祖国、礼赞英雄从来都是文艺创作的永恒主题，也是最动人的篇章。……对中华民族的英雄，要心怀崇敬，浓墨重彩记录英雄、塑造英雄，让英雄在文艺作品中得到传扬，引导人民树立正确的历史观、民族观、国家观、文化观，绝不做亵渎祖先、亵渎经典、亵渎英雄的事情。"

在十多年的写作过程中，我力避当下坊间最流行的群氓庸俗搞笑史观，扬沙弃砾，以历史守护者的角度，切入中华大历史活生生的血肉肌体之中，从中发现每个伟大时代各路英雄的英伟、自我突破，甚至是狂狷的人格状态，探究辉煌乱世大时代中作为个体的"英雄"的挣扎过程。

看啊，这些人，有血有泪，有悲伤有欢乐，有飞扬有落魄。看啊，这些历史长河中伟大英雄们短暂而辉煌、悲伤的人生历程，真实而丰沛的情感。今天的人们，肯定能够在谛听和仰视中，深刻感受我们伟大历史嬗变无常的命运，沉浸于历史戏剧性的快感中，体悟那些英雄在困境中的抉择和成长。

在我们为泪水所溅湿的笑声中，在惊回首的历史探望中，那些具有冰山大漠魂魄的英雄雕像，在中华民族雄浑壮美的历史背景映衬下，会越来越清晰而丰满！

2017年8月6日于深圳

目录

上卷　清朝覆亡的或然与必然

下卷　革命进行时

附　卷

上卷　清朝覆亡的或然与必然

引子　火山口上的政权

1911 年，清政府即将灭亡的那一年，在中国的政治中心北京，表面看上去，却显得格外平静、安谧。

在时任《泰晤士报》记者澳大利亚人莫理循（George Ernest Morrison）眼中，京城及其他地方，不仅没有风雨欲来的恐惧和不安，反而处处显示着欢快、悠闲和希望：

> 在北京，我发现这个城市正在变样：到处都在铺石子路；重要的宅第，家家都点上了电灯，街道也用电灯照明；电话通畅，邮局每天投递八次信件；巡警简直叫人赞扬不尽，这是一支待遇优厚、装备精良、纪律严明的队伍……自来水供应良好，我敢断定，不需要多久，我们就能乘上电车……老百姓的物质生活正在日趋丰富，这是不成问题的。再没有比这更使我深信不疑的了。你在全国无论走到哪里，都会有财富增长的迹象映入眼帘……兴修铁路正取得真正的进展……无论哪里修筑起一条铁路，那铁路穿过的省份就会得到难以置信的好处。（莫理循《致伊迪丝·布雷克函》）

大时代暴风骤雨的剧变之前，往往都是如此波谲云诡地给人以无边的假象。这个国家看似平静的表层下面，涌动着一股强大的、不可逆转的潮流：

革命！

这种腾腾不息的、蠢蠢欲动的、隐含杀气的巨大历史转折，并非在一天之内忽然形成，而是一个沉默的、渐进的、越来越快的过程，是一种由不起眼的量变到耀眼引爆的质变的过程。

龙旗之下，那些脑后拖着一根辫子看似顺民的清朝子民，涵盖社会各个阶层，虽然贫富有别，阶级各异，但除了统治阶层，几乎所有人对清政权都丧失了仅有的期待。即使统治阶级内部，地方以及中央的大多数成员，都对这个扶不起的"阿斗"心存二意，他们怀着某种夹杂忧虑的幸灾乐祸的恶意，心情复杂地观望甚至是企盼着"那个时刻"的到来。

由于困窘的生活，人民对现实普遍不满，失望、愤怒、恐惧、痛苦、憎恨，甚至打破了清朝末期那种群体麻木的常态。

在北京，1911 年的夏天，清凉的微风似乎让摄政王载沣的团队踌躇满志：威权赫赫的袁世凯，已经被下旨回籍"养病"；革命党人的"三二九"广州起义被枪炮镇压下去，幸存的党人意气颓唐；第四次"国会请愿"烟消云散，立宪派灰溜溜回到各地的谘议局空发牢骚；军队中的"士官生"被有条不紊地安插到新军各个层级"掺沙子"，虽然遭到北洋军人的顽强抗拒，但时间和权力会消融任何抗拒——乍看上去，大清的中央集权是那么焕然一新，那样固若金汤，国内几乎没有能与摄政王集团相抗衡的政治势力。

但是，这个垂垂老矣的政权，腐朽已经发展到它的骨子里。它的躯体遍布危机，华丽帝国的遮羞布下，满是能致它死地的痼疾和菌群。

自 1840—1842 年鸦片战争失败以来，清政府忍辱含垢，驾驶着这艘百孔千疮的"大清号"，战战兢兢地驶向未知的未来。在维持每况愈下的勉强统治的同时，西方列强一手揽大炮，一手持"商品"，视中

1900 年北京街道　图出莫理循《致伊迪丝 · 布雷克函》

国如待宰之羊，纷纷前来割切。这些外洋强盗，细大不捐，巧取豪夺。被洋人们打得鼻青脸肿之余，清朝高层仍旧以“天朝”上国自居，怡然昏然，自我安慰地一直试图用“羁縻”（送钱送地）的方法对付这些东西“蛮夷”。屋漏偏遭连夜雨，突然而起的“太平天国”所造成的巨大内乱，最终使得老大帝国招来窝心一剑，捅得它气息奄奄。

内忧外患交剧的情势下，倘若清政府陡然一变，上下同心，或许能使这艘老旧的巨轮安全靠岸。然而，帝国的运气太坏。昏庸老迈的慈禧太后，不仅仅是帝国的政治符号，还是真正的决策人物。而这位太后绣金凤袍的阴影下，看似如火如荼的“洋务运动”，实则是变器不变道而已。清朝一时的船坚炮利，皆成电光泡影。铁舰与钢炮未及让洋务派们踌躇满志几天，甲午战争的巨大挫折，使得清廷上下饱满的希望，随着北洋舰队一起沉入冰冷的海水。

如此，朝中大人们再多的努力，也是徒劳！

愤懑之余，康有为、梁启超等维新派人士高喊：“全变则强，小变仍亡！”强烈呼吁改革。但是政体改革，在19世纪末的中国，谈何容易！手无寸权的光绪帝，书生气的维新臣，赤手空拳想与老迈而阴奸的慈禧及其羽翼争斗，铤而走险之际，胜负已判。固然谭嗣同临死一呼“我自横刀向天笑”，热血汩汩声中，更多的是英雄末路的无奈与凄惶。

再后，由于误信洋大人要逼迫自己还政于光绪帝的谣言，慈禧太后肆展一己之私，兴昏庸无智狷狂之计，唆使义和团盲目排洋。阴暗的动机，仓促的行动，招致的是骇人的结果——八国联军的马蹄和炮火，不仅仅使得这位大脚太后仓皇逃离紫禁城，随后，中国社会的各种危机，在洋人的枪炮声中，也以骇人听闻的速度进一步加深，进而使得清廷在民间的威信更是扫地无遗。

随之而来《辛丑条约》的签订，更使四亿国人要为清政府和慈禧太后的轻率唐突买单——近十亿两的巨额赔款，压得四亿中国人民喘不过气来（本来是四亿五千万两，因为清政府当时无法偿付，要分三十九年还清，申算为债款九亿八千二百万两。从1901年起，中国每年要摊付给列强二千八百余万两）。

国势日蹙之下，有志之士纷纷思起，革命风潮至此蔓及各地。恰似江西道监察御史叶芾棠的奏折所讲：“士为四民之首，近已绝无生路。农、工终岁勤勤，难谋一饱。商贾资本缺乏，揭借者多，获利维艰，倒闭相望。城市村落，十室九空，无业游民，居其大半。”

在如此社会背景下，革命自然如野火一样，迅速蔓延，不可止息。年轻的王公载泽哀叹：“海滨洋界，会党纵横，甚者倡为革命之说，顾其所以煽惑人心者，则曰‘政体专务压制，官皆民贼，吏皆贪人’，民为鱼肉，无以聊生，故从之者众！”

近百年的岁月已恍如云烟，如果我们今天以一种客观的“现场感”纵观历史的细节，可以得出这样一个结论：

革命，其实并非那个时代当然无二的必然选择。在清王朝最后惨淡经营的十年中，确实闪现过许多机会。

可惜的是，在清王朝高层内部，没人能抓住那几根最后的救命稻草。他们大多数人只是粉饰涂抹，真戏假做。而且，清政府在对外战争中的巨大挫败，没能激使本身变成有效力的民族化和政治化的政府，没能使老大帝国一蹴成为成熟的“民族国家”（nation-state）。结果，满族高层在他们自身觉得做出了非常痛苦“让步”的时候，国内人民心中却充满了轻蔑。

清政府十四项“君上大权”第一条内容：“大清皇帝统治大清帝国，万世一系，永永尊戴。”这样的字样和王公贵族们忙活终日的“结果”，换来的，仅仅是革命党人和普通民众这样的评价：一切都是拙劣的欺骗！

坐待，等来的只有革命。没等政治裱糊匠们和油漆工们在大清国旧机器上涂抹粉饰好新的油彩，就在朝堂大人们磨磨蹭蹭之际，武昌的枪声脆然一响，二百多年的大清龙旗，应声而落……

革命看似成功，但传统的力量仍然强大。新政权不可能扫清一切，不可能改变一切。看似天翻地覆的革命，其实是某种“修改”而已——“皇帝”，不过是变成了“总统”。最终，民国自身无可奈何地又被纳入旧的统治形式中去。

短跑的革命，换来的是马拉松式的内战和长期的混乱。

所有的权力运作者，包括革命者，当然不可能是全知全能的预言家，他们都会有意无意地犯下错误。而那些错误，会激起巨大的涟漪，且导致新的后果，并在历史夹缝中繁衍出新的、荒诞的、让人惊诧的枝杈。

让人无限叹惋的是，历史没有给中国机会，急进的革命者也无视这种历史机遇。政治革命很容易去“开创”，但难以对国内外的成功案例加以模仿。正因如此，翘首企盼却得来的苦涩，在辛亥革命枪响后，长久萦绕于我们的心头。

被刻意夸大的鸿沟

倍然激化的清末满汉矛盾

创刊于19世纪中期的美国《纽约时报》，在晚清那个时间段，曾经对中国进行了大篇幅报道。虽然其中不乏当时美国社会对中国的偏见，但它也饶有兴趣地从特殊角度和美国人的特有视角，对清朝统治下的中国和中国人进行了第一时间的感性化、真实化勾勒。其中，美国记者在1876年2月20日对国人有这样一段描写：

> 我们从清国人那麻木、呆板的面孔上看不到任何的想象力。他们的面容，从未闪现出丝毫幻想的灵光。他们并非弱智，也不乏理性，但就是没有创造性。在人类智力发展的进程中，他们是世界上最教条、最刻板的人。个人如此，整个民族更是如此：冷漠、很难脱出既有的条条框框，缺乏进取心，厌恶一切创新和改革。
>
> 汉民族的这种特性，就好像是与生俱来、深入骨髓的。（他们）实在不应该是这样啊！

这段话最后的那句感慨，非常非常重要。

确实，具有数千年灿烂历史文化的汉民族，本来是个广富活力的和无限创造力的民族。一切的悲剧，都源自明朝覆亡的那一刻。

明朝一代，总体上讲，除了朱棣“靖难”篡位内战以及最后十几年内外交困大战的两个时期外，明朝二百多年间的对外武装冲突和境内离叛都不算严重，持续时间也不长。从“大局”上观察，明帝国大多时间段内，社会处于稳定和平稳发展之中。明朝中央政权对于边疆少数民族地区的经营积极有效，对内政令推行顺利，商品经济发展迅速，对文化传统极具总结性。

但是，明帝国政治、文化、经济的发展，如果放置于当时世界意义的大舞台上观察，就难免显得逊色。特别是在火器制作、天文地理、历法运算等自然科学领域，大明王朝因中央帝国故步自封的意识，已经大大落后于时代。15 世纪和 16 世纪的全球，处于世界性的地理大发现和大航海时代。当郑和的辉煌远航被当作滥费国帑而遭故意尘封之后，中国人的冒险意识和进取精神，逐渐皆为泱泱大国心态和科举场屋钻营所遮蔽。放纵享乐的低俗欲望，取代了原先勃勃拓展的高尚萌动。

成熟文明的崩溃，并非在于社会与个人陷于纵欲状态下的麻木不仁。而且，所谓的王朝宿命周期性，也仅仅是一种无可奈何的暗喻。明朝的灭亡，同样是一个持续不断的渐进过程。但它在僵卧不动的边缘没有坚持太久，突然袭来的内部崩坍和满洲外力，刹那间结束了明朝在旧时代的踽踽独行。

农民战争的巨大消耗与满族令人瞠目结舌的突然崛起，终于在极短时间内把大明王朝推入了历史的鸿沟之中。一种长期平稳发展的文明，终于陷入充满暴力与血腥的末世。这个并不十分邪恶的“旧时代”，被白山黑水之间的屠龙骑士们最终用刀剑刻上了句号。

值得注意的是，大明帝国灭亡前，连一个让人喘息的回光返照时期都未曾享受过，但它也未经历过五代十国那样长久的“末世”期。清统治者汲取了蒙古统治者的失败教训，在使用短暂而骇人的血海恫吓之后，他们手持儒家传统的幌子，开始了对庞大帝国处心积虑的经营。可悲的是，大明王朝的文明之火，并未被移置于一种更为广大的空间，清政府那种毫无新意的平移置换，使中原王朝迈上了一种看似辉煌实则是原地踏步的停滞之途。古老的中华文明，并未在改朝换代与“异质文化”碰撞下得到类似两晋五胡时代的凤凰涅槃，而是陷于一种清统治者有计划、有目的精神圈囿的窒息氛围之中。

清朝这种“柔性”的、极具权术手段的精神摧残，看似黏合了统治者与被统治者地理与文化间的裂痕，究其实也，于汉民族而言，这种处心积虑的摧灭和压抑，对中华核心价值的腐蚀性，以及由此导致的民族衰退的可怕性，甚至超过无数个“扬州十日”。

万马齐喑中，在无尽的统治高压之下，汉民族性格同趋而下，日益变得消沉、靡顿和烦琐。昔日天真率直、奋发有为、极富文明创造力的人民，日益成为柔懦和忍耐的“顺民”。

明王朝丧钟响起之后，中国在满族统治的适应过程中，其实步入了一种浑噩而长久的假寐期。令人泫然悲哀的是，明亡之后，经过近三百年时间的轮回，继之而来的，是命中注定更严重的分裂和混乱，而后，就是西方列强的野蛮侵略。到 19 世纪中晚期，昔日威名赫赫的中央帝国臣民，在手持刺刀和新式武器的外国士兵眼中，竟成了荒诞可笑的脑后拖着猪尾巴小辫的“土著”。

可悲的是，清龙旗在紫禁城的黄昏中被扯下之后，时光又过了快一个世纪，中国人心中的“辫子”，仍然还顽固地拖在脑后……

美国社会学家丹尼尔·贝尔在他的《后工业社会的来临》一书中，对于公平与分配政策有着深刻、清晰的见解。他认为，公平报酬和公平差距的衡量原则问题，肯定是后工业社会中最令人烦恼的问题之一。他还进一步解释说，随着社会中人群收入差距的缩小，随着“民主”的普及和日益明确，人们对平等的期望会快速增加，而且会更加迫切地进行比较且得出更加令人反感的、难以忍受的结论，也就是说，“人们受的苦可能减少了，但他们的敏感度却提高了，这种现象，现在通称为‘托克维尔效应’”。

什么是“托克维尔效应”呢？

作为《论美国的民主》《旧制度与大革命》等巨著的作者，法国思想家托克维尔对“革命”有着他独到的、耐人寻味的表述。他认为，革命的起因，并不在于一个国家人民的长期贫困，反而，革命是发生在他们的生活条件随着经济增长获得大幅度改善之后。法国就是一个鲜活的例证，大革命发生前，法国社会那种史无前例的、持续稳定增长的繁荣，反而最终引起了民众一种普遍的不安定情绪。因为人民的满足感，主要源于他们对社会未来福利水平的预期。

所以，托克维尔得出这样一个结论：当一个残酷政权的桎梏紧紧束缚时，人民对自由的憧憬非常渺茫；但一俟这种桎梏产生松脱，大众会忽然对于自己身上的残存枷锁过分敏感，觉得它们根本无法忍受！

根据常人有限的“常识”，我们一般都会觉得经济增长和政治开明是件好事，因为这两种因素可以提高民众的满意程度，使得社会日趋安定。由此推之，长期的贫困和专制，一定会引发社会动荡和暴力事件。

但是，历史经验告诉我们，冷酷的事实往往与简单美好的推断背道而驰。美国历史研究者亨廷顿在他的《变化社会中的政治秩序》一书中总结道：在英国统治时期的印度，政治暴力冲突频发的地点不是穷困地区，而是在那些经济发达的省邦；数据和历史事实也表明，1789年法国大革命发生前，恰恰是那些发展最快的地区，人民的不满情绪最激烈。

这种历史的吊诡，在清末的满汉民族矛盾中，也特别鲜明地表现出来。

沉甸甸的历史回忆

在辛亥革命发生后一份署名“铁郎”的《论各省宜速响应革命军》文章中，有如下极具煽动性的文字：

满清觉罗之入关也，屠洗我人民，淫掠我妇女，食践我毛土，断送我江山，变易我服色，驻防我行动，监督我文字，括削我财产，干涉我言权，惨杀我志士，谬定我宪法，二百六十年如一日。我国民虽包容彼族，其如日日防我家贼何！我四万万之民族日益削，彼五百万之膻种日益横……夫中国者，中国之中国，非满洲之中国也！……

在此之前，中国知识分子阶层的反满、排满意识，已经风生水起，一发不可遏制。拒俄运动中，身处上海租界的张继，就已经发出过如下论述：

如以主权归异族为亡国，则中国之亡，已二百六十年矣。满洲游牧，有何高出于白人者？不愿白人之来分割我、支配我，而甘为满洲之奴隶，其汉人恃以不亡之道乎？

署名"怀亶"的革命者在《复报》第五期如此说：

彼诸申贱族，人口不过五百万有奇耳，无文化，无学术，无道德，无思想。当其未入关以前，榛榛狉狉，只恃畜牧为唯一生涯，与深山之猺獞奚择。彼种之沉灭，曾何足重轻。而吾汉族，则固煌煌然四百兆华胄也，户口百倍，文化万倍，历史之价值，民族之荣光，更高不知其几千万级……

与此论相呼应，革命大腕章太炎说得更明白："种族革命，则满人为巨敌，而欧美稍轻。"

由此，戊戌变法后的"忠君"意念，一变而成为旨在革命的排满风潮。

也就是说，在历史记忆沉淀中，当时真实的满汉关系完全失去了粉饰多年的温情脉脉，满族人群成为众恶所归，成为众矢之的。于是，早已经扔入历史深洞中的词语，重新被捡拾出来——“犬羊”“东胡”“逆胡”“膻虏”“建虏”“索虏”“鞑虏”等，沉渣泛起，鸦片战争后被满汉士大夫专指西洋列强的“夷虏”字眼，忽然间都堆砌在满人统治者身上……

其实，满汉矛盾，从始至终，一直是清朝统治者不能回避的重大问题。

清朝乃马上立国，女真基因的满洲军事集团横暴异常，他们靠抢靠骑兵靠杀人建立起强权政治。这些从山海关外奔驰呼啸而来的“野蛮人”，开国之初，就创设了不少民族歧视政策，且一直延续至清末：

第一，官职分满汉。同职官称，满官大于汉官。重要衔职，汉人不能染指；第二，对待满汉采取不同的法律。满汉发生纠纷，偏向满人；第三，满汉不准通婚（不准旗女嫁汉人，默认汉女嫁旗人）；第四，满人不从事生产，只可做职业军人，他们的生活全由政府包办。

对于这些显而易见的民族歧视政策，自清初到清中叶，由于清王朝的军事实力强大，“盛世”呼声高，国内的所有满汉人民，似乎对这些“不公正”皆习以为常，没多少人跳出来去“重视”这个问题。

其实，在清统治的所有时间段内，反满和排满一直没有停止过。朝堂之上，清廷确实有着不少汉人的高级合作者：陈名夏，谭泰，李光地，汤斌，徐乾学，高士奇，等等；但在民间，一直以“夷夏之防”为主张的知识分子，与那些“顺臣”相比，更是不绝如缕，薪火相传。在他们“春秋大义”的感召下，民间各种武装结社和会党活动非常活跃，仇满排满的思潮暗流涌动，与清朝相始终，从来没有停歇过，其中尤以天地会“反清复明”宗旨最为直接明白。

为了与之针锋相对，清大兴“文字狱”。在扑灭反满宣传的同时，他们对各种会党反抗也不遗余力地加以血腥、残酷镇压。以文字狱为例，清政府从顺治五年（1648 年）的毛重倬的“刻制艺序案”开始，到乾隆五十三年（1788 年）的贺世盛“笃国策案”为止，大狱繁兴，多达八十多起，牵连人众，穷究极治。

一直到 19 世纪初，清廷才稍稍放缓文字狱的究治。随着文字狱的放松，知识分子参与的会党活动也趋入低潮，其标志是嘉庆年间江西的胡秉耀等人奉朱毛俚起事的最终失败。在狱中，胡秉耀曾给清朝江西巡抚阮元写了几首诗，从中可以发现中国反满知识分子的心路历程：“能解春秋有几人，漫将刘备作黄巾。”

树欲静而风不止。没过多久，白莲教暴动开始了新一轮排满反清的历程，而鸦片战争后的“太平天国”运动，更是檄文满天飞——“胡奴”“鞑狗”字眼遍布人目，特别是杨秀清的《奉天讨胡檄》，脍炙人口之余，一泻汉人二百多年的沉郁悲怆之气。即便如此，由于白莲教、太平天国政治视野狭窄，他们反满色彩并非十分浓厚，且再不提及“反清复明”的古老口号。

清末十年间，满汉矛盾愈演愈烈，甚至达到“太平天国”起事以来的最高点。革命党人煽动起义，最能激起人们热血的，就是拿满汉矛盾当大题目来加以发挥。

如果仔细翻检辛亥革命的历史资料，通篇累牍，入目最多的两个字，就是“排满”！无论是兴中会誓词还是同盟会纲领，“驱除鞑虏”四字，皆显眼地列为首项，耀人眼目。

值得我们叹息沉吟的是，作为近三百年来政治支配者的满族人群，在儒家文化如此具有超强同化“腐蚀力”的中国，竟然一直“融而未化”，这确实是个很奇怪的现象。

满人入关以来，随着时间的推移，从文化方面讲，汉族的传统儒家文化已经逐渐成为满族自身的文化传统。这种转变，非常非常充分，因为儒家文化那种绝对的、不可抗拒的魅力，任哪个草原民族都无法抵御。而作为一个种族的满洲人群，它的历史性格，不是人种、族群那样简单，更重要的是他们文化内心的演变过程。

我们有理由相信，满族真正“民族意识”自觉的形成，不是辽地铁马彻地来的17世纪40年代，而是“排满运动”如火如荼的19世纪末期和20世纪初期。

努尔哈赤、皇太极时代，满洲并没有鲜明的自身民族文化认同。1635年，皇太极改“诸申”（女真）为“满洲”，只是模糊地表达了一个新兴政权合法性意念，因为“女真”这一概念，已经不能适应当时后金统治地区民族和文化的多样性。出于简单的“汉化”理论，学者们往往从汉文典籍中梳理出这样一个脉络——肃慎、挹娄、勿吉、靺鞨、女真，其实，上述词语的历史连续性很值得商榷。

八旗制度是维系初期后金（清）的一个根本基础，它先于“满洲”的概念存在。这个军事征服集团中，不仅仅包括女真人，还包括汉人、蒙古人。不仅八旗满洲中有大量的汉人、蒙古人，八旗汉军和八旗蒙古军中也包括满洲人。可见，当时的后金（清）是个没有共同文化传承和血缘关系的军事共同体。

我们知道，在中国这样一个如此广袤的国家，统治的要素不仅仅是民族意义上的统治，更不可或缺的是文化上的要素。所以，作为东亚大地上最强权的国家，清政府从汉人那里汲取了儒家的治世经验和官僚统治技能，从藏人那里得到了“佛”的超自然权力，从蒙古人那里承继了“黄金帝国”的世袭，从八旗满洲获取了具有高度适应性的军事驾驭能力，并且从周遭的安南、朝鲜、琉球等小国那里获取了“中央帝国”的宗主权力。

有了上述种种权力和能力，满洲自然具有了种族认同的优越感。但是，真正满洲种族在意识形态上面的构建，开始于乾隆时代。具有讽刺意义的是，乾隆这个最具满洲统治意识心态的皇帝，在清朝中后期却在汉人自欺欺人的笔记和传奇中被描述为是汉人的血胤（即使到了金庸，武侠小说也没有忘却这种“童话”）。

民族和种族的构建，驱动力是统治者的政治、文化以及心理需要。在甲申年血腥入关后，作为军事征服者的满洲人进入了汉人汪洋大海的包围之中。散居各地的“驻防”行动，阻隔了满洲人的联系，不仅宗教、语言的纽带松脱，他们的生活和文化也发生了翻天覆地的变化。仅仅几十年，八旗勇悍的共同人格已经消失殆尽，以至于到了吴三桂叛乱的年代，清政府所依靠的武装力量，已经不再是他们入关的先辈所倚恃的八旗军，而是以汉人为主的绿营军。不仅如此，他们赖以炫耀的与众不同的独特身份，也逐渐黯淡下来。

有鉴于此，处心积虑的乾隆帝开始了大清帝国的基础加固工程。为了加强满洲人的自我认同和文化认同，他从纂修满洲世谱入手，竭力推动文臣们钩沉早期女真在东北的发展史，大修八旗宗谱（《八旗满洲氏族通谱》），对满洲追源溯流，从血统方面强化满汉的差别，特别要把“首崇满洲”的理念进一步深化，以证明满洲族群卓尔不群的独特和尊贵。

乾隆这种努力，出于一种意识形态统治的忧患——在中国这样一个汉人占绝大多数的国家，维护高度集权化的帝制，必须依赖一种强有力的权力表述系统，必须强调统治人群（满洲）的血统高贵和独一无二的特性，只有这样，才能稳定统治秩序的各项基本因素。

当一个事物被意识到的时候，它肯定已经发生了。

大清皇帝这种行动说明，在帝国如日中天的时刻，他已经感到了满洲文化的式微，所以才亡羊补牢式地对族群开始一种追述回忆般的叙述构建。

满洲作为统治阶层，一直到辛亥革命前，并未把汉人对他们的文化同化看成是一场噩梦。但他们民族身份的内心复活，却在晚清压力下突然变得鲜明起来。

这种对满洲族群身份认同的忧虑，早在皇太极时代，便已经开始。遥想当初，皇太极在松锦大战中一举击破明军十多万，依当代人的心态，他该马上问鼎中原，策马直驱。其实则不然。当时虽获大胜，皇太极仍旧非常想与明朝讲和。长久以来，明清（后金）之间，对和议最积极的，不是崇祯皇帝，而是东北的满洲。努尔哈赤时代不讲，小酋长刚刚得志，得地掳人日多，很想过过安稳日子与大明交好，只要中原王朝从经济上给自己好处，偃戈息兵绝非天方夜谭；自皇太极登位后，亦坚持如是观点。

松锦大胜后，明廷派人来接触，皇太极在给朝鲜国王的信中就这样讲："朕想今日，我之藩服不为不多，疆域不为不广。彼（明朝）既请和，朕意欲成和事，共享太平之福。诸王、贝勒或谓明朝时势已衰，正宜乘此机会，攻取北京，安用和为。但念征战不已，死伤必重，固有所不忍。纵蒙天眷，得或一统，世岂有长生之人，子子孙孙宁有世守不绝之理！昔大金亦曾一统，今安在哉！"

这些话，无一不实。

清入中原后，官方羽翼下的御用文人无不增饰描绘清太祖、清太宗"梦一中原"的雄才大略，其实皆是事后诸葛亮的锦上添花。遥想1642年刚刚歼灭十余万明朝精兵的皇太极，绝无入据中原一统天下之意。于他而言，沈阳东辽之地的取得，原非世有，已经让人喜出望外，拥有如此一片广阔大地，足可为国。而他的那句"大金亦曾一统，今安在哉！"，更是发人深省！

从族群维护的角度讲，皇太极的初衷才是真正的雄才大略。这位满洲帝君的直觉告诉他，如入中原大地，女真人历史和传统必定会全然消泯。

确实，天下事皆福祸相倚，日后清问鼎中原，虽吸收金、辽灭亡的不少历史经验，在汉化同时诸帝总是强调要稳守"传统"，但结果不过是延长国祚而已，事实上的女真民族（满洲），基本上成了历史的陈迹。

族群和种族的性质，无非是通过一种独特的文化血缘关系以及对"共同经历"的历史记忆，来表示他们自身的不可改变和不可同化。乾隆帝的努力，当时并没有真正激发起满洲人群的民族自觉意识，特别是下层旗民，大多沉浸于歌舞升平的浑浑噩噩中。

满洲族群的自我身份觉醒，确实带有悲剧性的血腥色彩。时至晚清，特别是太平天国运动时期，造反汉人震耳欲聋的"排满兴汉"的吼声，忽然惊醒了他们。满洲祖先的光荣征服历史，和平年代的被遗忘、被抛弃和边缘化，政治上的衰落，经济上的困窘，以及在十余个省份内太平军对占领地内旗人身份识别后不分男女老幼的集体屠戮，终于唤醒了满洲作为一个种族的集体觉醒和集体潜意识。

所以，与其说满族是个历史实体，不如说它是清末政治作用下快速凝结而成的想象的共同体，一个在压力下忽然觉醒的联合体。

可悲的是，这些早已丧失精神家园和历史家园的族群，却不得不通过自我身份的膨胀来寻找那些已经永远逝去的东西。历史的强力，终于在很暧昧的时代开了一个苦涩的、黑色的玩笑。

清帝国如何从体制上泯平满汉畛域

走进晚清，我们可以尝试从中寻找满汉矛盾层层叠叠的发展脉络。

戊戌年间，总理衙门章京张元济就直言上书，请将宗室以外的满蒙各旗人民编入民籍，直归地方官管辖。他还请求允许满汉通婚，任许旗民自谋衣食，允许旗民转徙居地。

本来，光绪帝已同意计划，准许八旗计口授田，取消了旗人的许多特权。但是，随着戊戌变法的迅速失败，一切皆不得施行。

义和团事件及八国联军侵华之后，中国社会愤懑情绪暴涨。汉人对满人所拥有的特权尤其憎恨。1903 年，经张之洞力请，慈禧已经同意将军、都统等昔日满人专任的职位，可由汉人充任。而且，她还下懿旨，表示朝廷对驻防旗人犯罪的处置，也与汉人等同。时至彼时，清廷深知，光靠镇压和政权暴力，根本不能消解矛盾，最有效的方法，就是政府有限度的政治改革和让步。

对此，大臣端方出洋后的《请平满汉畛域密折》讲得最恰肯：“……举行满汉一家之实，而定国本……欲绝内讧之根株，惟有使诸族相忘，混成一体……（近来）不逞之徒（指革命党），竟敢乘此时机，造为满汉异族权力不均之说，恣其鼓簧，思以渎皇室之尊严，偿叛逆之异志。加以多数少年（人），识短气盛，既刺激于时局，忧愤失度。（他们）复偶涉西史，见百年来欧洲二三国之革命事业，误认今世文明，谓皆由革命来，不审利害，惟尚感情……”

面对此种情况，端方审时度势，认为泯平满汉畛域势在必行。“今日杜绝乱源，唯有解散乱党；欲解散乱党，则唯有政治上寻以新希望，而于种族上杜其所借口。”

对于清强硬派以军事手段大力镇压的主张，端方大不以为然：革命党人大多居于国外，鞭长莫及，皆年少气盛之徒。一味镇压，只能反而增加革命党的力量。而国内的革命党，隐藏多多，诛不胜诛。“多戮一人，则彼辈多一煽动之口实，一逆党戮而百逆党生。”

1907 年 7 月 6 日，安徽巡抚恩铭被徐锡麟刺杀后，清廷上层更加着慌，加快了立宪的步伐，平泯满汉畛域的力度更大。7 月 10 日，慈禧下旨，表示要官员们立刻上奏全行化除满汉畛域的方法。

早在 1902 年 2 月 1 日，慈禧已经下旨准许满汉通婚。满汉官员纷纷带头联婚，比如袁世凯与端方结为亲家，庆亲王奕劻与山东巡抚孙宝琦结为亲家，等等。

化除满汉畛域最主要的内容，主要还是取消旗人特权，任官不分满汉，司法同一。至辛亥革命前，清廷推行任官不分满汉的举措，施行最力。以东三省为例，当时总督、巡抚、民政使、道员等三十六人中，只有总督赵尔巽（汉军正蓝旗）和两个副都统是旗人，其余均为汉人。

1909 年，清廷还下令，官员不论满汉，一律丁忧三年。先前丁忧制度，只对汉人，实际上是对汉官的一种限制。

至于旗民编入民籍和旗民生计问题，进展维艰。因为，生计问题不解决，旗民还需要政府花巨款养活。如果按照清廷购田分给旗民的政策，计口授田，仅京旗一项，就要一亿两白银。但是，如此巨款，哪里去找？被削特权后，旗民不满，汉人更不满——购田授旗，钱从何出？肯定要削剥汉人。另有一种权宜之计，即挑选精壮旗丁，编入新军或选为警察。这些人在军中或警察队伍中，不似汉人易受革命党影响，又能解决其生计，似乎一举两得。但新军只是募兵制，非为昔日八旗那种世袭的兵制，所以成效并不大。

清廷泯除满汉矛盾的许多举措，最终更致猜疑。出于当时“别有用心”的激进革命派的激煽，清政府所有关于满汉关系的改革，都会被认为是“包藏祸心”的举措。

取消旗制以及取消旗兵驻防，最后要停发钱粮。“宁可无了有，不可有了无”。清政府的这种措施最难定夺，弄不好旗人因怨而起，会导致清廷后院起火。因此，清廷一直拖拖拉拉没有真正施行。直到清朝灭亡，除东三省以外，其他任何一省的旗人驻防也没有取消，大批旗人仍没有被编入民籍。

由于八旗子弟二百多年来一直处于“不士不农不工不商不兵不民”的状态，游手好闲之风深入骨髓。直到新中国成立初期，旗人仍是政府一大心病，不少旗人依靠救济为生。

无论如何，从研究中我们可以发现，消除满汉畛域的改革，在清末各省进行得还算有起色，而在北京的中央政府则无甚改观。改革前与改革后，在军机大臣与各部尚书中，还是满人人数占优（1907 年，军机大臣及尚书中，汉人七人，满人十一人）。到了 1911 年，所谓的“责任内阁”中，有满族九人，汉人仅四人，其中皇族竟占五人，故被时人讥为“皇族内阁”。

清朝灭亡前夜的满汉矛盾，一般学者都把目光聚集在摄政王载沣对袁世凯的排挤上，把这个案例渲染为“满汉矛盾”的集中表现。

其实未必！载沣在握权之始，就把袁世凯赶走，让人顿觉是满族少壮亲贵排斥汉人高官。仔细思之，爬梳历史，觉得其中大有蹊跷。

袁世凯最大的靠山，乃庆亲王奕劻，他才是真正的正牌直系皇亲。同时，旗人端方与袁世凯是亲家，而与端方并列入“旗人三才子”的那桐，更是袁世凯心腹。军机大臣世续，又和袁世凯拜过把子。这些人的关系，都可谓满中有汉、汉中有满，为此，就很难说载沣搞袁世凯是专门冲着他“汉人”的身份。

反观给载沣撑台面的，往往不乏汉人，比如盛宣怀、唐绍仪、梁士诒以及几个专门“咬人”的汉人御史，他们无不受摄政王极力拉拢架抬。他们身为汉人，攻击起袁世凯来，似乎都更有深仇大恨，不遗余力。

而且，观载沣短期所为，排袁之举，绝称不上是“排汉”。他把袁世凯的“同志”端方的两江总督帽子摘去，给汉人张人骏戴上；把端方从直隶总督拉下来后，补上去的是汉人陈夔龙。如此两大重要官职，免满上汉，总不能把此举说成是“排汉”。

在载沣摄政期间，被免掉的四个总督大员，除袁树勋以外，端方、升允、锡良三人，都是满人。地方以及军队中，少壮皇族派为了在袁世凯北洋系统中掺沙子，在军队系统引进了不少日本士官生出身的年轻军官，而那些人，也大多为汉人。种种实际情况表明，摄政王载沣广受指摘的宣统年间“排汉”，根本站不住脚。如此，可以发现，清末上层统治集团的斗争，不能简单冠以“满汉之争”。实际上，多是载沣为首的少壮亲贵派与庆亲王奕劻的亲贵元老派以及袁世凯、端方为首的新洋务派之间的争斗。

嘉道以来，统治阶级上层的满汉矛盾其实已经大大减弱，到 1864 年时，清朝十个总督中，旗人仅占两席，其余八个位置都是汉人的。至于十五个巡抚大员，清一色的都是汉人，没有一个满人。1910 年第三次

爱新觉罗·载沣

国会大请愿运动中，十九个地方督抚、都统、将军联衔会奏，满蒙官员有七人参加。第二次联衔会奏时，也有六个满蒙官员加入签名，反而是汉人大臣张人骏和陈夔龙对立宪表示反对态度。而各省督抚联电请立开国会的努力过程中，也是满人瑞瀓、载涛和锡良最为积极主动。以至于当时就有人讲："满人非尽恶也，有革命思想谋社会进步者，固不乏人，不可因其满人而一网打尽；汉人非尽良也，助纣为虐，为桀作犬者，今日之当道者皆是也，不可因其汉人而置之不问。"（署名为"民"所作《申论民族、民权、社会三主义之异同》）

所以，简单的满汉矛盾之说，完全无法解释当时当地清政府高层的政治立场。

作为文化不发达民族的满洲，经过近三百年的同化，其实已经完全被汉文化这种进步的、高级的文明所吸纳，在文化上取得了"净收益"。但是，很可惜，虽然有时候"民族"和"国家"两个概念可以互换，但民族毕竟不是国家，一个少数人统治的民族，想建立使得"民族国家"能够延续下去的长治久安，在汉民族主义勃兴的20世纪初，更是近于天方夜谭。

当然，如果当时多数国人能够做到某种"集体的健忘"去认同重新创造出来的某种共享的文明意识，即能强调"中华民族"的同一性而不是满人、汉人、蒙人的差异性，很有可能"革命"就不会发生。

对于晚清时期京城的满汉关系，曾经久做京官的汉族士人何刚德在他的笔记《春明梦录》中，有着非常真实的记载：

> 满人在京，可分三等。一则一二品大员，年高位尊，各自持重；礼节周旋，一味和蔼。虽有闹意见者，间或以冷语侵人，而绝无乖戾之态。平心而论，（满人）较汉人尚多平易近情。一则卿寺堂官，及出色司员，（满人）稍有才干便不免意气自矜，然一涉文墨，未有不甘心退让者。至寻常交际，

> 酒肉征遂，若遇有汉人在座，（满人）转不免稍涉拘谨。一则平常司官、笔帖式，个个乡愿，无争无忤而已。窃揣满人心意，亦知（他们）平常占尽便宜，人才又不能与汉人较，故见汉人颇讲礼让。而汉人之在京者大半客居，但见其可交可亲，转有视若地主之意。此余在京十九年，饮食周旋，所日相接触者，固历历在目也……

咸光以来，满人对于满人，上有肃顺、光绪，下有端方等人，也大多持蔑视轻视之意。反而对于汉人士大夫，一直深加礼敬，大起大用。这种情势的发生，当然与太平天国的崛起有着深刻的关联。但不可否认的是，满洲官吏在清朝中早期那种骄横跋扈，自咸丰以后已经少而又罕。

对于清末满汉矛盾所引起的政治纷争，作为新洋务派官员的满族大员端方等人一直忧心忡忡。和许多温和的改良派人士一样，他们多年来一直都很想竭尽所能去调和矛盾，希望在大清朝实现不流血的立宪。这些人具有非常善良的初衷：在八国联军侵华后难得的喘息时刻，在同仇敌忾的大氛围下，一边深化政治、经济、文化、教育改革，一边提倡满汉一体、实行满汉通婚，进而使得诸族界限“浑然相忘”成为现实，中国社会一定会实现“不流血的革命”和真正的进步。

可惜的是，历史没有给端方这些人从容改革的机会。清末的内忧外患，致使被压抑多年的满汉矛盾被人为地提升，忽然加剧。武昌一声枪响，革命，摧毁了一切温情脉脉的温和改良意愿。

尔后，所有的事情似乎都要从破坏开始，在古老中国的大地上，即将展开另外一个崭新的、冗长的循环。

革命家对满汉矛盾的夸大和利用

美国学者亨廷顿认为："革命者的目的，是使政治两极化，因此他试图把政治问题简单化、戏剧化，并加以合并，从而使'进步'势力和'反动'势力之间阵线分明。革命者力图加深裂痕……革命者在动员新的政治伙伴的时候很少有顾忌。"此语，道破了清末资产阶级革命派的心机。

而亨廷顿所讲，清末最大的投机家杨度在当时已经说得明明白白："'革命排满'四字，在社会上可以成为无理由之宗教！"

在清末革命鼓动家中，最热衷于宣扬满汉矛盾的，非光复会的章炳麟（章太炎）莫属。这位深晓儒家华夷之辩的巨儒，继承王夫之、吕留良、曾静等人的思想衣钵，大肆宣讲"驱除异族"的理论。类似章太炎的这些启蒙大师，身着广襟大袖，口述先哲睿语，参演了中国近现代史推翻清帝制的离奇大戏。

清末本来的政治革命，由此就在民族革命的幌子下，轰轰烈烈地开展起来。

相比于欧洲的革命，中国的辛亥革命自是有其与众不同之处。欧洲革命，大致分为两种：一是 17 世纪、18 世纪的英、法类型革命，一是 19 世纪的普鲁士类型革命。前者是新旧更迭的革命，后者是妥协的革命。而中国的革命者，艰苦卓绝之中，有着先天的革命优势，那就是浓厚排满色彩的民族革命旗帜，已经漫天飘扬。

戊戌变法和自立军起事失败后，改良派分化加剧，革命的砝码大增。"勤王"不成，尤思革命。特别是国外留学生中，"有知识者，知满汉利害关系，全然相反，欲求自存，非先除去满人不可。由是满汉种族之问题渐生，而排满风潮起矣"。（陶成章《浙案纪略》）

1901 年，在东京创办的《国民报》大倡革命排满。此后四年间，国外出版的排满革命刊物多达三十多种，并随之涌现了许多以排满为宗旨的革命团体；在国内，以1902年创刊的《湖北学生界》和湖南《游学译编》为肇始，继之有《浙江潮》《江苏》等杂志，无不鼓吹排满反满。特别是1903年邹容在上海出版的《革命军》，更是直抒胸怀："诛杀满洲人所主之皇帝，使不复有专制君主！"

"苏报案"后，国内反满思想犹如决堤之水，一发不可收——《黄帝魂》《女子世界》《觉民》《中国白话报》《国民日日报》等，纷纷现于市面。这些报章文字泼辣，绝无忌讳，汪洋恣肆地开始了排满扬汉的宣传鼓动。

于是乎，《中国民族主义第一人岳飞传》(《湖北学术界》)、《中国爱国者郑成功传》(《浙江潮》)、《为民族流血史可法传》(《江苏》第四期)以及《中国民族主义大豪杰冉闵传》(《江苏》第十一、十二合期)，皇汉思想，开始勃然而兴。特别是对两晋时期颁发《杀胡令》的汉族大将冉闵大张旗鼓的宣传，不仅空前，而且绝后。

当是时也，排满兴汉的呐喊呼声，一浪高过一浪。最能表现极端愤慨情绪的，当属吴樾"手持三尺剑，割尽满人头"的高吟。

喧嚣声中，也有理智的声音。蔡元培1903年在《苏报》的《释仇满》中认为，满族血统已与汉族混合，其语言文字也已为汉语、汉字所淘汰，满洲人这一名词，只不过是政略上占有特权的一种记号罢了。所以，他认为，"近日纷纷'仇满'之论，皆政略之争，而非种族之争"，他声称，"苟满人自觉，能放弃其特权，则汉人决无杀尽满人之必要"。"昔日种族之见，宜若为之消释。而仇满之论，反炽于前日者，以近日政治思想之发达，而为政略上反动之助力也。"

同盟会的理论先锋汪精卫，也逐渐从排满、仇满的层次上提升，清晰意识到种族革命和政治革命的并行不悖："今之政府，异族专制政府也。驱除异族，则不可不为种族革命。颠覆专制，则不可不为政治革命。徒驱除异族而已，则犹明（朝）之灭元（朝），于政界不生变革也。若徒欲颠覆专制而已，则异族一日不去，专制政府一日不倒。故种族革命与政治革命岂惟并行不悖，实则相依为命者也！”他还分析说：“汉人之所排满者，以其覆我中国，攘我主权也，非谓国家之内不许（其）他民族存在。排满不已，更进而排蒙、排回、排藏也。况汉人非惟无排斥蒙、回、藏之心，且将实行平等制度。”

也就是说，在中华多民族国家，青年汪精卫只反对“一族（满族）居主人之地位，而他族悉为之奴隶”的不平等民族关系。他多次表示，在推翻清政府后，应该宣扬以汉族人民为首，对各族人民进行精神上的中华民族“同化”，所有这些，也是孙中山“国族主义”的理论根源。如此理论，放之至今，依旧广具先进性和极大的理性。其普世意义，没有因时代的递嬗和个人的蹉跌而有丝毫的褪色。

一直以排满为己任的陈天华，在其《绝命书》中，也这样道出了他的心声：“满洲民族，许为同等之国民。以现世之文明，断无有仇杀之事，故鄙人之排满也，非如倡复仇论者所云，仍为政治问题也。”

即使是那位一直咬牙切齿喊“民族复仇”的章太炎，曾经也十分“冷静”过：“若就政治社会计之，则西人之祸吾族，其烈千万倍于满洲。”之所以要一举摧毁清统治，正因为它是几十年来对帝国列强俯首听命的统治工具。

辛亥革命枪声即将响起的前夜，在日本的同盟会员、湖南人刘揆一，甚至提出了“联满革命”的主张：

> 使汉人、满人而各知爱国家、爱种族也，则是现今之君主政治，无论其为专制，为立宪，皆不足以救危亡，即无论其为满人，为汉人，皆当排去之者也；且使满人而知断送满洲桑梓地者为满洲皇族也，知汉族不强满族亦随而亡也，知非建立共和政府，满汉种族之意见终不能融洽也，吾恐汉人虽不革命，满人犹当首先排去其皇族而倾倒其政府矣。（刘揆一散发的传单《提倡汉满蒙回藏民党会意见书》）

如此真知灼见，在晚清革命排满的大背景下，皆退隐在排满复仇的呐喊呼啸和喧嚣声中。满清和满洲这两个词语，都成为当时中国人民心中罪恶的渊薮。

面临列强的宰割和欺凌，中国又没有任何一种宗教可以充当人民内部联系纽带的共同信念，革命者只能从古色苍然的华夏民族主义寻找能激沸热血的共同情感，激起对列强及其清代理人的同仇敌忾。

在那些时代特色鲜明的宣传语中，人们更多的是被如下话语鼓动得热血沸腾：

> 日本以“太阳”得名，中国人以“天汉”立称。信哉！星球世界，非我汉人不能抚而有也！（章太炎《汉帜》发刊序）
>
> 扫除数千年种种之专制政体，脱去数千年种种之奴隶性质，诛绝五百万有奇之满洲种，洗尽二百六十年残惨虐酷之大耻辱，使中国大陆成干净土，黄帝子孙皆华盛顿，则有起死回生，迷魂返魄，出十八层地狱，升三十三天堂。郁郁勃勃、莽莽苍苍、至极极高、独一无二、伟大绝伦之一目的，曰革命！巍巍哉，革命也！皇皇哉，革命也！（邹容《革命军》）
>
> 诸君诸君，认定宗旨，整刷精神，除暴君，驱异族，破坏逆胡专制的政府，建设皇汉共和国的国家……民权主义万岁！民族主义万岁！中国万岁！（柳亚子《民权主义！民族主义》
>
> 满清觉罗之入关也，屠洗我人民，淫掠我妇女，食践我毛土，断送我江山，变易我服色，驻防我行动，监督我文字，括削我财产，干涉我言权，惨杀我志士，谬定我宪法，二百六十年如一日。我国民虽包容彼族，其如日日防我家贼

何！我四万万之民族日益削，彼五百万之膻种日益横……夫中国者，中国之中国，非满洲之中国也！……革命哉！革命哉！真今日我族存亡之一大关键哉！（铁郎《论各省宜速响应革命军》）

…………

值得庆幸的是，虽然民族主义的呼声如此甚嚣尘上，汉民族主宰中国命运的诉求如此强烈，但辛亥革命枪声响起后，满汉两个民族并没有在这个千万平方公里的大竞技场上进行你死我活的争斗。

以推翻清统治为宗旨的国内战争，不仅没有使得其中一个民族消亡，反而使得“五族共和”的旗帜高高飘扬在先前悬挂龙旗的旗杆上。革命发生后，武昌城内只有数百旗在民乱中被杀，杀戮行为很快被阻止。在全国范围内，大规模的满汉民族仇杀并没有发生。只有两个例子比较特殊，一是哥老会控制下的陕西西安发生过“秦陇复汉军”对负隅顽抗的满洲军民集体屠戮事件，一是福州将军朴寿和满人文楷组织“杀汉党”抵拒而导致的驻防八旗被杀事件。

“中华民族”这个概念，最早由梁启超提出：“立于五洲中之最大洲，而为其洲中最大国者谁乎？我中华也！人口居地球三分之一者谁乎？我中华也！四千余年之历史未尝中断者谁乎？我中华也！……上古时代，我中华民族之有四海思想者厥惟齐。”

而后，孙中山的“中华民族”概念，实际上是包含大汉族主义的民族概念。最早从国家层面使用“中华民族”这一词语的，乃是袁世凯努力想把蒙古保留在中国国土之内的民国初建之时。在《袁世凯致库伦活佛书》中，他正式使用“中华民族”来涵盖当时中国境内的所有民族。

清政府在清末对于传播中华民族属于汉族的这个民族定义非常警醒，一直在他们所掌握的《中央大同日报》上不断宣称清立国以来一直奉行“五族大同”，并在武昌起义爆发后第三天忧心如焚地发布上谕表示："至于持种族革命之说者，意在离间满汉，激成仇衅，祸变相寻，必使大局糜烂而后快其私心。"

从历史的经验看，辛亥革命后即使发生了武昌杀害满人满官的小概率事件，当时在国内的其他少数民族对于革命党激进派所宣传的以汉族为本的中华民族的民族主义，并未感到恐惧或者担忧。

从部落民族、文化民族到政治民族，中国从清末开始，逐步克服了民族共同体的认同危机，实现了从传统文化民族到近代政治民族的转型。只有到了政治民族这一步，才能从家国同构的简单思想中挣脱出来，把君权神授观点转化为国家主权意识，从天下一统的观念改为领土完整意识，从臣民服从转化为公民平等。

成熟的政治民族的飞跃，在于民族国家的崭新认识，不再以部落民族的血缘地域认同以及文化民族的文化认同当成基本要素，而是着重于主权意识、公民意识、万国平等的概念。如此，当人们以理性主义为指针，以中央集权的领土国家为基础，从狭隘的单一民族主义突围而出，中华国家才得以真正形成。

在满汉民族矛盾其实并不尖锐的晚清，梳理了上述脉络之后，我们可能逐渐清晰地梳理出为什么革命党会以民族为借口发生大规模的革命，也可能由此洞悉：为什么上层统治集团（特别是各省督府和谘议局人士）会借助大众这样的民族狂热，掀起一场不可遏制的推翻帝制的运动。

对于革命的发生，法国历史学家托克维尔一席话道出其端倪：

> 一个国家发生革命，并非总是因为人民的处境越来越坏。最经常的情况是：人民最初对暴虐的统治保持沉默，仿佛若无其事地忍受着这种统治的不合理之处；但是，当暴虐统治的压力一旦减少的时候，他们就会猛力推翻这种统治。被革命摧毁的政权，几乎总比它之前的政府制度有所改善。经验

证明，对于一个坏的政府来说，最危险的时刻，通常是它开始改革的时候到来时……人民起初耐心忍受一些邪恶，认为这是不可避免的。而一旦他们认为有可能消除这些邪恶，邪恶就会变得是不可容忍的。

地方与中央的角力

立宪派与督抚们“民主”演练中爆发的怨愤

“风雨欲来”这四个字，最适合形容清末的政治气候。

在那个急剧转型的社会变动时刻，如何由传统走向现代，是晚清宪政改革派日思夜想的东西。但是，对于中国这样一个长久以来一直专制而封闭的政治体系来说，渐进的改变，可能比突然的灭亡还要痛苦!

“现代化”这个词语，由于诸多亚洲国家的失败，往往让人们对这个极具西方色彩的概念产生退避的情感。在“现代化”过程中，传统社会逐渐被取代，机械技术蔚然成风，理性与世俗的观念深植人心，政治、经济、社会、思想都会产生前所未有的改变，具有高度的差异性。其间，工业化、民主化、都市化、世俗化、教育普及化以及传媒的大众化，都会有规律地发生。

仔细推究，在历史政治学意义上的“现代化”，不如称之为“政体发展”更为确切。因为，“现代化”这个词外延太大，太容易引起误解，正如柯拉科夫斯基（L.Kolakowski）所言，“现代化”一词，根源是生物性的生存时间，每个时代的人，都可自称为“现代人”，把他们自身的问题视为“现代问题”。而“政体发展”，能有效避免这个字眼在词汇学方面引起的困惑。

政体发展的基础，是民族国家政治方面的首先现代化，亦即政治文化的世俗化，简单说，就是人民有权参与公共事务的处理。当然，在这个转型过程中，整体发展的结果有时候事与愿违，可能会在某个时期导致政治的衰退，会带来政局动荡、腐败贪污甚至是军事独裁情况的出现——即便如此，这都应该是一个国家现代化进程中必须付出的痛苦代价，是必须要缴纳的巨额“学费”。只要最终结果符合预期，一切都是值得的、令人期待的。

政体的发展，集中体现在三个方面。第一，政治文化的崭新世俗化；第二，政治结构和政治分工的复杂化、专门化和自主化；第三，政府控制能力的大幅度提高。

我们知道，政体的发展，是传统政治当局在外在压力下开始的。在这种变化中得以稳定的政治体系的发展，政府对社会环境的适应力逐渐得到增强，与当时经济发展相互促进，进而提高社会的普遍教育程度，提升文化价值的新观念，并衍生出一种极善于妥协的民主意识。

没有妥协，就没有民主。这，也就是美国学者科恩所言：“寻求不偏不倚的解决办法，使得冲突各方都能得到某种程度的满意。”（《论民主》，商务印书馆 1988 年版）

现代化蹒跚而痛苦的过程中，最重要的一个概念，莫过于“宪政改革”。在一种宪政体制下，先前那种“受命于天”的传统上层统治，应该变成一种普通大众都能广泛参与的集体政治统治模式。

在这种以宪法为依据的政治范式中，最高统治权威，不再是口含天宪的“天子”，而是宪法和法律。“朕即国家”的武断、粗暴和随意性，都会被降到最低的限度。

一般而言，宪政体制包含下述几种含义：

第一，人民的基本权利得到保障，诸如言论、集会、出版、结社等方面的自由；第二，政府会受到宪法的有效制约，即“有限政府”的原则的实现；第三，各个社会阶层参与政治的制度化；第四，在合法性的基础上一个权威政府对国家的有效控制。

评价宪政改革结果的标准很简单。首先，要看那个国家的人民权利和政治自由是否得到提高和保障；其次，审察那个国家的政府横向结构的分立情况（三权分立）以及纵向结构的分权情况（地方自治的保障）；再次，就是通过制度模式加以验证，亦即人民和政府的“关系”。比如，英国是“协定立宪政体”，美国是“民主立宪政体”，德国、日本是“钦定立宪政体”——从“立宪政体”前面两个字的定语形容词中，可以看出那个国家立宪程度的发展情况。

当然，有一个具体前提，我们首先要清晰，专制国家的“西化”，不一定带来纯粹的进步。对此，托洛茨基曾经讲过：“落后国家通常要吸收先进国家的物质和知识成就。但这并不意味着它应亦步亦趋，重复历史上的所有阶段……当然，中间步骤不是绝对可以省略的。跳跃的程度，归根结底取决于这个国家的经济和文化能力。再者，落后国家在借鉴外来成就、使之适应自身较原始的文化时往往会使这些成就打折扣。因此，这种吸收过程就具有了自相矛盾的性质。例如，彼得一世引进某些西方的（主要是军事和工业方面的）技术和训练方法，却导致了作为基本劳动组织形式的农奴制的强化。欧式军备和欧洲的贷款——二者无疑是一种‘高级’文化的产物——却导致了沙皇制的强化，从而反过来阻碍了俄国的发展。”（《俄国革命史》）

几种借鉴的范式

在19世纪末期，由于西方国家殖民化的迅速发展，随着工业文明浪潮的铺天盖地，“现代化”以不可阻挡之势奔涌到世界的各个角落。当时，中国最值得借鉴的国家，无外乎以下五个：英国，法国，美国，德国，日本。

英国的资本主义革命也产生于西欧封建社会的母体当中，是在商品经济的发展、市民阶层的扩大以及城市的兴起基础上发生的。随着国王削夺封建领主的权力，英国的中央集权得以巩固，市民力量迅速增长，民族意识和主权观念日益强化。在如此背景下，由市民阶级发展出来的新兴资产阶级开始登上政治舞台，最终催发了君主议会制度。而后，随着封建经济的瓦解，原有的王权、封建诸侯、资产阶级的三角平衡关系破裂，终于爆发了1689年的“光荣革命”，王权被削弱，《权利法案》获得通过，政治文化的世俗化得以确立。到了18世纪上半叶，政党制度、内阁制度和议会制度完全成型。而后，英国率先进入了工业革命的大发展时期。这样一来，政治现代化的所有目标，都得以在英国实现——权威的理性化，结构的分化，政治参与度的扩大化。可以说，英国资产阶级革命是人类历史的里程碑，从此，旧的生产关系得以彻底改变，封建传统开始唱吟起它哀长的挽歌。

法国贵族一直享有极大的特权，长久以来他们处心积虑地维护自己这种特权地位。但是，随着地方自治的市民阶层的发展，法国新兴的资产阶级逐步通过金融业和工商业的飞速发展奠定了他们在经济上的支配地位，于是，这种“第三等级”与达官贵族的矛盾就愈演愈烈。而法国王权呢，在17世纪一度非常强有力。此后，由于专制王权愈演愈烈，竭力限制资本主义经济发展，日益腐败，政治高压，最终引起了“第三等级”联盟的暴动。法国大革命通过了划时代的《人权与公民权宣言》，君权神授的政治权威，终于被理性化、世俗化的政治权威所取代。即使1804年拿破仑恢复帝制，为了粉饰专制，资产阶级也从三部重要的法典（民法、商法、刑法）中得到了补偿，自由贸易得到了前所未有的迅速发展。虽然表面上是帝制，但拿破仑时代的法国是职业官僚组成的现代化的国家管理结构，官僚机构化和政治民主化平行发展，相互融合，相互平衡，不仅政府效率得以提高，人民的政治参与和代议程度也得到提高。

美国政体从一开始就深受英国都铎王朝时代政体的影响，但它的历史背景非常独特。美国作为英国的前殖民地，在不断的经济交往中逐渐产生了摆脱宗主国控制的思想，而那些独立战争领导人最初的信念，源于人民主权学说的乡镇自治的原则。这种自下而上的层层授权的自治传统，具有非常独特的美国烙印。早期进入美洲大陆的英国清教徒，头脑中就有许多民主共和理论，他们在母国受到的政治教养，使得他们十分珍惜以自由原则为基础的权力观念和地方自治。所以，现代的美国民主，同他们早期的乡镇自治传统有着千丝万缕的联系。

德国的封建时代一直处于一种非常不稳定的、王权旁落的衰落状态。在英国、法国已经确立了绝对君主制的时候，德国依旧处于严重分裂的类似城邦小国的交杂境况。随着王朝兼并战争的开始，普鲁士国家实现了统一，而恰恰是这种统一过程，使得德国具有强烈的军国主义色彩，政权始终掌握在上层的容克地主和军事集团手中，民主化进程非常缓慢，经济在西欧也相对落后。但是，德意志民族高度的纪律性、正规化的等级制度以及类似东方国家的无条件服从人格，使得德国政府的效率非常高，即形成了一种“组织形式更紧密或称为‘法团’（corporate）形式的工业资本主义”（亨廷顿《现代化：理论与历史经验的再探讨》）。

从地缘政治角度讲，中国当时最值得借鉴的，当属日本。

明治维新之前，日本是个经济非常落后的东方国家，内部的政治体制是非常特殊的“幕藩体制”，它其实是一种相对松散的封建集权制度。天皇只是作为一种最高的政治象征物而存在，统治之名与统治之实相分离。1853年，美国将军佩里率领军舰冲破了日本二百多年的“锁国”政策，日本的经济结构发生了巨大的变化，他们被迫向西方列强打开了国门。而近邻中国两次鸦片战争的巨大耻辱，强烈刺激了日本，使得他们产生了极强的危机感和末日感。同时，由于武士阶层对德川幕府的强烈不满，最终爆发了打着“尊王”旗号的倒幕运动，以明治天皇为首脑的中央集权得以前所未有地强化。明治维新废除了武士阶层和华族、士族阶层的特权，促进了国民平等的观念，以比较平稳的方式泯除了原先社会上一个庞大的寄生阶层，推动了国内资本主义的发展，使得国内城市进一步繁荣，工业化、市场化的进程快速向前，日本很快就在技术上赶上了当时西方的先进国家水平。1871 年，日本政府在各个村、町、县设置地方协商会议，广开言路，促进了自由民权运动的发展。各个地方政治集团纷纷结党结社，大众的近代国家意识空前高涨。1889 年，日本政府主动进行创新和改制，明治天皇批准了伊藤博文主持起草的《大日本帝国宪法》，确立了日本的君主立宪制度。作为东亚国家，日本与清廷改革方面最大的不同，就是日本改革自下而上，清是自上而下。

从改良到革命的分野

1840 年的鸦片战争，是一道分水岭。此后，中国社会自上而下发生了前所未有的巨大变化。

鸦片战争以前，中国是东亚最典型的传统的高度中央集权的封建国家，政治生活以皇帝为中心，完全由一个职业的官僚系统垄断，而这个官僚系统也不过是皇权的附属品。因为，中国皇权的来源是“天命”，具有无可辩驳的合法性（中国“革命”这个词语的原意，就是一个朝代帝王的“天命”被革，而非一般现代意义上的“革命”），而它的经济，则是马克思所称的“亚细亚生产方式”的自然经济。

当然，传统中央集权的中国官僚制度，并非我们想象的那样腐朽和没落，它的精细程度其实堪比现代官僚制度，具有高度理性化色彩。可惜的是，在陈旧“传统”观念下，正是这种具有极强自我修复能力的制度和系统，以其绝对封闭的、水泼不进的特质，反而最终成为僵化帝国迈向现代化的绊脚石。

所以，在鸦片战争之前，历代中国政治的变迁，局限于朝代的、种族的、一家一姓的变化，并不是政治秩序和政治制度的变迁，在政治原则方面，一直没有推陈出新的质变过程。

清朝的统治，也是“万代皆行秦制度”的一种翻版，只是因为它“异族”的身份，自始至终都让汉民族中间的有识者质疑这种统治的合理性。

清朝中央政府的核心，是内阁和军机处，下设行政六部、诸院、诸寺等机构。军机处和内阁虽都是皇帝的辅助机关，但由于军机处是皇亲国戚参与的议政班子，地位一直在内阁之上。六部制看似沿袭于明代，可清朝六部官职的设置，一直带有明显的民族歧视色彩——满人居于汉人之上。所有的行政权力，最后皆集中于皇帝一人之手。而清朝地方的省、道、府、县四个级别的官员，都直接对皇帝负责。也就是说，相对而言，清朝政府对于基层里社、保甲的控制，没有那么严密，行政力度基本下延不到基层中，只是凭借地方士绅和家族控制间接统治。

由此，在广大农村地区，清朝的行政控制就留下了一个空心的夹层。这个夹层的作用非常大，它既可以稳定社会基层，又可以在合适的条件下变成反对政府统治权威的力量。由于长期的封闭和僵化，清朝农村基层一直处于停滞、闭塞的状态。

鸦片战争开始后，西方殖民者的坚船利炮，最终摧折了中国传统社会制度的一切基础，政治、经济、社会、思想，都忽然暴露在凛冽空气中，在混乱和灾难降临的同时，加速了中国社会的转型和剧变。从此以后，华夏中心的“天下”概念一去不复返了，清朝先前妄自尊大的“朝贡体系”，全为被迫与洋人定下的“条约体系”所替代。

赔款、割地、开租界、最惠国待遇、治外法权、通商口岸等，一系列触目惊心的新名词，让中国人在惶骇中，开始对这个全新的世界进行更加认真和实际的思考。在传统的自然经济遭受灭顶之灾的同时，中国被迫纳入世界的经济体系循环之中。由此，资本主义的生产方式和生产关系得以形成，中国各阶层的心态受到极大扭曲，最终孕发出一种几近畸形的民族情绪，最突出的爆发，则表现为日后的义和团运动。

对晚清政治格局影响最大的，当属太平天国运动的发生。这场国内战争，使得清王朝元气大伤，统治根基被严重削弱。地方军事集团，特别是以汉人为主的军事集团由此勃兴，日渐影响清朝的中央集权统治。这种结果，也促成了地方势力的膨胀，增加了地方大员的军事迷信程度，使得政治朝军事化的方向发展，原先的文官政治体系逐渐出现崩垮的迹象，为日后军阀争战和统治埋下了深刻的伏笔。最早以湘军为首的地方势力不仅有地方的行政权力，还有财政的自主权，逐渐使清廷不得不对地方开始了严重的依赖，由此以往，国内离心离德的气氛日益浓厚，从而造成了中央政权权威性的日益降低，先前的大一统统治力被一扫而空。

戊戌变法的失败、六君子的被杀和自立军首领唐才常的被害，是清末改良最终激变为“革命”的关键。孙中山的反清活动虽然比“公车上书”还要早，但最初，他在国内的影响非常微弱，远远不能与康梁的维新变法相提并论。正是谭嗣同、唐才常所流的鲜血，最终使得中国一帮有为青年痛定思痛，他们深刻认识到，改良的道路在中国行不通，泪眼擦干之时，忽然转向革命一途。

最深刻的变化在于，戊戌变法失败后，鲜血与屠杀，使得汉族知识分子原本理性的心态，逐渐为一种焦虑的激进所替代。他们的危机感如此迫切，昔日温情脉脉的改良，遂激变为“只争朝夕”的革命。

从1901年东京《国民报》创刊开始，革命和仇满，在新青年中成为蔚然时尚的两大宗旨。即便那个时候，在国外华侨界，革命派的影响依旧远远逊于改良派，真正主张革命的团体，也只有孙中山的“兴中会”，而康梁的保皇会，在美洲、南洋竟然有十一个总部、一百零三个支部，势力遍及五大洲一百七十个华埠，会员达十万多人。

1903年之后，随着拒俄运动的兴起，改良思想迅速被革命思想所取代。

由于沙皇俄国进一步侵占我国东北地区，全国人民同仇敌忾，在日本的留学生甚至组织起“拒俄义勇队”，通电清政府，要求作为前锋军出兵抗俄。面对如此的爱国行动，短视的清廷竟然认定是“名为拒俄，实则革命”，命令驻日公使与日本政府联手，取缔了学生的爱国组织，并下令各地督抚对于回国表现激进的学生随时可以“就地正法”。如此，昏庸的清政府完全把国内一致对外的矛头转向了自己，使得清廷在国人眼中变成了“洋人的朝廷”。

悲痛欲绝之余，中国有识青年中的大部分，从此在情感上与清廷完全一刀两断，他们痛论国事，下决心推翻这个腐朽的朝廷。留日学生中的绝大多数，本来是愿为清政府前驱挽救国家危亡，此后，他们的宗旨却突变为“养成尚武精神，实行民族主义”，并组织以暗杀破坏为主要手段的“军国民教育会”，纷纷回国从事以刺杀清朝大僚为主的激进革命恐怖活动。

在《苏报》案啼笑皆非的大戏中，清廷竟然作为原告，向租界当局控告自己的国民，虽然最终他们把邹容、章太炎关进了大牢，却使国内人心完全不可挽回。从此之后，排满主义已经深入人心。

《革命军》《猛回头》《驳康有为论革命书》，恰似三颗重磅炸弹，在中国思想界掀起了轩然大波。特别是陈天华字字血泪的痛陈，让国人感受到亡国灭种的急迫和迫在眉睫的危险：

> 俄罗斯，自北方，包我三面；英吉利，假通商，毒计中藏。法兰西，占广州，窥伺黔桂；德意志，胶州领，虎视东方。新日本，取台湾，再图福建；美利坚，也想要，割土分疆。这中国，那（哪）一点，我还有分？这朝廷，原是个，名存实亡。替洋人，做一个，守土官长；压制我，众汉人，拱手降洋。

“革命”的呼声，此后完全替代了“改良”的呼吁。1905年夏天，同盟会在东京的成立，标志着从前分散的革命小团体的融合和壮大，“驱除鞑虏，恢复中华”的口号，愈加鲜明和无忌，革命风潮已经愈演愈烈，无法控制。

姗姗来迟的“君主立宪”

中国的立宪思潮，并非20世纪之后的事情，早在维新变法开始的时候，康梁就提出过“君主立宪”。真正进入“百日维新”时期，改良派却收回立宪主张，因为当时他们无暇顾及此事。

待梁启超等人第二次提出立宪的主张，历史已经进入了20世纪。1901年，逃亡在日本的梁启超发表《立宪法议》，认为清廷应该“决行立宪”，但他仍然以日本为根据，希望中国立宪至少有十年的预备期（日本明治宪政从提出到施行长达二十年之久）。

此后，《新民丛报》《中外日报》《大公报》《羊城日报》《京话日报》等报刊纷纷呼吁立宪，不少人士还积极活动当时的清廷重臣张之洞、袁世凯等人，请他们出面呼吁朝廷实施立宪。

1902年之后，国内外对于清廷立宪的呼吁日益增多，继侍讲学士朱福诜上书要求立宪后，1904年，清朝驻法公使孙宝琦也向朝廷提出立宪的建议。特别是日俄战争爆发后，在本国国土上让两个外国开战的巨大耻辱，使得国人精神震撼之余深思：蕞尔小邦的日本，之所以能打败俄国，肯定就是立宪之国对君主专制之国的胜利。于是，立宪思潮一发不可收，特别是原先国内外的改良派，纷纷变成了立宪派。

立宪浪潮一浪高过一浪，不仅地方督抚、驻外使节中不少人纷纷上书，清廷内部连袁世凯、端方等人也积极反应，奏请清廷考虑立宪，并希望朝廷派员出洋考察西方时政，为立宪做准备。梁启超等改良派最积极，他们著书立说，代草宪政纲领，并真心实意地告诫清政府，如果一味拖延，时不再来，革命可能就会勃然而起，只有立宪才能把革命消融于无形之中。

左思右想之后，清廷才决定派出载泽、端方、徐世昌等五大臣率人出洋考察欧美、日本的政治。

五大臣此行确实不是虚行，东西洋游历长达半年之久后，他们最终向朝廷奏报，说立宪有如下三大好处：第一，皇权永固；第二，外患渐轻；第三，内乱可消。（具体内容见载泽的《奏请宣布立宪密折》）由此，他们建议朝廷，可以先下“定国是诏”，以十五年到二十年为期，准备立宪。

清廷准奏，发布上谕，宣布要“仿行宪政”，但并没有公布具体的立宪时间表。

这一虚与委蛇的“上谕”，使得天真的立宪派兴奋不已，在1906年到1908年间，各地组织成立了五十多个立宪团体，其中最有名的是东京的“政闻社”和“宪政讲习会”、上海的“预备立宪会”。除了梁启超等改良派大家以外，许多现任官吏、大士绅、大资本家也加入立宪团体，主要目的如下：

一、推动国会制度，建立责任政府；

二、巩固司法独立，确立法律架构；

三、确定地方自治权力，划分中央和地方的权力；

四、慎重对外政策，在外交中保持对等的权力。

为了消除清廷的疑虑，政闻社等组织还信誓旦旦地表示，立宪派对于皇室，绝无冒犯尊严之心；对于国家，绝无扰乱治安之举。即便如此，清廷日后还是找借口查禁了政闻社等组织。

无论如何，立宪运动方兴未艾，在全国各地发展势头越来越大。特别是当时的清廷重臣袁世凯，也强力主张建立责任内阁。但他的深沉心机，很快就被御史赵炳麟揭穿：

袁世凯自戊戌政变与皇上有隙，虑太后一旦升遐（死亡），必祸生不测，欲以立宪为名，先设内阁，将君主大权潜移内阁，（他自）己居阁位（当总理大臣），君（指光绪帝）同赘疣，不徒免祸，且可暗移神器（皇位）。（《谏院奏事录》）

对此，老谋深算的慈禧也察觉到隐藏的危险，否定了责任内阁制。

激动心情稍稍平静后，立宪派忽然发现，清廷的预备立宪与立宪派向往的立宪差之千里。分歧主要集中在两个方面：第一，清廷的立宪是要实行日本式的“二元君主立宪制度”，而立宪派是要仿造英国的“虚君立宪制度”；第二，清廷的立宪，当时主要的目的是做姿态，一味拖延，没有确切时间表，最终在立宪派全国请愿的压力下才勉强得出“九年预备立宪”的承诺，而立宪派则主张速开国会，及早立宪，并对朝廷官职改革中回避国会和责任内阁制表示强烈不满。

清廷的立宪蓝本，基本上是日本明治立宪的翻版，从下列表格中关涉皇权方面的内容，我们可以明晰发现二者的“孪生”性质：

《钦定宪法大纲》	《大日本帝国宪法》
1. 大清皇帝统治大清帝国，万世一系，永永尊戴。	1. 大日本帝国，由万世一系之天皇统治之。
2. 大清皇帝神圣尊严，不可侵犯。	2. 天皇神圣，不可侵犯。
3. 大清皇帝有钦定颁行法律及发交议案之权。	3. 天皇裁可法律，并命令公布执行。
4. 大清皇帝有召集、开闭、停展及解散议院之权。	4. 天皇召集帝国议会，命令开会、闭会及众议院之解散。
5. 大清皇帝有设官制禄及黜陟百司之权。	5. 天皇定行政各部官制、文武官俸给，任免文武官。
6. 大清皇帝有统率陆海军及编定军制之权。	6. 天皇统率陆海军，定陆海军之编制。

7. 大清皇帝有宣战、讲和、订立条约及派遣使臣与认受使臣之权。	7. 天皇主宣战、议和及缔结各种条约。
8. 大清皇帝有宣告戒严之权。	8. 天皇宣告戒严。
9. 大清皇帝有爵赏及恩赦之权。	9. 天皇授予爵位、勋章、命令大赦、特赦、减刑、复权。
10. 大清皇帝总揽司法权。	10. 司法权以天皇之名，依法律由裁判所行之。
11. 大清皇帝有发命令及使发命令之权。	11. 天皇得亲发或使发必要之命令。
12. 大清皇帝在议院闭会时，遇有紧急之事，得发代法律之诏令。	12. 有紧急必要时，于帝国议会闭会中，天皇可发代法律之敕命。

当然，清廷这种思路，也有着他们现实的考虑：立宪思潮勃兴的契机，就是日本战胜俄国的那场“日俄战争”的刺激。昔日甲午战败，国人还可以把李鸿章说成是“卖国贼”，把责任全部推在他一个人身上。如今，沙俄对日本的惨败，致使国人脑袋忽然开窍：哦，蕞尔之邦大败大国，原来最大的奥秘在于两个字：立宪！

为此，清廷仿效东邻日本的政治制度，在文化、民族心理结构上，都不能说不对。而且，日本的宪政，给予君主最大的权力，这当然非常符合皇族统治的根本利益。由此观之，清廷所作所为日后被立宪派激进人士讥讽为“假立宪”，也不甚确切。一个保守政权的选择，当然会最大限度选择对自己有利的方方面面。

革命党人自然立场激进。观察当时的世界形势，一切君主立宪的国家，都会强调君主的威严，因为大清国家的属性是君主制，不是共和制，所以，君主制前提，就是君主的尊严神圣，当时的德国、日本、俄国、英国等国家，在宪法中无不强调君主的威严和神圣不可侵犯。而且，清廷草案中，尊崇君主，并不妨碍立宪。大清《宪法大纲》中也说得明白：“宪法乃国家宪法，天子庶人皆当遵循，不得逾越。”而且，所规定的君主“十四条权力”，仔细究之，也都处于议院、内阁和司法机关的约束下。大清皇帝威权，和别的国家君主立宪所规定的内容，并没有什么差别。

革命党人当然不听这套，他们善于鼓动，遣词造句，对尊崇皇权的内容大加鞭挞。

立宪派呢，对于专制君主制度的危险也过于敏感，他们指出，如果不速行立宪，救亡图存根本无望，并预言全国范围内的兵变或者民变势必在一两年内就会发生。届时，怨毒所指，玉石俱焚，不仅三百年皇室会由此罹祸，五千年国家也会发生前所未有之剧变。（见梁启超化名“沧江”所撰的《论政府阻挠国会之非》）

其实，以日本明治维新为例，他们的立宪过程，从明治天皇继位到1890年召开国会，时间长达二十二年。而清朝准备以九年的时间预备立宪（后来缩短到五年），实行上下两院制度。颁布宪法如此速度，乃全球罕有！对于当时的少数有识之士来说，只有谨慎的、渐进的改革，才能真正发挥实效。

立宪改革在中国之所以那么不容易取得成功，不仅在于革命党反对，还在于宫廷老旧官员也反对，排汉的清朝权贵更是激烈反对。抛开国外的革命党人不说，就是在国内，如何处理内部的反对意见而不引起骚动，对于清廷来说，都不是一件容易的事情。

立宪派中的激进分子，都是理想主义者，他们善于鼓动，非常能打动民众；那些既得利益的权贵反对派，权高位重，有可能只言片语间就毁掉立宪，牵制力也很大。在国内，这两派力量，哪一派得不到他们想要的东西，都会使得改革毁于一旦！即使当时的宪政激进派改革加速成功，由于他们缺乏实际政治操作能力，中国社会说不定会由此陷入大乱；而保守力量过于强大的话，整个社会在他们的压力下可能重新回归戊戌革新后的倒退，形成中国的悲剧循环。

对于当时局势，第二次出洋考察的大臣于式枚曾经警告过：“（立宪）行之而善，则为日本之维新；行之不善，则为法国之革命！”

不过，回望历史，自从光绪三十三年（1907年）开始，清廷制定了专门的刑律《大清新刑律》，还有第一部商法《钦定大清商律》、第一部《破产律》、第一部《刑事民事诉讼律》以及《亲属法草案》《违警律》《法院编制法》等新型法律，加上《钦定宪法大纲》，这是多少人的呕心沥血之作啊。但是，革命党人一句“骗人的把戏”，在清末那样的环境中，很可能就把这一切努力都抹杀掉！

吵嚷声中，互相扯皮，揪扯不休，结果立宪派和清廷最终都没有达到各自的目的，因为辛亥革命的枪声让他们顿时噤口无声。

从实际情况看，如果不爆发革命，清廷确实在一步一步吸纳资产阶级和士绅阶层的上层分子到政权之中，他们在资政院和谘议局里面的席位完全有可能越来越多，权力肯定会日益扩展，如此正常发展下去，在二元制基础上最终实现英国式的虚君立宪体制，应该不是什么痴人说梦。

可笑可怜的是，顽固、拖延的清政府，在武昌起义的枪声响过之后，迫不及待地颁布《十九信条》，枉然地想把立宪派拉入自己的阵营，急忙宣布要在国内施行英国式虚君立宪，表示出空前的让步——可惜，虽然推迟表态的时间仅以天计，还是太迟，太迟！

各省谘议局、督抚们在“立宪”中的角色

清末的谘议局，全称“直省谘议局议员联合会”，各省推举议员代表，加上部分资政院议员，组成这种类似临时议会的地方机构。

谘议局形成于1910年国会请愿运动的高潮期间，虽然不算是政党，但其中人物多是开明绅士，所起作用巨大。谘议局的产生，源于晚清地方自治运动的展开，而自治浪潮，则不折不扣是预备立宪的产物。

“自治”这个概念，最早由黄遵宪从日本引入中国。日后，康梁对此都大力鼓吹。1908年底，清政府颁布《城镇乡地方自治章程》。清末的地方自治最初分为两级，城镇乡级自治为下级自治，限五年内成立；府厅州县级自治为上级自治，限七年内成立。地方自治的内容包括文教、社会保障、公共服务等多个方面，涉及公众生活的几乎所有方面，具有一定的财政权力。

在清末那样的时代背景下，地方自治只能采取自上而下的政府推动来达成，并且受到国家行政的控制。当时国内人民的民主素质确实很低，那时的集权化与自治，也并非水火不容的矛盾体。作为宪政制度关键的组成部分，地方自治可以弥补官治的不足，它原本的目的乃是巩固清朝的统治基础。

当然，清廷作为专制政体，一直希望自己的权力延伸到国内每个角落，对地方实行强有力的、无微不至的控制。清政府允许地方自治，也透露着这样一个信息：半是无奈，半是觉得自治可能对自己的统治有利。最后的结果告诉我们，地方自治机构不仅对清廷没有产生小骂大帮忙的支持，最终还成为清政府的挑战，成为与政府相对立、相竞争的一股力量。

在地方自治之前，清政府的统治能力只能达到县级水平，中国广大的基层社会，一直处于乡绅的影响下。通过有序的、全国范围内的地方自治运动，中国的基层社会也被纳入政府的控制网络中，无形之中，中央政府的渗透力和影响力，在某种程度上延伸到了基层社会，拓宽了民众政治参与的渠道和普及度。由于百姓对于政府的认同感得以加深，清末的政治体系其实得到了深刻的促进，成为民族国家构建过程的一个前期演练。

在民族危机和现代化思潮的激发下，地方乡绅阶层政治意识浓厚，他们积极投入国家的政治生活。为了争取改革的支持力量，减低地方人民对政府的敌意和压力，清廷在推动地方自治的基础上，接连开办咨议局和资政院，以此作为省级和国家议院的模本。在这项措施刺激下，民间参政意识大大膨胀，而自恃有新学撑腰的地方士绅咄咄逼人，逐步膨胀，日益成为与官权相抗的势力，反而最终迫使清廷堵塞了政治的参与渠道。清政府的政治控制能力确实低下，但士绅权力的过度强大，也绝非大一统国家之福。

1910年8月，各省谘议局联合会召开第一次会议。转年5月，又召开第二次会议。特别是第二次会议，联合会明白表示反对皇族内阁，同情保路运动，所以影响最大。可见，地方自治的发展，已经对专制权力产生了显见的制约。

谘议局联合会之所以能成立，原因在于民选议员们要求全国范围的联合，推动朝廷宪政改革。至此，清政府不愿意再做让步，他们罔顾民意，一再拒绝早开国会，只以大半为“钦定”的资政院来敷衍。这个资政院，并不具备国会职能，连它的议长也是朝廷任命，而非经选举产生。

不顾全国人民迫切的要求，清廷在拖延的同时，在1910年12月至1911年1月间对立宪派第四次请愿活动展现强硬态度，下狠手镇压奉天、直隶等地的学生请愿活动。当然，清政府的镇压还没到打死人的地步，但他们对这种民间的和平请愿活动竭力压制，甚至把天津一个女学堂的校长押往新疆遣戍（劳改）。

当时，清朝面临越来越严峻的形势：英国人在汉口开枪杀人，进占云南片马地区；俄国人提出新的不平等条款，武力威胁；清政府即将向英、法、德、美四国大举借债，监督和管理这些事情，急需有人负责；广州将军孚琦被革命党人温史才刺杀后，广州黄花岗起义爆发，全国震动。

在这样的大背景下，清廷不思自悔振奋，反而提出两大不得人心的举措：第一，组建“皇族内阁”；第二，宣布将原来绅民集股兴办的铁路收归“国有”。

由此一来，谘议局的第二次大会尤为重要。谘议局联合会共召开二十多次会议，代表本地谘议局以及商团，希望清廷尽快立宪，撤销皇族内阁，改善不良政治现状。同时，联合会发布报告书，认定当时清廷所要施行的币制政策、兴业政策、铁路国有政策等，均是“亡国政策”。这些有识之士，向清廷强烈呼吁，不要断绝人民最后的希望。

清廷对此不予理会，反而发布“上谕”，斥责议员们“嚣张生事”，“黜陟百司系君上之权”，并严斥他们“议论渐近嚣张”，威胁他们不得“率行干请”。

悲愤失望之余，各省议员散去。这些人回到地方后，心态大变，一改昔日为立宪奔走呼号以避免革命之所为，掀唇鼓舌，大谈人心思变，内心中无时无刻不准备着清政府的垮台。态度一直温和的梁启超，甚至在《论对内与对外》一文中愤言：“有恶政府在上，日日窃鬻权力以予外人……夫国民苟非先勠力对内以去此恶政府，则此等事固日出不穷，防之不胜防也！”

那个一直内外讨好的张謇，本来与政府关系十分亲密。待他得知皇族内阁的名单后，也悻悻然地表示：“均任亲贵，非祖制也。(此辈)复不更事，举措乖张，全国为之解体！……朝野上下，不啻加离心力百倍。”(见《啬翁自订年谱·辛亥年》)

刊登于《大公报》的《三次国会请愿之感言》也慨叹：“立宪之虚伪，国会未必有开设之一日，势将人人丧气，人人灰心。民疑其上，一变其沸热之真诚而为冷淡之态度。革命党且得利用其时机相为鼓煽，则各省不逞之徒因是蠢动，而大局立见其危殆！”

作为统治基础的士绅阶层如此激进，清廷显然到了岌岌可危的地步。在三次请愿活动中，参加人数近八十万人，这种大规模的群众集合和游行在当时的中国属于“史无前例”，起到了真正的民主教育作用，沉重打击了清政府的权威。

由于清廷没有及时发展出各种法律制度、政治制度以及参政议政的程序和技术，就不能使民众参与政治的过程制度化，最终使得它在朝野上下陷入空前的孤立。

除各省谘议局的议员以外，各省督抚也逐渐对清廷丧失了信心。

1910 年，是不平静的一年。当时，国内的立宪派在北京发起过三次请愿活动，恳求清廷立即召开国会，皆被拒绝。清廷的借口是：国民开化程度不足，“九年预备立宪”的期限不可随意更改。

到了立宪派第三次请愿的时候，各省督抚都看不下去，联衔奏请，希望清廷立即组织责任内阁。看到这么多督抚大员站到了立宪派一边，清廷不得不做出微小让步，对外宣称把预备立宪由九年缩短为三年。

1910 年 10 月 25 日，湖广总督瑞澂、东三省总督锡良领衔，粤督袁树勋、滇督李红羲、黑抚周树模、晋抚丁宝铨、苏抚程德全、湘抚杨文鼎、黔抚庞鸿书以及伊犁将军广福等人，联名致电军机处，要求清廷组织责任内阁，并申请转年召开国会。

当时，立宪派见有各省督抚支持，热情更加高昂，认定清廷一定会答应所求。

时为“太上皇”的摄政王载沣，自以为乾纲独揽，根本不愿向国人“示弱”。在做出了有限的缩短立宪预备期的姿态后，他发布“上谕”，只提组织“内阁”的事情，全然不理会督抚们所请求的“责任内阁”之事。

在“上谕”中，载沣笔锋一转，指斥各地督抚在当地没有把宪政筹备工作做好，力加申斥。最后，“上谕”明白表示：“此经缩短年限，一经宣布，万不能再议更张。”这样一来，朝廷就不再给督抚们留有商议的余地。

捧读如此“上谕”，各地满汉督抚们由失望而气愤，由尽职而“疏忽”，对清廷产生出绝望情绪。许多督抚纷纷请辞，惹得清廷大为恼火，下旨训斥。由庆亲王奕劻把持的军机处就拟上谕，痛责督抚们：“各省督抚，责任尤重……更当淬厉精神，妥速筹办，勿再有名无

实，空言搪塞……如或因循误事，粉饰邀功，定即严惩，不少宽假！”（《宣统政纪》第28卷）

摄政王载沣上台以来，一直拙劣地效仿德国帝室加强中央集权。即使是搞立宪，目的也是要加强皇权。

慈禧掌枢机几十年，老谋深算。1906年，她借官制改革，以老辣手腕使得袁世凯被迫交出北洋四镇的权力，让他尽辞兼职，并且把袁世凯和张之洞这两个地方汉族大员“上调”北京，拔去了地方督抚中的两大柱石，欲图从整体上削弱地方的势力和影响。即便如此，她也深知清朝内轻外重之势形成已久，不可轻撼，并不敢轻易动摇作为封疆大吏的地方督抚们的权限。载沣尚年轻，上来就和督抚们过不去。他抓军权，抢财权，最后连各省的人事权也收归中央，大寒地方“诸侯”之心。

时任湖广总督的瑞澂当时就非常气愤，他上奏反对说：“如督抚事事受成于部臣，并节制调遣之权，亦暂归消灭，是部臣得统一之虚名，而地方受无穷实祸……督抚若无军事实权，即将无从担负疆臣责任！”

在削夺地方大员权力实行中央集权的同时，清廷百上加斤，加重了地方督抚的责任，一切坏事物都往他们头上推，让大员们无所适从之余，怨气满胸。应该客观地说，督抚们明里暗里对抗中央的初衷，绝对不是想拥兵自重和为了他们一己的私利，大部分人还是想拥有更多的权限以有效治理自己的辖区。

日俄战争的结果，更使得包括各地督抚在内的“有识之士”对立宪强国达到了几乎迷信的程度。清廷逆势而为，大加遏阻，最终使得这些人尽数对清高层灰心。日后，武昌起义枪声响起，各地一倡百应。清廷那些握兵有钱的大员们，绝大多数骑墙观望，有人甚至很快就表示脱离清廷。他们的袖手旁观，客观上加速了清王朝的覆亡。

确实，随着历史的发展和近代化运动的深入，国内的士绅阶层和清廷地方大员们，都很想跟随世界潮流。立宪派主要要求尽速召开国会，地方督抚着重点在于实现责任内阁，他们的出发点都是想帮助清廷建立起一个能安上全下、统筹大局、效率显著的中央政府，初衷都是挽救国家危亡。

但是，平民阶层的立宪派与官僚出身的立宪派矛盾重重，官僚立宪派与贵族立宪派同床异梦，平民阶层的立宪派与贵族立宪派后来更是势如水火。他们之间的内部矛盾，极大消耗了本来可以同心同德的改革基本力量，更进一步加剧了社会的分裂和清政府权威的丧失，加上清廷对于突发性大型群众事件缺乏复杂的、理性的处理方式，只知道简单的暴力镇压，最后使自己成为绝对的孤家寡人。

当然，还有一个以往研究者忽略的因素，那就是，摄政王载沣的皇族少壮派班底和新晋汉族文武大臣，他们的目的并非反对立宪新政，致命的是，他们缺少能驾驭庞大帝国的权威和政治资本、政治资历。政治核心的摇动，是对帝国基础最致命的打击。

纵观世界各国从封建到资本主义制度的转折，从上层发起的近代化运动，非常具有普遍意义，比如俄国彼得大帝的改革和亚历山大二世的解放农奴举措，德国的统一，意大利的统一，土耳其与埃及的改革，等等，都是由上而下的成功范例。

清末的中上阶层，如果能从切身利益出发，顺应生产方式的改变，渐行渐近，有可能实现不流血的革命。

根据美国《纽约时报》记者托马斯·米拉尔德1908年11月22日所写的《后慈禧时代的清国政局》一文，可以见出，不仅是国人，包括当时的外国人，在政治新时代开始的时候确实都对摄政王载沣表示了极大的期望：

> 由醇亲王担任摄政行使至高无上的权力，这在帝国历史上还是头一次。醇亲王是个年轻人，他成长的时代正处于现代思想火花立足于东方世界之际。他通过自己的眼睛，看到

了西方世界，其心智和视野，并没有因为紫禁城的城墙而受到限制。因此，他可以做到其他大清国统治者所没有做到的事情，即立足于现代观点，以透视的目光，从与其他世界强国的对比中来认识自己的国家。

其实，中国传统政治文化的封闭性、排异性、僵硬性，无时无刻不在影响当权者，与某个统治者个人的年纪关联不大。长久以来，特别是清政治高压下中国社会人群形成的唯上的奴性，使得臣属性的意识形态成为当然。特别是关系到有关国体的政治改革，人们的思维惯性不是民主社会的妥协，而是泾渭分明的“胜王败寇”，根本没有双赢的概念可言。所以，西方宪政到中国，在晚清社会一时间找不到合适的发育土壤，儒家的纲常名教学说伸缩性被严重地限制住，成为意识形态改革的痼疾。

可见，当时大势之下，历史中的群体和个人，包括摄政王载沣，包括清朝高层的王亲贵戚，即使他们有明智的观念头脑，即使他们有高雅的素养，即使他们顺势而为，还是都会消融在虚无之中。

传统文化的僵化和本土文化最坚牢的自以为是，形成了巨大的文化抵抗。无论是铁路国有问题还是立宪问题，争论双方互相拉锯，互相感情用事，最终造成两败俱伤、零和博弈的不可挽回的结局。

在这样的复杂条件下，摄政王缺乏权威的软弱班底雪上加霜，使得原本希图国家富强的改革，最终却朝着政治纷争的危机悬崖方向滑落而去。

纵向梳理清廷“立宪”运动的最终失败

在五大臣回国之初的1906年（当时其实只回来四大臣，其中的李盛铎被任命为比利时大使），一同奏请立宪，几乎遭到了当权派的一致反对，其中尤以铁良最激烈，大学士孙家鼎、军机大臣荣庆也加入其中。

铁良当时任军机大臣，曾在日本考察过近一年时间。他认为，朝廷当务之急是练新军。只要有一支精壮军队，自然可以镇压国内任何反满风潮。由于他本人与端方、袁世凯的关系一直不睦，所以更特别阻挠立宪。

这两拨意见不合的人，在朝中剑拔弩张，争得很激烈。1906 年 8 月的廷臣会议上，铁良和袁世凯争得面红耳赤，连慈禧本人也感到左右为难。双方都很会耍嘴皮子，讲的都有道理。一碗水，一时还真端不平。最后，老奸巨猾的慈禧惯于和稀泥，她既不主张立宪，也不马上否定立宪，只在 9 月 1 日宣布"仿行宪政"，拿国事过起家家来。

对此，端方等人还是看到了希望，他们提出要首先改革官制。改革官制，其实是在为立宪作准备。端方提出最重要的内容，就是裁撤军机处，设立责任内阁，由总理大臣、左右副大臣、各部尚书等组成内阁。依据这样的架构，内阁阁议后，大政上奏皇帝。皇帝的上谕，要经总理大臣及其他重要阁员副署，方才生效。

一如常态，一种新事物的出现，肯定会遭受强大的反对力量。在清末，立宪尤甚。不仅铁良等人死命反对，内阁学士文海、吏部主事胡思敬、御史赵炳麟纷纷上奏加以激烈反对，弹劾立宪之举是"窃外国之皮毛，纷更制度，惑乱天下人心"。

最要紧的是，军机大臣瞿鸿禨，表面上中立，暗中上密折，向慈禧进言，说端方、袁世凯等人鼓吹的内阁制，最后会削弱太后的权力。

听此言，慈禧悚然生出警惕。由此一来，不仅立宪没有立成，最后使得端方到外地去当两广总督。袁世凯也失宠，被明升暗降，军权基本拱手让与陆军部尚书铁良。其他几位支持立宪的官员，如载泽、善耆等人，均被投闲置散。

官场恶斗，一方的退却，绝不意味着善罢甘休。端方、袁世凯以及他们的老靠山庆亲王奕劻，最后把怒火都倾注在背后说坏话的瞿鸿禨身上。奕劻当时是军机处首席大臣，为人贪墨，瞿偏偏总示人以廉，更显衬出这位王爷的贪污程度。更重要的是，瞿鸿禨极其保守守旧，与新洋务派人士一直不和。他知道自己被庆亲王等人“惦记”，就努力在朝中寻找盟友，于是就和先前在庚子护驾“有功”的、现刚刚进京升任邮传部尚书的岑春煊结成一派，明里暗里，与端方、庆王、袁世凯等人死命较劲。

思来想去，为了解恨，端方、袁世凯等人让上海道台伪造了一张岑春煊与康有为的合照，递密件给慈禧。后者当然不懂相片合成的原理，见到照片后，恨从心中起，把手中茶杯摔个粉碎。要知道，对康有为、梁启超这些“乱党”，慈禧恨之入骨。

对此，日后岑春煊一直追恨不已：“深宫（的慈禧太后）不审其诈，既见摄影，俨然信之不疑，惊愕至于泪下……”

结果自不待言，本来深受太后宠信的岑春煊在邮传部尚书的位子上屁股还未坐热，就被外放为两广总督。他勉强出京，又想两广之地有利益可捞，稍感宽慰。仅仅过了两天，走到半道，他的两广总督职位又被下旨免掉。乍寒乍暖，着实让岑春煊郁闷。他当时根本想不到，上海照相馆的哪个师傅一盆洗印水，能害他到如此地步。

没多久，瞿鸿禨也被罢免，罪名是“暗通报馆、阴结外援、分布党羽”。原来，庆亲王奕劻暗中派人弹劾他，慈禧也察觉瞿鸿禨与岑春煊二人结派，还怀疑他曾把自己要罢免庆亲王的消息泄露给英国报纸。新老账一起算，懿旨一出，把老瞿逐出朝廷。

岑、瞿两名大员被罢，即清末名闻一时的“丁未政潮”。究其起因，源于端方、袁世凯等人的立宪主张。这种朝廷间的党争，最终损害的，不仅仅是官员之间的默契和和谐，还有共同事业的信任基础。

慈禧的政治驾驭手段，在她晚年已经臻于炉火纯青之境。罢免瞿

张之洞

鸿禨后，她当然不能坐视庆亲王奕劻在军机处独大，就派自己的外甥兼干女婿（载沣之妻是慈禧宠臣荣禄之女）、醇庆王载沣入职军机处，形成了新的派系牵制。然后，她下令把袁世凯和张之洞两个人一起内调为军机大臣。袁、张二人虽都属改革派，但他们之间也有矛盾。如此，满满牵制，汉汉掣肘，作为独裁者的慈禧，自可安坐高位。

令人想不到的是，张之洞、袁世凯二人，虽然有摩擦，在立宪大政上意见出奇一致。此二人入军机，反而使立宪之事得以顺利进行。

1907 年 8 月，在端方等人请求下，清廷下令编纂《帝国宪法》。不久，颁发上谕，筹备资政院。到年底，又令各省筹议设立谘议局。

表面看上去，立宪之事大有眉目，一步一个脚印，渐行渐近。但人算不如天算，1908 年岁末，光绪、慈禧二人两天内相继死去，老大帝国，至此风云突变。

慈禧死后的清中央政权，不仅没有呈现开明之态，由于摄政王载沣的年轻和缺乏权威，清廷的意识形态刚性丝毫没有减弱，反而日趋保守。

以摄政王载沣为首的当权派窝里斗之余，朝廷中的极端保守派出于自身的局限更是反对立宪等变法，并把变法比喻为秦之卫鞅、汉之王莽、宋之王安石。他们认为，一切立宪新政，都不是王朝的好事。

慈禧和光绪刚死，朝中大权，一时间皆落于摄政王载沣之手，而载泽、载涛、载洵、善耆、毓朗这些满族少壮派亲贵，纷纷聚拢在他身边，形成一个以载沣为“核心”的摄政王领导集团。这些人，当然要排斥奕劻、袁世凯、端方一系的实力派。

吠吠声中，袁世凯被参罢。张之洞病死后，端方也被罢免。端方被罢的理由，现在听上去很好笑——慈禧葬礼上，他允许天津一家照相馆前去照相；另外一个罪名，是他派人在墓地风水墙上架设电线照明。本来合情合理的事，被载沣等人派御史弹劾为“大不敬”及“贪横凡十罪”，罢掉了上任了半年多的直隶总督一职。庆亲王奕劻的官帽虽未被动，但已经被架空。

如此，立宪派树未倒，猢狲已散。清朝新洋务派们最后新政改革的努力，至此云灭烟消。

载沣上台后，对立宪之事关注之余，想的更多的是如何树立威权。他受德皇威廉的影响，派自己几个弟弟分别进入各个军事要害部门，并让铁良、毓朗等人四处活动，抓紧训练清一色由旗人组成的禁卫军。载沣这种做法非常天真，以为从此就可以“大清永固”。而少壮派中，从前积极倾向立宪的载泽等少数人，也忙于抓权弄柄，无暇他顾。

即使行事果断，但载沣时期的清廷高层权力结构，已经是非常脆弱和不稳定，远逊于慈禧掌权时期。王公亲贵，分门别派，各自收蓄猖狂青年，造谋生事，攘臂争权。大家乱哄哄为权柄费尽心机，载洵、毓朗成一党，载涛、良弼一党，肃亲王善耆一党，溥伦一党，隆裕太后一党，载泽一党，载沣福晋一党，“以上七党，皆专予夺之权，茸阘无耻之徒，趋之若鹜，而庆邸（奕劻）别树一帜，又在七党之外”。（胡思敬《国闻备乘》，上海书店出版社 1997 年版）

值得注意的是，摄政王载沣等人，并非简单如被教科书简化、今人想当然认为的那样，对君主立宪推三阻四。恰恰相反，载沣本人，反而是最着急立宪的王公之一。

日俄战争的结果，日本吞并朝鲜的忧患，家事国事天下事，使得他和两个弟弟载涛、载洵一直催促清廷的枢臣加快推出宪政时间表。特别是那位有海外考察经历的载涛，曾当众声言：“国会早开一日，则中国早治一日，士民得参政权，担任国责，上下一心，共谋进步，中国之危局可于是挽回！”

其他亲贵，包括毓朗、载泽、溥伦等人，也都是赞成国会的积极推动者。

但是，清廷的首席军机大臣庆亲王奕劻一直暗中抵制国会。依理，他原本是主张速开国会的袁世凯背后靠山，应该是国会的赞成派，他本人从一开始也从未对责任内阁表示过反对意见。奕劻当时之所以如此虚与委蛇，正是担心这样情形的发生：如果新的内阁组成，面对载沣派咄咄逼人的年轻亲贵势力，他没有把握能获得内阁总理大臣的职位。如果载沣派系人士把持责任内阁，原本由他掌握的军机处、政务处肯定会失去权柄。不仅如此，看到地方督抚们和立宪派强力主张国会与责任内阁并行，要求国会监督内阁，即使自己当上内阁总理大臣，奕劻也不愿意受人掣肘。

如此私心之下，这位庆亲王和他的私党自然竭力暗中抵制国会的召开和责任内阁的成立。

可能有人读至此处会生出疑问：谁都知道，庆亲王奕劻与袁世凯是一伙儿的，摄政王掌权后，为什么隆裕太后与载沣放逐了袁世凯，反而能容下奕劻呢？这，也牵涉大历史之中的小事件，即那种足以牵扯历史走向的关键的、关涉私人情感的小事件：

原来，在慈禧临死前，曾召庆亲王奕劻商量光绪死后接班皇帝的问题。当时，这位王爷一看已经拟好的诏书，发现上面写着立溥仪为“大阿哥”，承继同治皇帝（慈禧亲儿子）的帝位。为此，奕劻恳请慈禧，建议在诏书上添加溥仪“兼祧皇帝（光绪帝）”，也就是说，要溥仪同时承继光绪帝的帝胤。奕劻哀求再三，慈禧才肯。这一点，对日后的隆裕太后意义重大。当时作为光绪皇后的隆裕太后，有了溥仪兼祧光绪帝的名号，她才能在溥仪为帝后自动拥有“太后”的尊号。封建时代，特别讲求名分。没有当时庆亲王奕劻在慈禧病床前力争，隆裕太后日后就不会那么容易地成为“皇太后”。所以，出于对庆亲王奕劻的感恩之情，隆裕太后一直不同意载沣扳倒庆亲王。

中国古代的政治常态就是一个“拖”字诀，各种政治势力角力，面对错综复杂的形势以及顾及自身的利益和权力争衡，总会以一种特别模糊的不反对、不支持的模棱两可的状态传达自己的意图。各方在明争暗斗之余，也会附和相应，左右逢源，总把希望寄托于流逝的时间来最终见出分晓。

即使摄政王等年轻的满洲王公贵族比起先辈们更加“开明”，但权力的腐蚀力太巨大，为所欲为的特权太令人留恋，加上他们骨子里一贯的皇族傲慢，即使实行“立宪”，他们的最终目的无非是简单的、为保全觉罗家族的“富国强兵”而已，这些人非有深谋远虑，且从来没有考虑过在中国实现真正的司法独立，只是想以简单的政府机构改革来装饰门面、挨过政治危机，从来没有涉及过公民权利方面的考虑。

清政府的立宪，最深层的目的仍然是立法、司法、行政的三权合一。作为“至高无上”的君主，依然是立法、司法和行政三权的当然垄断者。“立宪政治的精髓在于，一个集合体的权力存在于每个组成部分中，而不是仅仅存在于统治阶层。这种普遍的、内在的权力平衡，就是历史对中国政治提出的要求。”（孔飞力《封建、郡县、自治、立宪》，中国社会科学出版社 1995 年版）

悲剧在于，晚清政坛没有高手能把宪政制度完美地嫁接在君主制度的枝干上，政府又遭受到连年对外战争失败后的权威危机，所以，政府主导型的改革最终以惨败告终。

清政府长期以来，多次失信于民，受到百姓发自内心的深深怀疑。稍有常识的人冷眼观瞧，都会发现清廷这种自上而下的、以富国强兵为目的的政治“改革”似乎只是觉罗皇族的私人事务。即使通过改革真的能够实现国富兵强，天子和满洲皇室的权力愈来愈强，最终得益的也只是上层极小部分人，他们和他们所构成的政府权力可能更加不受约束，个人自由势必会受到更加严重的损害。

此外，晚清社会的经济落后和市场经济的不发达，也是宪政改革失败的重要原因之一。没有优良的经济环境，宪政改革和民主制度就缺乏坚固的社会基础。正如巴林顿·莫尔所言：“摆脱农业这种人类的主要社会活动，是民主获得成功的一大前提条件。必须打破土地贵族的政治霸权或对其加以改造，农民要面向市场进行农业生产，而不再局限于本

人及领主的消费。”(《民主和专制的社会起源》)

可叹的是，时间再不等人。如果历史可以假设的话，哪怕清政府的改革和宪政提前七八年，革命的势力还没有那样强大和具有渗透力，政府的权威在民众心中还相当深入，内部和外部的环境都不会像后来那样险恶，清廷不至于那样手忙脚乱、仓皇被动、不知所措地无头苍蝇一样进行朝令夕改的“改革”。

倘若清廷早些动手改革，即使套用日本明治维新那种中央集权式的程式，改革成功的可能性也要大得多。

所有的假设都是假设。当权的清政府统治者的个人性格和能力，也决定了它噩运的到来只是或迟或早的事情。慈禧的身子在20世纪，脑子还属于旧时代，载沣看似强势实乃色厉内荏之辈，隆裕更是后宫懦疑妇人，这些人，那些事，清朝国运可想而知。

特别值得关注的是，中国人对于概念的东西太过执着。西方和日本的立宪，是在成熟商业社会基础上各派力量长时间妥协的结果，是自然而然形成的，有非常厚重扎实的现实依托。而当时的国人对于这些都不是很了解，新政对于他们来说，就是要马上把人为设计的立宪“模式”变为现实，国人以为只要模式建立，中国会马上像日本那样一跃而成为国富民强的国家。

失去了立宪最后的机会，中国的改良运动很快就直接演变为暴力流血的革命。“这样一来，改革不只是推倒了阻碍大革命的重重障碍，更重要的是向人民表明怎样才能动手进行革命，因而，改革为大革命作了准备。”(托克维尔《旧制度与大革命》，商务印书馆1992年版)

与日本更不相同的是，清王朝最大的症结还在于它本身不是单一民族国家，因为当时国家统治阶级的最高层，是昔日以征服者姿态进入中原大地的满族。满汉多年的积怨，在清末那个时代，忽然被革命者拉开了闸门，仇恨如洪水般暴泻而下。由此，社会向心力不复存在，政府改革的精力日趋分散，民族压力日益加大，中国完全缺少日本明治维新时代那种单一民族的大环境。

由于几千年来“非我族类，其心必异”的华夷之分概念深入人心，即使满族皇帝成为立宪后的“虚君”，革命者和广大汉族激进人士也尽力摒斥这个可能性。正如汪精卫所言：“如果变革失败，充分说明清政府的欺骗性；如果立宪成功，无非意味着汉人还要继续受满人的压迫和统治。所以，无论立宪成功与否，作为汉人都应该反对……”

同时，中国那个居心叵测的近邻日本，从甲午战争后就一直想方设法煽动中国国内满汉的民族矛盾，他们大肆整理有关“扬州十日”“嘉定三屠”等清初屠城掠地的汉文历史文献，这些东西或真或假（最有代表性的就是那份十分可疑的《扬州十日记》），都被日本人和留学生转送回国内，成为声讨满人统治者历史罪恶的原始资料和激发满汉仇恨的最佳教科书。

内外鼓动之下，清帝国大厦出现了越来越多的缝隙。

而且，走得过快的立宪运动，也使得满族高层统治阶级非常不适应。作为统治者，处于专制转向民主的大变革时代，尽管他们本人已经非常开明，非常优雅，但他们内心深处毕竟残存着特别强烈的惯性专制印痕和心理，加上摄政王团队的年轻和贵族化，一旦遇到突发事件，感到局势无法控制，出于自卫的本能，这些政治幼稚派很可能鲁莽地爆发出某种“勇气”，采取与先前截然相反的暴力手段去收拾局面。由此，他们就会忽然丧失掉原本具有的合法性，成为众矢之的。

回视清政府的改革，成效其实很可大书特书——1885 年，全国的财政收入不过是七千多万两白银。到了 1911 年，全国的财政收入已经超过了三亿两白银，特别是商税一项，就超过了两亿两白银。

无论是政治、经济、文化、军事，甚至在禁烟方面，清政府都取得了有目共睹的成就。但是，民情方面却走向反面，清廷的形象日益暴戾。慈禧死后的新时代，不仅没让百姓和知识阶级感到未来的希望，反而到处出现了这样的民谣：“不用掐，不用算，宣统不过两年半！”

腐朽但并不十分残暴的清王朝末期统治集团，等待它的只有那冥冥之中注定的、武昌新军中那一声枪响了……

那只“看得见”的大手

北洋军事势力的抽心一剑

北洋集团的形成，可称是中国历史上的一件咄咄怪事。

中外研究者论及晚清政治和军事的权力结构时，几乎众口一词，认定袁世凯的北洋系是承继曾国藩、李鸿章的湘军、淮军之后崛起的地方军阀系统，称北洋这种军事力量是中国近现代军阀势力的成熟标志。

如果我们稍稍仔细地考察清末政治现实，可以发现，袁世凯的北洋集团，和曾国藩、李鸿章的地方势力，恰恰有着极其深刻的区别。

袁世凯发迹于义和团之乱，他并非似曾、李二人那样凭借地方军事力量蹿升，所以，北洋的地方分离主义色彩极其薄弱。袁世凯是在北京中央层面上步步高升，由直隶总督而军机大臣，再由军机大臣升为外务部尚书的。而他所谓的“私军”北洋军，也并非像曾国藩、李鸿章那样是在国内叛乱的背景下从地方招募而形成的，反而是在外敌强邻虎视狼顾、国家危亡在即的巨大外患压力下，由中央政府建立的。

北洋军的军饷和支出来源，大半出自中央政府，他们所推行的是一条军事专业化的路线，不受地域色彩浓厚的、由地方军阀小圈子凭借私人、家族血缘等因素而产生的势力的控制。

而且，晚清的政治统治虽然日渐衰败，但中央政府的权威和管理能力远远没到完全丧失权柄的程度。从清廷对地方架构某些成功的改革来看，其控制能力和影响能力，甚至延伸到昔日无法企及的深度。

具有深刻讽刺意味的是，恰恰因为摄政王载沣等人与北洋系和袁世凯的反目成仇，使得这一多年精心培养的帝国捍卫力量，最终反过来成为清廷自己的掘墓人。

数十年来，言及近代史，有两个最大的常识性误解在中国人脑海中涂抹不去：第一，袁世凯篡夺辛亥革命果实，如果没有他的出现，孙中山等人一定能顺利建立起一个资产阶级民主共和国；第二，袁世凯人品不厚道，欺蒙孤儿寡妇，倾覆清廷社稷。

这些看法，除了误解以外，还都属于曲解。

首先，在 1912 年的中国，可能只有袁世凯一个人，才有真正的实力与能力使“中华民国”成为现实，不仅列强这样看，立宪派也这样看。当时，如果手握实权、身居高位的袁世凯不出来和平解决清廷退位的问题，整个中国将陷于血海苦战之中，很有可能演变成为继太平天国以来的第二次国内混乱。那样的话，一定会使国家的元气更加凋散不振。

其次，对于统治、压迫中国二百六十多年的清朝皇室，袁世凯的所作所为，可谓极尽优厚善待。他不仅争取把紫禁城让废帝溥仪及其家人居住，每年还拨大笔款项优养他们。如果没有袁世凯这个军事强人，依据中国式王朝更迭的潜规则，这些“觉罗”们，肯定会被九族诛除，无复孑遗（最后把溥仪从皇宫中赶走的是冯玉祥，并非袁世凯）！

再次，二百多年以来，以嗜血、奸险、残暴起家的觉罗皇族，对国人敲骨吸髓，屠戮杀害，竭泽而渔，坏事做绝。幸亏在本来应该大混乱的时代有袁世凯这样一个在恰当时机有精心准备的政治强人出现，在历史的关键时刻给予了清廷最后关键的一推，以不流血的代价扯翻了那沉甸甸的龙旗。

冯玉祥

北洋系统的形成和壮大

甲午战争失败后，李鸿章苦心经营二十年的北洋水师一败涂地。为此，慈禧派心腹荣禄建立“督办军务处”，想通过编练中央控制下的新军，取代从前因为“太平天国”之乱而坐大的勇营。

慈禧这种努力，就是欲图夺回昔日从中央流向地方的军事大权。而且，她还想就此机会，制造出一个具有极大控制能力的满洲权贵阶层。由于袁世凯用起来得心应手，荣禄就派他去小站练兵。袁世凯的荣迁，就成为北洋集团的发端。

袁世凯在小站练兵时，清廷派出满人荫昌，让他从旗人子弟中挑选精壮青年，入学天津武备学堂，储备日后的将校人才。汉人练兵，满人选将。袁世凯在小站，荫昌在天津，相距不过几十里。显然，清廷对袁世凯和他的新建陆军不放心。可见，慈禧的政治手腕，可谓出神入化。荣禄呢，之所以看中袁世凯，就因为他是个无甚根基的汉人。这样的人，好使不说，破格提拔他，又会让他长存感恩之心。

袁世凯本人，确实死心塌地为荣禄效力。继 1897 年被提升为直隶按察使后，他接着凭借自己在维新运动中的“智慧”，谋得了一个侍郎头衔。戊戌政变后，袁世凯向荣禄献计，要求把京畿地区五大军全部合编为“武卫军”，而且，他主动提出，要把他本人所创的新建陆军编为武卫右军。如此一来，荣禄大喜，对袁世凯深加翼护。

袁世凯如此对荣禄投其所好，免去了清廷对他可能的进一步猜忌，同时让慈禧洋洋然找到了“中央集权”的感觉。这样的高招，可谓一举多得。

1899 年，山东闹起义和团，巡抚毓贤不能快速处理问题。见此，荣禄就保荐袁世凯为署理山东巡抚，派他去当地进行“快刀斩乱麻”的处理。从中央到地方，从北京到山东，看似离政治中心远了一步，实则是袁世凯人生的大转折。从此，北洋系才由一个地方性纯军事团体，逐渐向军事政治集团转化。

八国联军入侵后，清廷重臣张之洞等人策划“东南互保”，使一直对强权统治感觉良好的慈禧深受刺激。她稍把怒气掩藏，就开始处心积虑加紧削弱地方督抚的权力。1901 年，慈禧自陕西回銮后，就下诏把张之洞的江南“自强军”划归袁世凯所在的山东管辖。

那么，荣禄生前手下的武卫军哪里去了？聂士成的武卫前军，在与八国联军的战斗中基本打光；荣禄自统的中军，大部解体；董福祥的后军因洋人“参劾”，到西安后就被遣散（因其所部士兵不少人配合“义和团”，进攻北京洋人使馆，所以洋人对这些军士恨之入骨）；宋庆的左军只剩下一半，而且装备十分落后。所以，原先的武卫五军之中，唯独袁世凯的右军完好无损。

慈禧回京后，只能最大限度依靠这支没有受损的近代化新式军队，来维持京都防卫和治安。回京路上，由于袁世凯伺候周到，竭尽“忠诚”，慈禧满心高兴，赏他“黄马褂、紫禁城骑马”，对他宠信有加。特别是庚子之乱后，袁世凯对义和团雷厉风行的举措和咬牙切齿的表态，更让慈禧开颜：“此辈（义和团）如臭虫，孳生不绝，惟有芟夷净尽，以遏乱萌！”

1902 年 1 月，清廷任命袁世凯为练兵大臣，参与政务，代死去的李鸿章行权。6 月，实授他为直隶总督兼北洋大臣。

有了这么好的“地势”，袁世凯借机大力扩充军事实力，增加兵额。这一年，他把所训新军命名为北洋常备军，“北洋军”即由此来。

“清末编练陆军，对内动机原起于欲集权中央。”（罗尔纲《晚清兵志》，中华书局 1997 年版）

在官场打滚多年，深知宦海深沉。为免清廷疑忌，袁世凯建议筹建练兵处，并推庆亲王奕劻总理其事。于是，1903 年，练兵处成立后，奕劻任总理练兵事务大臣，袁世凯为会办大臣，铁良为襄办大臣。这个组合看似二满一汉，实际上真正的实权都在袁世凯心腹手中——总提调徐世昌，军令司正使段祺瑞，军使司正使刘永庆，军学司正使王士珍，副使冯国璋——这数人，皆是袁世凯的小站嫡系。

看似利国强军，其实练兵处设立后最大的获益者非袁世凯莫属。所以，当时就有御史王乃徵站出来，反对设置这种权归个人的练兵中枢机关：

> 古今中外，不闻举国兵柄利权集而授于一人之理。今练兵之事，旨派庆亲王为总理，袁世凯为会办，兼有铁良襄办矣。顾庆亲王分尊事冗，素不典兵，何从识武将一人？何能议军政一事？铁良之才，素无表见，愈益可想。然则大权在握者，固惟独袁世凯耳……徐世昌等皆该督（袁世凯）荐举，素日为其心腹，将来济济师旅感恩而指挥唯命者，岂复知有他人！又督责天下之饷需，欲户部不得过问；举劾天下之将弁，欲兵部不得特权，既历史所未有，亦五洲所不闻。枝重有拔本之嫌，尾大成不掉之势，此其立召祸乱者……

一向老谋深算的慈禧，竟然对此置若罔闻，我行我素，一心想实行中央练兵计划。在利用袁世凯的同时，她觉得可以慢慢培植铁良以期日后取代袁世凯，把各省兵权收归中央。

事与愿违，练兵的结果，使得袁世凯能够凭借朝廷的威权和全国的财力，倾国而养嫡系之兵，促成了北洋系势力进一步盘根错节的壮大。

趁日俄1904年在东北发生战事的时候，袁世凯吓唬朝廷，说一定要增加军饷，防御各处沿海沿河口隘，以免洋人借机窜入国内。清廷立刻照准。于是，他得以四处征募士兵，把北洋六镇创建完毕。除第一镇统制不是他的北洋系外，其余五镇，从上到下皆为小站班底。在政界，徐世昌、赵秉钧、梁士诒、朱启钤、朱家宝、胡惟德、金邦平等人，皆是袁世凯心腹、眼线。这些人各居要职，遍布政府主要部门。

由此，盘根错节、枝蔓八方的北洋军事政治集团，便宣告成型。

袁世凯当时在政治上深具长远眼光。他不仅抓紧募兵，还特别注意培训军官。在送人去日本留学的同时，他次第在国内开办了许多军事专业学院。随着军队的迅速扩大，袁世凯手下的中下级军官陆续晋升，新学生迅速补充到位。所有这些人，日后都深感他的栽培“私恩”。

但是，北洋军和昔日曾国藩、李鸿章的以同乡乡勇为基础的旧式军队有着全然不同的区别——首先，北洋军坚拒两种类型的人物混入新式军队中，一是特权子弟，二是有过旧式军队行伍经历的老兵油子；其次，北洋军军队内任人唯贤，而不是任人唯亲，大行能力主义，使得北洋军成为和东西洋新式军队相仿的全新军队；最后，湘军、淮军都是以血缘为军中纽带，而袁世凯的军队则可谓“四海之内皆兄弟也”，军官高级军将中，三分之一多都是有留学经历的高才生。

所以，从袁世凯称帝后那些反对他的昔日“嫡系”将领的态度看，把北洋军说成是“野心家”、旧式私人军阀队伍的说法，完全站不住脚。真正把袁世凯往帝座上推的，除了他自己的儿子以外，最主要是一些文人出身的投机分子和野心家，比如杨度、赵秉钧、刘师培等人。而反对他称帝的，反而不少是他昔日的属下军人，比如段祺瑞、冯国璋、蔡锷等。

不仅军队大有起色，袁世凯还在北方创建了中国最早成体系的警察部队，设置巡警学堂，开始经营近现代的城市管理。五大臣被炸事件后，他趁机奏建巡警部。日后得势的赵秉钧，正是此时由他推荐保任为巡警部侍郎，所以才死心塌地为其办事。

至于财权，袁世凯也不疏忽。他从盛宣怀手中拿过来电报局、轮船招商局等“国企”后，还垄断食盐销售，获取制币权，开创矿山、工厂，大征税利。综观其行，可谓是吸全国之财，以供北洋练兵。

慈禧不动声色，先看着袁世凯折腾，尽他表演。然后，1906年，趁官制改革的时候，开始逐渐削夺他的军权。慈禧先设陆军部，以袁世凯的对手铁良为尚书，一统全国军政。

袁世凯非常识时务，马上以退为进，自己上奏，主动把北洋六镇中的四镇立刻划归陆军部。1907 年，慈禧“提升”袁世凯为军机大臣兼外交部尚书。此举，实际上是想让他大龙离水，脱离直隶的老地盘。而且，为了从长计议，慈禧还把北洋军的筹饷权和学堂管辖权，皆划归陆军部。

即便如此分解，也阻挡不住北洋军势力的成型。

北洋系的力量一直在逐渐膨胀，遍控国内关隘——第一镇驻北京，第二镇驻直隶永平府及山海关，第三镇驻保定及奉天锦州府，第四镇驻天津小站，第五镇驻济南，第六镇驻北京南苑。

袁世凯本人，仅看他当时一人兼带的头衔，就可知其掌握了多少重要部门——会办练兵大臣，督办邮电大臣，督办关内外铁路大臣，督办津镇铁路大臣，督办京汉铁路大臣……

北洋系与清廷的分道扬镳

慈禧虽对袁世凯有所警惕、控遏，但仍用“优礼”控制他，并没有真起杀心。毕竟，她还要倚重袁世凯和北洋集团的力量。但是，轮到摄政王载沣主政，风云突变，袁世凯面临前所未有的危险。

载沣以摄政王身份监国伊始，立刻就想对袁世凯杀之而后快。隆裕太后，作为光绪帝的皇后，自然对袁世凯不会有什么好感，她基本同意载沣的意见。凡事要一步一步来，除去袁世凯这样的“大鳄”更不能轻举妄动。他们决定先驾空袁世凯。于是，朝中批裁折件等事，载沣全交予张之洞、世续等人办理，不让袁世凯插手。

1908 年 12 月 2 日，溥仪即帝位，定第二年为宣统元年。新帝登基，照例对大臣有“恩泽”，赐庆亲王奕劻“亲王世袭罔替”，赏袁世凯、张之洞太子太保衔、用紫缰。这件小事，引起汉人御史江春霖不满。他上折表示，朝廷的优赏不当，还把庆亲王奕劻和袁世凯比拟为“宵小”。宗室成员善耆、载泽乘机进言载沣，认为慈禧太后一死，以后再无人能威慑袁世凯，如果不下手除掉他，异日祸不可测。同时，他们暗中告知载沣说，外间有袁世凯企图拥推隆裕太后垂帘听政的传闻。

载沣闻之，怒从中起，派人拟了一道把袁世凯革职治罪的谕旨，准备对这位手握重兵的汉人大员下手。为了行之有理，免遭隆裕太后和王公大臣的责难，他找来庆亲王奕劻和张之洞商量。

庆亲王马上摇头：“杀袁世凯，不是件难事。可是，杀他，罪名不彰，死不以罪。如果人杀了，北洋军起来造反怎么办？”

载沣听此言，心里咯噔一声沉了下来。他转眼望张之洞，希望袁世凯的这个“政敌”能帮自己。

岂料，张之洞更加老成持重：“主少国疑，此时万不可轻易诛戮大臣！”

这两个人不同意，载沣要杀要定罪袁世凯，就变成一件十分难办的事情。当时的清朝，已有定例，所有谕旨，必须由军机大臣副署才能生效。可以想见，庆亲王奕劻、张之洞两个人不同意，那桐肯定也不同意（此位清人是袁世凯铁哥们）。至于世续、鹿传霖等官场老手，更不见得在关键时刻会附和载沣。

载沣不得已，只能以袁世凯有“足疾”为借口，把他开缺回籍。虽然政见上分歧不少，张之洞思多年交情，劝过载沣下朝后，他就派人对袁世凯“委婉”表达了隆裕太后和载沣的意思。庆亲王奕劻更积极，他对常年孝敬他的袁世凯深为关心，让人劝他赶紧回家“休息”。袁世凯如受惊之兔，即刻窜往天津。

本来，他想先到天津，然后从那里坐船，逃亡日本去“政治避难”。岂料，在天津当直隶总督的杨士骧闻讯，马上派儿子出面，劝袁世凯赶紧回京遵旨回原籍：“如果大人您在国丧期间擅除缟素，又不遵旨，一旦太后有旨拿您回京法办，我父亲也罩不住您！”言语之间，充满冰冷的威胁。

杨士骧兄弟三人，在清末一直得益于袁世凯“照顾”。关键时刻，他们如此冷淡寡情，可见官场人情之薄。

于是，1906年1月6日，冷风之中，袁世凯从北京凄然回到老家。保住了性命其实已经是当时的万幸。倘若载沣有他先世万分之一的杀伐胆识和果断，袁世凯定难逃过屠戮。

袁世凯被逐出北京权力中心后，摄政王载沣竭尽所能开始中央集权的步伐。首先，载沣本人代理海陆军大元帅。其次，升格军咨处为军咨府，由良弼掌握实权。再次，以留日归来的、与良弼大有关联的士官生替代北洋系军官。特别是北京城内练兵处、军咨府和陆军部，基本由士官生出身的军官掌握。在北洋六镇中，十年内大概有六百多名日本的留学生陆续被派入北洋部队，吴禄贞、蓝天蔚、张绍曾这三个留日派青年军官皆占据要职，开始在北洋军中不断加重“掺沙子”的比例。最后，对于袁世凯一系的官员也逐步剪除，革职邮传部尚书陈壁，卸调徐世昌东三省总督的地方大权，对黑龙江布政使倪嗣冲抄家，勒令把持北京警察指挥权的赵秉钧交出权柄，因“病”开缺江北提督王士珍……

即便如此，退休后的袁世凯依旧是“潜龙在渊”，北洋系统已经蔓延到清政府中央、地方、军队、财政等各个角落，且对载沣一系怨毒满胸。一俟辛亥革命的机会来临，袁世凯一呼百应，昔日的全部大权恰似“飞去来器”，自动尽回手中。

谈起袁世凯在辛亥革命后回北京担任清廷“总理大臣”的表现，几十年来，一些历史学者大骂袁世凯阴险，对他的束手观斗痛心疾首。这种心态，无非是出自部分中国人内心最深层次的、为统治者帮闲效忠的“忠臣”心态。

换位思考，如果我们中的某人，身为当时的袁世凯，会怎么做？我们会傻乎乎拼死命为清朝打拼，灭掉武昌革命党，然后再俯首听命，任凭载沣对我们卸磨杀驴吗？飞鸟尽，良弓藏；狡兔死，走狗烹。清统治者一向用此伎俩，袁世凯不能不寒心。自朝鲜到直隶，袁世凯为清朝竭尽犬马之劳。可是，他最后换来什么呢？差一点就换来一把杀头的钢刀。

如果当时载沣多一点阴狠，袁世凯肯定会身首异处，连一束白练都得不到——那是赐给满人权贵全尸自尽用的，汉人就要掉脑袋。

作为儒学熏陶出来的袁宫保，自有他本身的政治道德和伦理观。但强求他对清朝效忠至死，鞠躬尽瘁，就是我们时人对历史人物的刻薄和苛刻。

重新上台后，依惯有的、雷厉风行的手段，袁世凯换掉军咨大臣毓朗，以密友徐世昌代其位；排挤载沣之弟载涛，推上另外一个与自己有恩惠的满人荫昌；最终逼迫载沣辞去摄政王一职，赋闲在家；任命心腹冯国璋为禁卫军首领，把清朝的统治符号隆裕太后和小皇帝握于己手；为层层保险，下令调换昔日的宫中禁卫军，逐之于城外，派自己人段芝贵领一支新的“拱卫军”去“保卫”皇宫……

当时天下公认的政治强人和军事强权

辛亥枪响后，洋人列强细心比较了袁世凯与孙中山后，一致看好袁世凯，认为他才是中国最强势的领袖人物。纵观西方列强（加上强邻日本）在辛亥革命中的表现，与“太平天国”“义和团”时期不同，似乎他们更“沉稳”，更耐得住性子。

那个时候，到底是什么样的原因，使得这帮唯利是图、文质彬彬又凶神恶煞一样的强盗作如此行状呢？

辛亥革命发生前，不少驻华的列强使节们，对即将来临的风暴已经有所察觉。根据武昌美国教会的情报，英国公使朱尔典 1911 年 9 月底已经得知武汉清朝的新军军队中有人正在抓紧密谋起事。日本的伊藤博文在1909年5月会见英国驻日大使时，也揣测说："中国在三年内必将发生革命。"（加立皮林《英日同盟》）

即便如此，日本与西方列强的政客和观察家们也没有想到中国革命来得这么快，这么迅猛。三天之内，武汉三镇皆为革命军所有，远远超出了列强们的想象力。

辛亥革命发生后，列强们非常惊恐，特别害怕十年前的义和团事件会在中国重演。因为手中操有洋枪洋炮的革命党，威力远超昔日那些抡刀念咒冲锋的"大师兄"们。所以，洋人对辛亥革命最早的反应，只有两个字：惊恐！

"革命决不会使我们得到任何好处！"法国等银行团驻华代表如此说。洋人的主要报纸《字林西报》讲得更明白："就某种意义说，这一事件（辛亥革命）是反对我们自己的。"并连篇累牍地发表评论，公开表示希望清政府能把此次革命成功镇压下去。很可能，这家报纸的主要撰稿者对"太平天国"之乱记忆犹新，所以他们这样断言："清朝政府虽然公认不好，但它至少还算统一了这个帝国。它的敌人却仅仅靠着共同的仇恨才结合在一起，这产生更深的仇恨，而肯定不能作为一个健全国家的基础。"（1911年11月11日《民众的疯狂》）

一向为革命党视为共和榜样的美国人，对中国革命更是充满了蔑视和仇恨。这个新牌的帝国主义国家，从政客到学者，无一看好辛亥革命。杜列斯甚至声称："中国人根本不配自己管理自己。"（《中国与美国》）历史学家拉铁摩尔表示："中国人只知道皇帝……北洋军阀袁世凯被他们描写为正是中国需要、中国人所能理解的一个有力人物。孙中山则不过是一个不务实际的理想主义者，一个轻举妄动的幻想家。"（《亚洲的决策》）

曾经，孙中山在回国途中专程赴美，想一见美国国务卿，结果却严遭美国人拒绝。

所以，辛亥革命枪响过后，列强们的第一反应，就是屡试不爽的炮舰政策，纷纷开至长江中游集结，一来示威，二来准备有机可乘时帮清廷灭火，得人情后找到讹钱的借口。截止到 1911 年 10 月 16 日，在武汉江面屯集的外舰已达十三艘，其中英国五艘，美国三艘，日本两艘，德国两艘，法国一艘。最厉害的是德国军舰，曾经主动挑衅革命军。

革命军出人意料地迅速占领武汉三镇，汉口租界全然成为孤岛，大有风雨飘摇、朝不保夕之象。出于无奈，列强们不敢吃眼前亏，各国领事们在 10 月 17 日不得不发表声明，表示要“严守中立”。

让洋人们倍感欣慰的是，革命军一方从开始就不想与洋人为敌。在对外发布的告示中，武昌革命军三番五次重申，要坚决保护外国人以及他们的财产安全。出于不切实际的幻想，革命党人甚至想借助洋人的力量推翻清廷。

于是，革命党人力图通过各种途径从洋人手中取得贷款，结果令人大失所望。四国银行团，从一开始就根本否认革命党一方拥有贷款资格，其余小洋商，皆唯利是图，更不会出一毫子儿支援造反的革命军。不仅如此，列强瞧准革命党人不敢与洋人为敌的软肋，劫夺南方发生革命城市口岸的海关税款。长沙、汉口、上海、汕头、广州、厦门等地的海关税收，纷纷被当地洋税务司直接截留，存入英国的汇丰银行。没过多久，在北京的列强外交使团指定汇丰、德华等银行组成“非常委员会”，专门负责分赃事宜，硬生生从革命军手中夺取了巨额的金钱。

为了防止中国出现大规模战争后利益受损，列强们先行一步，加派在华的武装力量，计有近万名洋兵分别驻扎于北京、天津、塘沽、唐山、秦皇岛、山海关等要隘重地（中国第 3 号《蓝字书》，1912 年）。

革命发生后，上蹿下跳最积极的，要属日本人。日本在派出大批浪人、政客（犬养毅、头山满、内田良平等）来华鼓动唇舌的同时，又秘密与老敌手、新朋友沙俄联络，企图共同派军武力干涉中国，造成中国南北长期分裂的局面，以使革命势力局限在长江以南地区，并企图在华北（至少在东三省南部和热河一带）扶植一个帝制傀儡政权。如此，两国就能在中国攫取更多、更大的利益。

列强们之间的矛盾也是互迭重重。首先，英、美两国对日本发出严重警告。特别是英国，由于长江流域是这个老牌帝国主义国家传统的“势力范围”，绝不容许日本人来此地分肥。沙俄本来在瓜分中国的问题上与日本很谈得拢，但它毕竟只是半个亚洲国家，另一半的欧洲区域已经让其头痛不已，所以也不敢得罪英、法两国，贸然在中国瞎伸手。日本当时在国际上羽翼未丰，如果它想成为财经和政治上的“大国”，都要看英国人的脸色。所以，日本也不敢做得太过分，惹怒英、美两国。

列强们之所以没有在中国进行大规模军事干涉，主要是因为第一次世界大战在欧洲已经迫在眉睫，各欧洲强国为了互相撕咬而抓紧军备竞赛（诸如英、德间的“无畏舰”建造竞赛），加上对非洲殖民地的争夺（德国与英、法之间），他们一时抽不出手来在中国搞出更大的动静。

由于当时的美国在列强中还是毛头小老弟，在远东的力量与英、日根本不能比，所以，美国更不希望日本这样的亚洲新霸肆无忌惮地扩张，便一直以外交威吓来牵制日本。法国人更关注它在欧洲与德国人战个你死我活，因此希望在远东仍旧保持各国的“均势”，想在欧洲问题解决后再来华瓜分。

经过数天观察，洋人们发现，辛亥革命只是中国人的国内战争，不是矛头对外的民族战争，且革命党人一直“央求”洋人在政治、军事、经济方面给予帮援，没有任何炮口指向洋舰的举动。南京临时政府成立后，孙中山发布《宣告各友邦书》，明明白白大示其好，以至于洋人们根本没有任何借口用武力来帮助清廷镇压革命军。

最最重要的，革命军在十几个省份的成功，已经使洋人意识到清政府已全然是条“死狗”，根本扶不上墙。英国公使朱尔典在 1911 年 11 月 6 日给伦敦格雷的报告中，已经明确了这种看法：“这个运动（辛亥

孙中山

革命）的广泛蔓延的性质，以及它到处获得成功的事实，已使一切用武力挽救这个国家（清政府）的企图失去了可能性。”

出于利益最大化的考虑，近乎不约而同，洋人们皆把目光投向了一个人——不是孙中山，而是儒统保卫者袁世凯！最终，知道无论是政治资历和政治手段都玩不过袁世凯，孙中山只得接受现实。1912 年 3 月 6 日，南京参议院通过了《统一政府组织法》，允许袁世凯在北京任职。

1912 年 3 月 10 日，春风得意的袁世凯，身穿大元帅服，领口敞开，终于在北京就任临时大总统，以河南腔的北京官话宣读誓词：“民国建设肇始，百凡待治，世凯深愿竭其能力，发扬共和之精神，涤荡专制之瑕秽，谨守宪法，依国民之愿望，蕲达国家于安全强固之域，俾五大民族同臻乐利，凡兹志愿，率履勿逾！”

而后，他即行组织内阁，并任命唐绍仪为总理，以示信于南方党人。由于唐绍仪内阁中有四名同盟会成员（包括唐本人后来也加入同盟会），这一内阁有“同盟会内阁”之称。当然，外交、内务、军队等实权，均不在同盟会阁员手中。

1912 年 4 月 1 日，孙中山在南京正式解职。4 月 2 日，参议院和临时政府全体北迁。从此，中华民国时代，从形式上在中国成为现实。

开始踏上征程的中华民国，秉诚而论，袁世凯不是最初的设计者，也不是真正的共和主义者，但也不能把他说成是“胜利果实的篡夺者和唯一受惠者”。袁世凯在当时避免了因清朝灭亡而可能带来的巨大分裂，促成了国家的统一。

早在 1908 年，在接受美国《纽约时报》记者的采访时，在回答记者中国“最需要改革的是什么”这个问题的时候，袁世凯对于中国的未来政治道路已经成竹在胸，他表示：“我们的财政制度、货币流通体系以及法律结构，只有做好了这些事，大清国才能恢复完整的主权。而且，也只有等她彻底恢复了主权，才能真正理顺国家正常的经济和政治生活。这三项改革中的任何一项，都与其他两项有着密不可分的依赖关系。”

同时，他还清醒地说：“在评估我们的发展进程的时候，应该充分考虑到，大清国政府所面临的问题和困难是巨大的。我们正处在现代化进程的潮流中，而假如我们一时没有掌好舵，西方世界也不应该对我们批评得过于严厉和苛刻……”

长久以来，出于意识形态的近视和政治僵硬的脸谱化，仅仅认为袁世凯当国完全凭借阴谋、不道德行为以及简单的欺骗手段，这种看法根本站不住脚。他之所以能成为大总统，是由“民选”产生（参议院选举产生），从政治形式上，几乎无可挑剔。

作为一步一步艰难往上爬的汉族庶族地主出身的、饱经历练的知识分子，袁世凯经受过近代军事、政治、经济的实际锻炼。特别在直隶总督任上，他已经显现出作为精英分子所具有的长远眼光，在北京周围地区基层施行了真正的政治改革。

可以断言，在几十年政治实用主义和权力追逐的过程中，袁世凯最初的本意，一定是要建立一个强大的、中央集权的东方民族国家，以便能够与西方抗衡。只不过，他所有的努力，最后皆被个人称帝的贪欲所烧焚，落得身败名裂的下场。

离心离德的“长城”

清朝新军的政治逸轨

作为国家机器中最最重要的组成部分，军队本来是保护一个制度、一个政权的最强有力的镇压工具。那么，辛亥革命的第一枪，为什么会在清朝的新军中打响呢？这个问题的出现，远远超出清政府的想象力，为其始料不及。其间发展的过程，也确实耐人寻味。

清朝新军的由来及其人员结构

清朝兵制，大致经过三个阶段的变化：第一阶段，早期的八旗劲旅和汉人为主的绿营兵；第二阶段，嘉庆、道光年间的团练，后为镇压太平天国、捻军而衍变成的湘军、淮军；第三阶段，甲午之战败于日本后，光绪、宣统年间出现的新军。

早在 1862 年，李鸿章的淮军已开始学习“洋操”。1874 年，曾国藩正式提出以新式枪械练兵。1883 年，李鸿章在天津设水师学堂，1885 年设北洋武备学堂。1886 年，张之洞选拔甲级防营一千多人改习洋操，开设水师和陆军学堂。可见，在洋务运动时期，新军雏形已露。

甲午败于日本后，清廷正式下令训练新军。1895 年 3 月，洋务派官僚胡燏棻最早在天津小站练“新建军”。没过几个月，他就被清廷派去督办津芦铁路，小站练兵转由当时政坛“新秀”袁世凯接手。

袁世凯是个具有新式头脑的人，胆子大，改当时的“定武军”为“新建陆军”，使得原先的十营四千多人一下子扩展到七千多人。

北洋训练新建陆军的同时，1895 年 7 月左右，张之洞在南洋成立了“自强新军”，人数两千多人，统领是德国人来春石泰（当时译法），营哨以上各官，皆以洋人充任。

见北洋、南洋训练新军卓有成效，清廷便下令各省将防军进行改编，或在原基础上训练新军。朝廷在各大城市设立武备和陆军学堂，分派青年出洋学习军事，以储备将校人才。其目的，在于逐步以精锐的新军替换无能的旧式军队。

清朝的新军，不仅仅武器上全用洋械，招选兵员也采纳严格的标准，并规定军官要由学堂出身的人担任。新军之所以“新”，因为在建制和训练手段方面，都大异于清朝的旧式军队。这支军队，在训练方面学习德国，在编制上模仿日本。

义和团之乱后，清廷更加迫切地在各省推行新军训练。1901 年，清廷下令废止那种打把式卖艺表演式的“武举会试”，命令各省派将校到北洋和湖北观习新军训练。1903 年，清廷设练兵处，负责国内新军事务，并在各省设“督练处”（也称“督练公所”）。转年，清廷正式划定军制，规定新练的军队分为常备军、续备军以及后备军三军。1905 年，清廷计划在全国编练新军三十六镇，逐年编训完成。在北方，北洋六镇（近畿四镇和直隶两镇）全部完成编训。在湖北，一镇一协完成编练。

至清朝灭亡前，全国实际完成了二十六镇的编练。

新军编制，是分为军、镇、协、标、营、队、排、棚，分别相当于后来的军、师、旅、团、营、连、排、班。军一级的长官称“总统”（其实清廷一直没有实际设立成为真正定制的“军”），镇称“统制”，协称“协统”，标称“标统”，营称“管带”，队称“队官”，排称“排长”，棚有“正目”“副目”。

一般讲，两镇可编为一军。按全额算，一镇的官兵总数为12512人。遇实战，依据战势地情而定，或三镇为一军，或把数军合成一大军，或仅派出一镇。此外，还有一种“混成协”，这种部队除有二标步兵外，还配有工程、马、炮、辎重等兵种，近乎镇的编制，但又隶属于镇，类似后来的“独立师”“独立旅”。黎元洪在辛亥革命发生时的官职，就是这种混成协的协统。

清朝开始建新军时，北有袁世凯“新建陆军”，南有湖北张之洞“自强军”。但是，后来只有北洋一系蔚然大观，南洋一系却基本消泯。造成这种结果的原因是清廷看重隶属中央的北洋军建设，想把它作为拱卫国都北京的劲旅，所以一直任其扩充发展。而湖北的新军，属于地方军，清廷当然不想地方坐大，于是一直抑制它的发展。南洋系的主脑张之洞，文臣出身，后又被调入京城当“大学士”。南洋系另一大腕刘坤一（时任两江总督）早死（1902年），其间不少兵马又被并入当时袁世凯在山东的军队，所以，南洋军最终不成气候。

反观北洋，袁世凯步步高升，他在直隶总督、北洋大臣、练兵大臣任上，不断刻意经营北洋新军，其手下将领，多出于天津武备学堂，基本全是他的羽翼。因此，日后的北洋军顺理成章就成为袁世凯的“私军”。

清廷建新军，本想振衰起弊。但除北洋六镇外，大部分新军，在后来都成为革命党人活跃的渊薮。这种结果，显然大出朝廷当初的意料。即使是思想相对保守的北洋军，军人们也是大多对袁世凯个人忠心耿耿，成为老袁纵横捭阖、颠覆清廷的手中王牌。可笑的是，一直被清廷视为累赘废物、想竭力加以抛弃的巡防营，倒成为自始至终效忠朝廷的队伍。

所以，清廷此种改革新军的努力，恰似把绞索系在了自己的脖子上。这种苦涩的结果，最根本原因在于，清廷缺乏驾驭强大西化军队的能力，它也没有真正的理念去支撑军人对清廷效忠。

清廷费心费力搞了数年的新军改革，本来目的是极意笼络军人，换来的却是军人的怨毒与狂躁。特别是1910年，在新军内兴起的“割辫”运动以及新军对保路运动的同情与加入，更显出了大变前的先兆——发辫是清统治的象征物，这一“纽带”被剪，清廷还有什么控制军队的绝对正当性和自信心？

在政治的离心作用下，激进而深入的新军改革，暴露了清廷致命的弱点——军人逸轨，已经无法避免。各种心怀异志的人，皆在军营中蠢蠢欲动。这种情况，均是因为在大变革时代，清廷本身僵化守旧，根本缺乏有效调控激进改革的政治能力。此外，它也没有能力合理地整合、配置已有的社会资源。

新军中的中下级官员，多为科举废后无出路的知识分子，秀才与兵混而为一，容易接受新思想，特别是反满的新思想。新军的士兵阶层，多为破产农民子弟或城镇小资产阶级子弟，他们自小耳闻目睹社会不平，容易产生反抗情绪，更容易接受饱含鼓动性的宣传，特别倾向“革命”。

而新军中不少中级军官是日本士官生出身。他们在日本学习时，深受西方革命理论影响，深怀民族忧患意识，自然也具有倾向革命的强烈意识。即使是新军中身享高官厚禄的高级军官，大多数也很“识时务”“随波逐流”，在报刊影响下，他们中大部分人朦胧的反满情绪也日益萌发。

清末，政府上下都推行宪政“维新”，各省督抚们为了赶政治时髦，争相延揽留日归国的毕业生，在军队中给予他们管带、标统、协统等比较高级的职位，甚至擢升为镇统，诸如云贵总督李经义请蔡锷，东三省总督赵尔巽请蒋方震，湖北总督张之洞请吴禄贞等。这些人凭借职务的掩护，使新军中的革命活动更能得到正常的发展。

当年去日本留学的，许多都是充满爱国热情的年轻学子，他们在日本每每触景生情，“览异邦之风物，念宗国之颠沛”，忧国忧民的情绪日益高涨。据《湖北学术界》所载，每有新同学到日本，先到的学生都集体在码头上欢迎，高唱“吾祖国万岁！留学界万岁！”，澎湃着救国救民的奋发大志。

在1905—1906年的最高峰阶段，留日学生达八千人。至于那些士官生，当然也深受孙中山及同盟会民族主义思潮的影响。

中国派赴日本学习军事的留学生，原本是从各省武备学堂的武学生中选送的。自1899年起，文学生也可以选送。这些中国军事留学生到日本后，进入学习的军校主要有日本陆军测量学校、骑兵学校、炮工学校、海军学校以及私立东斌学校等，大多数留学生集中于东京的日本陆军士官学校学习。

陆军士官学校创建于1874年，是明治维新后日本的一所初级陆军军官学校。此校学生，精英辈出，在日本甚至在全世界都颇负盛名。日本战犯东条英机、冈村宁次、土肥原贤二等人，均毕业于该校。

日本在当时之所以如此“积极”接收留日中国学生，目的当然不是“倍敦友谊”——日本驻华公使矢野文雄在1898年给外务大臣西德二郎的信中，把日本借助教育控制中国的阴恶心态暴露无遗：

“如果将在日本受感化的中国新人才散布于古老帝国，是为日后树立日本势力于东亚大陆的最佳策略。其习武备者，日后不仅将仿效日本兵制，军用器材等亦必仰赖日本。清国之军事，将成为日本化；又因培养理科学生之结果，因其职务上之关系，定将与日本发生密切关系，此系扩张日本之商业于中国的阶梯；至于专攻法政等学生，定以日本为楷模，为中国将来改革的准则。果真如此，不仅中国官民信赖日本之情将较往昔增加二十倍，且可无限量地扩张于大陆。”

清廷派遣学生出国学习军事，本来的目的是把他们锻炼为王朝的鹰犬，同时，清廷深恐这些学生在海外受到民主革命的鼓动，就在1904年硬性规定，凡报考日本军事学校的学生，必须由各省督抚保送，否则不准出国。而对于已在日本的自费生，让在日本当地的清朝学监进行

出国前的留美幼童合影

监督，挑选那些认为是忠于清室的“政治合格”者，准许他们改为官费生。对于被认为有革命倾向的学生，则想方设法剔除出去。

出乎清廷预料的是，一批又一批的陆军士官留学生纷纷改向，成为同盟会的追随者。1905年同盟会成立，留日士官生踊跃加入，仅云南一省的留日士官生，就有四十人加入。士官生还在同盟会内部秘密组建了纯军事干部组织“铁血丈夫团”，有数十人之多。这些秘密团员，在日后的辛亥革命中起到了重大的作用，他们回国后进入各省的新军内，伺机宣传、鼓动、发展革命力量。这些人，把《革命军》《猛回头》《警世钟》等反满反帝小册子偷偷遍发于士兵手中，兴办秘密报刊，使星星之火散布于军队每个角落。

根据《黄膺白先生家传》一文，“南北各省发难及主持人物，丈夫团几居大半”。而后的辛亥革命，很多士官生出身的各级新军军官起到重要的领导作用，其中我们耳熟能详的有：领导山西起义的阎锡山、温寿泉，领导贵州新军起义的杨荩城，领导云南起义的蔡锷、唐继尧、李根源，领导江西起义的李烈钧，领导陕西起义的张凤翙、张益谦，领导湖南起义的仇亮、曾继梧，领导广西起义的赵恒惕，领导安徽的胡万泰，领导广东新军起义的蒋尊簋、魏邦平等。这些本来担负着清政府军队现代化任务的年轻军人，最后却成为清王朝的掘墓人。

即使在北方那些未能独立的省区，士官生出身的军官们也四处活动，有力地配合了南方的革命起义。在直隶和奉天，享有“士官三杰”美誉的清朝第二十镇统制张绍曾、第六镇统制吴禄贞和第二混成协统领蓝天蔚，都明里暗里积极响应革命。在他们的领导下，进行“滦州兵谏”，谋组燕晋联军，以图给清王朝窝心一剑。由于北方政治气候恶劣，他们最终壮志难酬，吴禄贞被杀，蓝天蔚被迫逃亡，张绍曾被清廷免职。

由此可见，清朝新式军队中真正坚决的“反革命”，少而又少。

最重要的是，国内的革命党人，特别是武汉的文学社、共进会，非常注重深入军队做工作。不入虎穴，焉得虎子！他们不少人为了颠覆清朝，投营入伍，着装当兵。借敌之械，强己之枪。

不仅如此，党人还在新军中成立了不少公开、半公开的组织。以湖北新军为例，就有群治学社、文学社、军队同盟会、共进会等。这些社团，吸收广大官兵加入，培养了大批革命力量。

策反军队的“抬营主义”，是革命党杀向清廷的一根撒手锏。辛亥革命能由内而外，由下而上，成功必不偶然。正是湖北新军中革命党人卓有成效的工作（特别是“文学社”），使得在武昌起义前，新军基本上已经“革命化”。

湖北新军，当时的二十八镇和二十一混成协，共有官兵一万六千人左右。事发前，除被端方带往四川和被瑞澂派外各地的以外，剩下八千多人。这八千人中，纯粹的革命党人，有两千多；同情革命的，有四千多；坚决“反革命”的，只有一千余人；其余基本属于摇摆分子。

所以，枪声打响后，武昌城内外很快就有四千多人加入暴动。真正与革命军交战的清兵，仅有两千多人（不包括巡防营和警察部队），剩下的都逃散而去。

武昌起义后，云南、浙江、山西、新疆、湖南、陕西等大多起义省份，均是新军为骨干（也有会党参加）。只有江西、广西两省（省会），属于立宪派的“不流血革命”。

非常可惜的是，武昌革命后，新军内的革命党人未能掌握大权。这是因为，此前此后，他们都是未被主流政治认可的“非正式组织”。因此，辛亥革命后造成这样的尴尬局面：革命军起，革命党消。

文学社与共进会在新军中活动

由于科举制度的结束，中国社会原先庞大的读书人群体一朝醒来，发现天下大变，忽然丧失了奋斗的目标。愕然之余，他们只得去寻找新的出路——弃文从武。于是，原先的“读书种子”们，纷纷成了秀才兵丁。

这些军队中的新鲜血液，最特别之处在于他们不同于从前那些完全为了吃饭而当兵的中国社会底层农民。怀抱铁血，激扬武烈，这些本来就是知识分子的青年人，意气相投，在军队中日益扮演着重要的角色。抗争、恣肆、思维敏捷而又不乏盲动的血性军人，注定会汇入激流涌荡的中国社会，并掀起巨大的波澜。

早在1903年初夏，由日本官费留学归国的湖北云梦人吴禄贞，就常常在武昌花园山聚集一些军官密谋议事。他是兴中会会员，最早曾参与唐才常的“自立军”，显然“革命”资历不浅。

吴禄贞以文娱为形式的“花园山聚会”，吸引了军队中不少青年人。聚会期间，他放映幻灯片，散发《革命军》《猛回头》一类书籍，且在军队中安插眼线，把不少“革命”青年输入军中。同时，他积极联络会党，密谋举事。老奸巨猾的张之洞很敏感，他很快对花园山聚会有所察觉。毕竟自己眼皮底下的事情，不好太声张。于是，他暗中拆台，将常出入花园山的骨干分子分批遣派到国外“读书”。不久，吴禄贞本人也被调往北京。

主心骨走了，但花园山革命聚会的火种并没有熄灭。很快，“科学补习所”和“日知会”接而继燃。1904年7月，吕大森等人在多宝寺街开设“科学补习所”。他们对外声称是文化补习学校，实际上以“革命排满”为目的，在青年学生中宣传革命，把一批又一批党人输送入军队。仅仅过了四个多月，张之洞得知“科学补习所”同湖南起义有关联后，立刻下令查封。

此后，日知会继之而出。日知会原本是美国基督教圣公会在武昌的一个阅报室。既信基督又信革命的刘静庵，凭借他在日知会司理的身份，以日知会为掩护，一步步地把这个阅报室变成了革命组织。通过演讲、办报、教课等方式，日知会吸引了近万人成为会员。大量《革命军》《猛回头》等革命书籍，经日知会翻印，传入新军。1907年，为响应湖南萍澧浏等地起义，日知会抓紧筹措起事。由于有人告密，清政府非常警觉，立刻派兵摧毁了这个组织，把刘静庵等多人抓捕入狱严刑拷打。

可叹的是，刘静庵被关入狱中长达五年，竟于辛亥革命前三个月病死。最终，他没能看到铁血十八星旗飘扬的那一天。

“敢是达才须磨炼，故教洪炉泣精金。”日知会虽被清廷摧毁，其影响却非常巨大。日后，武昌起义的主要干将——孙武、蔡济民、熊秉坤，甚至“首义三忠”中的两位，彭楚藩与刘复基，都是当年日知会会员。

湖北革命小团体，在清末那个风雨飘摇的年代，如雨后春笋，遍地生根，大概有群学社、铁血军、无锡会、辅仁会、忠汉团、德育会、黄汉光复党、共和会等，或与日知会同时，或后于日知会而兴。其中的团体成员，有的分别并入文学社和共进会，在当时都发挥了一定的作用。

武昌起义前，在新军中影响最大的两个团体，一个是共进会，另一个是文学社。

共进会，是在同盟会成立两年后的1907年，由一些同盟会员“另起炉灶”而立的一个组织。发起人为刘公、居正、孙武、焦达峰、喻培伦等人。其中，刘公、居正、孙武是湖北人，焦达峰是湖南人，喻培伦是四川人。可以看出，发起诸人中，湖北人居多。言及共进会，一般历史书中均讲它是“孙中山领导下的一个革命组织”，其实大谬。

共进会的成立，从组织及行动方面观察，明显有与同盟会分道扬镳的迹象。当初成立这个组织，就是兴起诸人深感同盟会不能成事，才决定另创组织。他们在联系国内会党的同时，决定深入清军内部起事。对此“另立山头”之举，黄兴曾面诘焦达峰，后者一句话就搪塞回去：“殊途同归，有何不可！”在东京，新发的共进会与同盟会完全是不相统属的组织。他们分门别户，各自争抢新人。有一段时间内，共进会招兵买马之盛，甚至大大超过了同盟会。

当时的同盟会，恰值《民报》被封，孙中山游走不定。因此，同盟会总部事务无人统一打理，凡事涣散。趁此机会，共进会以新起之锐，与同盟会分庭抗礼。共进会的会长（总理）为张伯祥，下设九部，还安设了九省都督的人选（类似同盟会各省分会的负责人）。

刘公等人创设共进会，本来是因对孙中山及同盟会不满。他们认为，同盟会只知埋头在国内四处搞暴动，联系会党的基本工作根本没有任何新的进展。特别是对于新军，同盟会一向因循守旧，认定那里是革命死角，基本从未顾及过。再者，同盟会选择的起义地点，只重华南，而没想过在长江流域经营革命活动。在屡战屡败的情况下，孙中山一直在海外穿梭游说弄银子，“从不过问”同盟会总部事情，使得许多人深感不满。

共进会所采用的旗帜，是红黑两色的九角十八星旗，代表十八省铁血共义，即日后所称的“铁血十八星旗”。武昌起义后，城内高高飘扬的，正是共进会首创的“锥角交错”的十八星旗，而非同盟会的“青天白日满地红”会旗。

号召会党、打入军队，是共进会活动的基本宗旨。1908 年前后，东京的共进会湖北籍、湖南籍人士纷纷回国。稍后，各省会员也大多回国，投入革命实践。1910 年，刘公携十八星旗归鄂。这样，在东京的共进会组织实际上就消散于无形。在武汉，共进会主要的组织者是孙武。与同盟会的空泛与仓促不同，共进会行事一向缜密。

孙武认为，从实际情况出发，在清朝新军中搞宣传，最为上策。如果能把军队一营一营、一标一标、一队一队地逐步争取到革命的一方，最终肯定会取得成功。此举，即共进会著名的“抬营主义”。

根据清军编制，共进会在队、营、标内各设代表，分层次负责宣传和鼓动工作，二十人为一支队，三个支队为一正队。入会的军中同志，总编为六个军，每军设总指挥（真正的编军计划未得以详细实施）。由于切实有效、踏踏实实的基层工作，共进会在会党、学界、新军中进展颇为不俗。在武昌，仅在新军中，共进会就有一千五百左右的会员。

在国内，与共进会关系最近的同盟会分支机构，是上海中部同盟会。但这二者间，并无上下级领导关系。中部同盟会一直关注的是长江下游，对武昌的共进会活动不甚了了。武昌起义后，孙武等人之所以把同盟会的黄兴请来“主持”大局，并非把共进会拱手让给同盟会来领导，真实目的是化解共进会、文学社两个组织双方争权的僵持局面，利用黄兴的声望来号召全省。

综上所述，共进会虽然是同盟会的一个“分裂”团体，它的历史作用却完全是正面的、积极的，起到了非同凡响的鼓动效应。

当然，相比于文学社在湖北新军中的作用，共进会依然略显逊色。

文学社又是怎么回事呢？听上去，这好像是个“文学青年”发起的组织，其实完全是个以士兵为主体的军中组织。它的发展，三易其名，历经军队同盟会、群治学社、振武学社三个阶段。

这个组织，屡蹶屡起，坚韧不拔。与别的组织由上而下发展不同，文学社先扎根基层，逐步建立标、营代表制，最后在成熟时才创设总机关部。文学社一直重视宣传作用，先后办有《商务报》《大江报》，宣传鼓动革命。文学社的人员，扎根在士兵中间，埋头苦干，一个人一个人地争取。他们在新军中长期忍耐，不断积蓄力量。

到 1911 年初夏，武汉新军中的文学社会员已经有三千多人。与此相比，共进会深入新军内部要晚得多。在武昌起义的筹备过程中，文学社起了主导作用。辛亥年七月二十二日的文学社、共进会联席会议，战时临时总指挥、副总指挥，分由蒋翊武、王宪章担任——二人皆是文学社成员。临时总指挥部，也是设于文学社在武昌小朝街 85 号的总机关部所在地。而共进会成员，主要承担草拟文告、制定旗帜、配制炸弹等与“政治”相关的事务。据考，在总指挥部与军事筹备处关键性的四十三个职务，总共由三十三人分担。这三十三人中，文学社成员占二十人，共进会仅八人，拥有双重会籍者五人。

1911 年 10 月 9 日（辛亥年八月十八日），文学社的蒋翊武从岳州赶回武昌，亲自安排起义。他与文学社骨干刘复基一起，颁布命令，准备当夜 12 点起事。由于邓玉麟未及时送命令到炮队，机关部被清廷破获，当夜发难未成。但是，相隔仅一天的武昌各标营"自行举义"，仍旧该归功于文学社诸人事前的详密运筹。

辛亥首义中，文学社成员在革命中贡献最大，牺牲最惨，阵亡大半。文学社的主要骨干，几乎清一色是湖南人（詹大悲除外）。而共进会呢，湖北籍骨干居多。熟知中国政治生态的人，马上就会想到，这种乡土分野的省籍意识，两个组织日后肯定会产生嫌隙与不和。文学社的蒋翊武等人出身贫寒，共进会孙武等人皆留日学生出身。"穿长褂的人"心中自然看不起"泥腿子"士兵。所以，"富贵之后"，双方大打出手。

武昌起义成功后，占得政治先机的共进会成员就开始打压、排挤文学社成员。后来的内斗中，他们甚至暗杀了文学社骨干张廷辅、祝制六等人。首义成功后，共进会的孙武等人热衷高官厚禄，他在南京向孙中山跑官不成，怒从心起，就到上海拉拢一些失意政客和军人，创立"民社"（口号是"反孙倒黄，捧黎拥袁"），完全与同盟会撕破脸。其中转变最令人侧目的，当属共进会会员蔡汉卿（蔡希圣）。他在辛亥首义中舍生忘死，不避枪林弹雨，誓死灭敌，但当成为黎元洪的"戒严司令"后，他摇身一变，杀昔日同一战壕的革命党人同志无数，竟得"屠户"之名……

从以上对新军的分析中可以发现，清廷最大的失误，是他们没有意识到在军队中出现如此可怕的内部裂痕，这个政权内在的、"持之以恒"的、漫不经心的官僚化，纵容甚至增强了军官集团内部革命分子活动的隐蔽性，使得他们竟然能够在新军这种看似铁板一块的新式军队中出现如此具有离心力的“阶级”力量。继而，自下而上的螺旋式的暴风骤雨般的突发式革命，在一个夜晚就忽然成功，使这个延续二百多年的帝国的军事统治，一下子成为“纸上的力量”，不能不让人感到吃惊。

“受迫害狂”的臆想

晚清特定背景下民族主义心理的“裂变”

发生在1900年夏日的那一次对北京及其周边地区的劫掠，是近现代以来西方列强狰狞面目的最大暴露。当然，他们当时所打的战争旗号非常“正大光明”：第一是根据《国际法》，第二是以战争手段到中国这个“愚昧的东方国家”去“传播文明”。

第一个借口，自1840年以来，一直是西方列强“规范”各民族国家的“世界性法则”；但洋人们第二个借口，似乎极具反讽意味：自诩掌握道德话语权的列强，在1900—1901年间对北京及周围地区穷凶极恶的暴掠狂欢，由表及里，哪里有一丝“报应性质的正义”体现？

与1860年英法联军抢烧圆明园事件相比，1900年八国联军的武装抢劫范围大得惊人，甚至包括了直隶的各个村庄角落，特别是他们登陆大沽后进军天津和通州，只能用“洗劫”二字加以形容。

英法联军四十年前的暴劫，只持续几天的时间；而1900年他们狂欢一样的抢劫，则长达数月。不仅联军士兵、军官、驻京公使（包括公使夫人们）以及官员们都怀着兴高采烈的情绪参加抢劫，连有些英美的传教士也加入抢劫，甚至请求联军保护他们深入民间去敲诈勒索（伦敦《每日快报》报道；原文来自2000年伦敦Green Books出版的《1900年的中国》，作者弗雷德里克·沙夫）。

1900年的西方媒体已经非常发达，触角深入中国北方的各个角落，他们一开始就津津有味地报道着这次目的在于解救列强驻京使馆的“史诗般”远征，各国大众也对中国这个“野蛮东方国家”发生了无尽的猜测和想象。

列强在北京的各国使馆人员得到“解救”后，以复仇为名的疯狂杀戮，在中国华北地区持续了很长时间。八国联军以占领军的姿态骄蛮地展示他们的暴力，随意剪掉清朝官员的辫子，任意鞭打官吏，杀戮平民，凶残贪婪，无恶不作。特别是德日两国，极逞凶残。德国士兵臭名昭著，到处杀害所谓的“义和团团民”；而日本士兵则以惯有的残暴，对中国平民展开集体屠杀，强奸妇女，用刺刀挑死婴儿，把列强输入“文明”的粉饰完全撕揭开来。（参见科伦·林奇的著作《文明的战争》）

联军暴力行动的背后，隐藏着洋人们武力表达主张的宗旨。《中国丛报》（*Chinese Repository*）有篇文章，对清政府有着如下的描述：

> 怯懦和傲慢，是中国政府的两个显著特点。他们的行径，像一头乡村的恶狗。这个畜生看见没携带拐杖的生客，便狂吠起来；如果生客闻声放步走开，它就追上去，企图咬生客一口。可是，如果生客立着不走，反而转身并举起手杖对着它，它便退避三舍；如果生客把它痛打一顿，它此后就小心谨慎，不敢见人就吠，甚至俯首帖耳，摇尾乞怜，力图讨好被触犯的人。中国政府对待外人的作风，和乡村的恶狗实在没有什么两样，这是为一般熟悉它的历史的人所深知的……

如此言语，虽然恶毒尖刻，却也从某个侧面反映了洋人们对清政府的“感性”认识。

在联军军队和使馆官员们对抢劫宝物进行拍卖的过程中，少数西方人开始从此次事件中反省。美国斯提尔特少将内心开始不安，他对欧美人平时自称的“正直廉洁”的品质感到怀疑，私下认为抢劫“多少是一

种堕落”。（参见斯图尔特的著作《戎马生涯》）

列强在中国的报纸《北华捷报》对此也忧心忡忡地写道：“对于那些野蛮血腥的敌人来说，杀戮和抢劫不过是家常便饭。我们的军队必须压倒这些敌人。但欧洲列强派兵的目的，是消灭这一恶魔而不是去效仿它。如果以所描绘的这种无耻的方式对平民进行的抢劫活动不能遭到整个文明世界强烈声讨的话，那么我们还会犯更多的错误。”[《北华捷报》（*North-China Herald*），1900 年 8 月 8 日]

这份报纸指出，1860 年英法联军不过是被“授权”对清政府的财产进行抢烧，目的在于“惩罚北京政府”。但时下的劫掠，则是八国士兵疯狂地对中国平民财产进行非法掠夺。

一向善于与洋大人们打交道的李鸿章在和洋人谈判的时候，翻阅着洋人教士们印发的汉文版《摩西十诫》，不无讽刺地对金发碧眼的联军使者们讲：“我建议，应该把第八条诫律修改一下，改为：‘不可偷窃，但可以抢劫’……”（参见美国摄影师詹姆斯·利卡尔顿的 *China through the Stereoscope* 一书）

当时作为中国海关总税务司的英国人赫德（Robert Hart）也认为，欧洲人对金银财物的抵抗力极其低下，哪怕在他们眼皮底下放一点点诱惑，就会很容易地使他们退化到野蛮状态。出于老牌殖民主义者的警觉，赫德认定联军这种肆无忌惮的抢劫活动会给中国人留下把柄，日后“将被人以其他方式加以利用”。（参见赫德的《中国与华北》一文）

在欧洲本土，八国联军的烧杀抢劫引起了极大的关注，英国的《伦敦每日快报》作了大量的报道。著名的刊物《评论之评论》在一篇社论中，对列强在中国的所作所为下了如此结论：“我们已经将文明的外套抛在一边，我们正像海盗时代的海盗祖先们一样行动。我们的文明只不过是深及皮肤，良心对于人的兽性的制约，被中国事件扯得粉碎。”德国的《法兰克福报》和《不莱梅市民报》大量刊发插图报道，记者狄龙也自我反省道：“为什么在杀害中国人民、同时又使自己的军队道德堕落的时候，我们这个文明的、多少热爱真理的民族，竟然还喋喋不休地大谈使中国走向文明的光荣任务呢？”（见狄龙在《现代评论》发表的《中国狼与欧洲羊》一文）

美国人密勒（Thomas F.Millard）在*Scribner' s Magazine*上愤愤不平地谴责八国联军的报复行动是不折不扣的犯罪，并写道：“列强已经被狂乱的报复情绪所支配，它们正在嘲弄世界和平。在中国发生的事情，把战争拉回到了中世纪。在世界的道德氛围方面，它给将来的一代留下一个污点。”（参见密勒的*Punishment and Revenge in China*一文）

从1840年开始，洋人们用暴力手段为他们所谓的“自由贸易”开道，打烂了中国原有的通商制度，致使“天朝”门户洞开，西潮巨浪接连排空而来，一个又一个不平等条约，形成了一个又一个坚牢的桎梏。条约制度，逐渐取代了中国已有的东西。

西方列强对中国武装侵略、政治干预和经济压迫，穷凶极恶，巧取豪夺，对于晚清的中国社会矛盾起到了火上浇油的作用，致使国人对洋人怨毒满胸，加深了中国普通民众对西方人的“误解”和恨意，激化了社会的动荡与危机，形成了一股针对洋人的巨大流言风潮。

愤怨之气，在同仇敌忾中酝酿激荡。

前所未有的民族危机，致使当时的中国社会弥漫着巨大的忧患意识，不安和焦躁，渗透在帝国的每一个毛孔之中。

清末，当“革命”成为风气后，一切可利用的话柄都会被革命者用作刺激矛盾的燃料。巨大的苦难和压榨，使得下层民众不断回顾那些过去的不快，并经过仇恨的扭曲，不可避免地把敌人的面目进行丑化和放大。

巨大仇恨下对洋人洋教的文化偏执

晚清时期，历经鸦片战争、太平天国、第二次鸦片战争、中法战争、中日甲午战争、八国联军侵华战争，信息大环境极其纷杂嚣乱。早在第一次鸦片战争时期，民间就出现过《尽忠报国全粤义民申谕英夷告示》一类包含极多传闻色彩的文告：

> 查尔英夷素习，豺狼成性……尔试揽镜自照，尔模样与畜生何异！不过能言之禽兽而已……天朝茶叶、大黄各样药品，皆尔狗邦养命之物，我天朝若不发给，尔等性命何在？……尔等畜邦，不知自量，妄称强盛……所用火箭等物全不中用，可见尔等畜类，亦无才能……汝畜类若逆天行事，得罪上苍，天兵雷神，何难将雷火烧尽汝等兵船？……尔虽有羽毛大呢，非我湖丝焉能织造？虽有花边鬼头，非我纹银白铅焉能铸成？尔船只坚固，炮火惨烈，火箭威猛，除此三物更有何能？我天朝平素仁慈，不忍制造此等毒物，伤害尔等。如果狠心制造，何难不诛尽尔等畜类！……

这与其说是痛恨的感情宣泄，不如说是盼天杀贼的可怜愿望的表达。但其中洋人长相如畜生以及洋人们必须依靠茶叶、大黄才能活命的说法，显然是来自民间的以讹传讹。

特别是到1900年之后，大众对于洋人、洋教深恶痛绝。因此，那些依靠暴力和条约作强大后盾在中国大地上传教的教士们，激起了民众极大的反感和警惕——“教主之来，昔以微服，今舆马矣！传教之时，昔以昏夜，今白昼矣！礼拜之地，昔以乡曲，今城市矣！”（同治元年《湖南逐异类公呈》）

而教会势力在不断扩大的同时，还在“治外法权”的幌子下日益政治化、经济化，进而在中国大众中间形成了一个“以入教为护符”的特殊群体。这个群体，入教的动机不一，相对于从前简单的乡村社会结构，无形中平添了一个新的利益集团，搅乱了原有的比较稳定的生活方式，激惹起反感和非议。

相比佛教、道教等东方固有的传统宗教，基督教在管理宗教事务以外，具有强烈的“入世”特征，不仅仅深入社会生活，也对信徒的个人生活进行干预，从每个侧面都要施加影响。在西方列强强权侵入的大背景下，基督教的“布道”，在普通中国民众眼里有着鲜明的强权色彩。

出于强烈的危机感和自卫意识，痛心疾首之余，不少民间把自发的反洋教运动行为上升到“顺清灭洋”的政治高度，或者是把“洋教”与鸦片等罪恶的符号联系起来——“今洋人者，海船通商，耶稣传教，夺小民农桑衣食之计，废大圣君臣父子之伦，以洋烟毒中土，以淫巧荡惑人心……侮慢我朝廷，把持我官府，占据我都城，巧取我银钱……焚我清宫，灭我属国，既占上海，又割台湾，胶州强立埠镇，中国意欲瓜分……本义民但戮洋人，非叛国家！”

上述揭帖，出现在1898年四川大足，是当地哥老会起事时的檄文。

由此可以想见，随着时间的推移，广大民众对于破坏社会结构平衡的洋教怨毒满胸，极尽毁诋谩骂之能事。凭着想象和谣传，他们一步一步把天主教说成是嗜淫好杀的“鬼教”：

> 现有天主鬼教，暗来散放鬼书。煽惑好人变鬼，药迷妇女奸污。生割子肠奶尖，死则剜取眼珠。男女一被药迷，聪明立刻痴愚。其书本本粪帐，臭比狗屁不如。其教不敬天地，祖宗牌位全无。扫灭圣贤仙佛，只拜耶稣一猪。邪鬼冒称上帝，最该万剐万诛。（《教务档案》，《防驱鬼叫歌》）

切齿之余，谩骂叫詈，字里行间已经没有任何理性思虑可言。

1870年的“天津教案”发生后，中国民间对于洋人洋教的“嗜淫”、迷拐儿童、邪术蛊惑、采割残害等传闻愈传愈广，大众越来越相信其中的离奇内容，众口一词，添枝加叶，渲染“创造”。

甚至连号称睁开眼睛看世界的大知识分子魏源，在他的名著《海国图志》的《天主教考》一文中，也这样写道：“天主教，则方其入教也，有吞受药丸领银三次之事……其同教有男女共宿一堂之事，其病终有本师来取目睛之事……”

在他之前，明末清初的大思想家顾炎武在其《天下郡国利病书》中就已经记载过天主教“烹食小儿”的说法。

道光时代做过两省巡抚的大员梁章钜，在其著作《浪迹丛谈》中，饶有兴味地专门开《天主教》一篇，特别漫谈了他“认定”的天主教“剜眼制银”“裸女治病”等传闻，并且记载天主教教士还能制造一种专门能和人性交的机器“裸妇人”，煞有介事地讲那种机器人“肌肤、骸骨、齿舌、阴窍无一不具……”。可见，这么多知识分子尚且如此言辞凿凿，更别提轻信的小民了。

其实，最早剜人眼珠之说，在天津教案的时候就闹得沸沸扬扬，当时曾国藩派人严查，发现教堂中所谓的“数缸”“人眼珠”，不过是传教士们瓶装的腌洋葱头。后来越传越离奇，人们就说洋教士们剜眼挖心的目的，是用这些东西、用铅炼银谋利，并煞有介事、有根有据地宣称：“以中国铅百斤，可煎银八斤，其余九十二斤，仍可卖原价。惟其银必取中国人睛配药点之，而西夷睛无效……”（《辟邪纪实》）

从史实方面讲，上述大多记载，皆是没有任何事实依据的夸张臆想。虽然确有洋教士行淫之事，毕竟少之又少。迷拐孩童的传说，可能是中国本地匪徒迷拐儿童的案件发生后，为躲避官府搜拿，混入教堂后被不明真相的西方教士收留，遂演变为洋教士迷拐儿童的传说。

为此，曾国藩在给朝廷的奏折中已经详细说明调查结果：“臣等伏查此案起衅之由，因奸民迷拐人口，牵涉教堂，并有‘挖眼剖心，作为药材’等语，遂致积疑生忿，激成大变……臣国藩初入津门，百姓拦舆递禀数百人，亲加推问挖眼剖心，有何实据，无一能指实者；询之天津城内外，亦无一遗失幼孩家控告有案者。惟此等谣传，不特天津有之，即昔年之湖南、江西，近年之扬州、天门，及本省之大名、广平，皆有檄文揭帖，或称教堂拐骗丁口，或称教堂挖眼剖心，或称教堂诱污妇女。厥后各处案虽议结，总未将檄文揭帖虚实剖辨明白。此次应查挖眼剖心，竟无确据。外间纷纷言有眼盈坛，亦无其事。盖杀孩坏尸，采生配药，野番凶恶之族尚不肯为，英、法各国岂肯为此残忍之行？以理决之，必无其事。”（《曾文正公天津教案奏折》）

在这份奏折里面，曾国藩还仔细分析了谣言产生的原因：

“致津民所以积疑生忿者，则亦有故。盖见外国之堂，经年扃闭，过于秘密，莫能窥测底里。教堂皆有地窖，系从他处募工修造者……（地窖）不过隔去潮湿，放置煤炭，非有他用。而津民未尽目睹，但闻地窖深邃，各幼孩幽闭其中；又中国人民有至仁慈堂治病者，往往被留（医治），不令复出。仁慈堂收留无依子女，虽乞丐穷民及疾病将死者，亦皆收入……”

而有关洋教士杀害儿童剜心割睛的谣言，当时美国驻上海总领事西华（Seward）在一封信中已经表示得明明白白：

> 天主教教徒认为儿童受洗后灵魂会得救，所以常把得重病的婴儿带到育婴堂内施行洗礼，而本来就奄奄一息的孩子们，入教堂受洗后很快就死去。这种做法，让当时的中国人把儿童死亡与洋教紧密联想。加上天主教的育婴堂严格的保密制度所展现的那种“幽闭状态”，更加深了中国人的怀疑。（《清末教案》第五册，《西华致戴维斯函》）

从康熙时代开始，一直禁止外教在中国的传播，不少基督教的传教活动以地下方式进行。所以，长期以来基督教的某些活动方式和信仰取向，在国人眼中和那些一直处于非法状态的中国地下“邪教”非常类似。在仇洋的意识下，传言更火上浇油。

八国联军侵华后的烧杀抢掠，刀山血海，激起了中国人民的极大愤慨，使得各种有关洋人、洋教的传闻像添上翅膀一样，造成了国人受屈之下“集体有意识”的飞速传播。

面对洪水猛兽般侵入的“异质文化”，民间反馈最多的，却是耸人听闻的流言和讹言。导火线一般，传言使得大众心中长久压抑的恐惧感、仇恨感忽然爆发，最终造成了对教堂的攻击和对教民的仇杀。

仔细观察、研究可以发现，这些夸大其词的传言，无不打上我们鲜明的民族保守心理的烙印。

基督教在中国的传播，其副产品对近代中国大有裨益——开明的观念和先进的科学思想，三权分立、自由平等的学说，大量的医学、教育、慈善机构的建立，雨后春笋般涌现的各种报刊……

其间，清廷大员中不乏明白人，有曾国藩、张之洞经过教案鞠讯后的理性思考，也有诸如清政府驻外公使薛福成对光绪年间教案频发的原因就事论事的冷静分析，他得出如下结论：

> 匪党之得肆焚掠者，挟簧鼓愚民之术也。愚民之莫释疑愤者，信迷拐幼孩之说也。按旧说谓天主教徒，迷拐幼孩，挖眼剖心，用以制药，此论不知始于何时。前儒顾炎武所著《天下郡国利病书》，亦已有烹食小孩之说。彼时中外悬隔，偶得传闻，并非事实。然是说之流传也久，则人心笃信者众……耶稣之说，亦以仁慈为宗旨，岂有残酷至挖眼剖心，而欧洲各国习以不怪者？即彼（欧美）之精于化学、医学者，亦谓无心眼入药之理。斯必灼知旧说之讹传……（薛福成《分别教案治本治标之计疏》）

这种高层次的理性化思考和分析，在晚清时代仇外、排外的群众运动中，显得那样苍白，几乎没有任何听众，也没有起到丝毫破除虚妄障蔽的谐振效应。

新教传教士杨格非曾经在一份给教会的报告中，愤愤不平地写道：

> 中国人似乎是我所见到和了解到的最漠不关心、最冷淡、最无情、最不要宗教的民族！

如此偏激的话语，确实也印证我们民族性的一个方面。无论是以儒教为宗的上层阶级，还是以多神崇拜为主的下层民众，宗法社会下的中国，往往淡于真正的宗教崇拜。即使是那些民间传导力较强的“邪教”，他们所能吸引民众的最大奥义也无非是“入教避邪”的实用主义，生存的安全感，远远大于宗教的神秘感和虔信感。

清末大众政治化的传闻散播，对于“洋鬼”的“妖魔化”，是“回顾政治”中冀图冲突永久化的一种表现方式。

苦难，巨大而悲惨的民族共同回忆，本来能让一个民族站起来，但是，只有神圣化的苦难才能让人站起来，歪曲的回忆和处心积虑地丑化敌人，当杂乱的仇恨退潮之后，只能给人留下无尽的笑柄。在帝国主义、殖民主义日趋衰落的今天，一个民族要真正强大，理性反思历史尤为重要。

在仇洋排外情绪下，在革命洪流的冲击下，理性化、近代化的脚步，有时候显得那样沉重，那样蹒跚。

“外滩公园”的故意误忆

“华人与狗不得入内”，每当民族主义蒸腾的时候，这个深印在中国民族记忆中包含羞辱的牌子，总是被人们抬出来唤醒历史的记忆。其实，这个时时被翻抬出来的牌子，不过是某些人刻意放大的臆想。

现在的"黄浦公园"（当时叫"公家花园"），大概在1885年建成。十多年后，上海租界的管理当局"工部局"公布《公共租界工部局巡捕房章程》，主要内容有六条，其中第一条是"脚踏车及犬不准入内"，第五条是"除西人仆佣外，华人一概不准入内"（参见1903年印刷的《公共租界工部局巡捕房章程》）。一直到1928年，这个章程都没有什么改动。这个公园规则，虽然有歧视华人的内容，但是也并非后来渲染的那样耸人听闻。

可是，一旦有人把第一条的"犬"和第五条的"华人"联系在一起提出，变成了"华人与狗不得入内"，就一下子让人热血沸腾了。

最早抗议工部局当局禁止华人入公园的人，都是当时所谓的"高等华人"，他们那时的所作所为，根本没有上升到"民族主义"的高度。

1885年，怡和洋行的买办唐茂枝等几个人给工部局写信，认为自己也是租界的纳税人，有权进入公园，并对同为黄种人的日本人、高丽人能入园表示出愤慨和不平。

过了四年，上海道台龚照瑗依照中国士绅对中国式"公"的概念解析，也对唐茂枝等人表示了支持。他以政府名义去信工部局，认为无论是从种族平等的角度还是土地主权、建园资金来源的角度，华人都应该可以入园游览。对此，《申报》也大加赞同，发文章批评租界当局。

在舆论压力下，租界的工部局在英国驻沪领事的授意下，从1889年起，发给华人游园证共一百八十三张，每张可供四个华人入园。但到了第二年，游园证就停止发放，原因是有华人更改游园证的日期，使用加以涂改的过期游园证。

特别让人大跌眼镜的是，当时有华人偕妓入园，狎昵纳凉，而那些喜好鲜花的妓女们常常折采园花，甚为洋人诟病。为此，工部局在1890年的年报上详细说明了理由。

类似踩踏、攀折的事情，在上海屡见不鲜，徐园、张园以及哈同花园对外开放时，国人纷纷采花践草，遍地狼藉，气得犹太富商哈同日后再不对外开放自己的私人花园。

游园证停止发放后，也没有引起多大的反弹，因为，同年年底，租界当局已经在苏州河南面建成了“新公园”，专门对华人开放，所以当时这个公园也称为“华人公园”。由此一来，就没有什么人过分关注此事并再表示抗议。

最早提出抗议的唐茂枝等人都是为洋人办事的买办、翻译出身，有的人还有美国国籍，他们取得工部局答复和相关权力后，自然没有不依不饶，后来都不再对公园禁止华人入内表示意见。

自1900年后，出于民族主义的激愤，国人开始努力“挖掘”和夸大外滩公园的几条规矩，并把第一、第五条合并，愤怒质问为什么“华人与狗不准进”？

令人啼笑皆非的是，最早在文字上提到上海公园“犬与华人不准入”七个字的，却是周作人。他在1903年9月11日（光绪二十九年）日记中提到此事，绘声绘色地叙说：“（公园）门悬金字牌一，大书‘犬与华人不准入’七字。”

有心人如果对周作人的文字仔细推究，肯定会起疑：所谓的“金字牌”，怎么看怎么像是小说的手笔。公园告示，何必用金字牌，何必还“大书”？污辱性告示，有必要写那么大的字吗？

此后，蔡和森、孙中山等人在日后的文章和发言中，陆续提到这件事情，连外国小说家威尔（Weale）在1914年的小说中也提到此事。1917年，美国人拉妥瑞特（Latourette）在《中国的发展》一书中，更非常强调地提到了上海公园的这个标志。

在1900年后的大背景下，国人戴着民族主义的眼镜，一步一步从历史的想象中，把上海公园内洋人颁布的六条告示中的其中两条拼合在一起，并在1901年、1903年的拒俄运动、1905年的抵制美货运动中逐渐升温。在民族情绪的蒸腾下，“华人与狗不得入内”这个公园告示，由历史的“记忆”开始，逐步被激活成历史的“事实”。在民族“革命”的推波助澜下，这个子虚乌有的“招牌”，一下子成为种族受迫害“当事人”必举的证例。

即使在民族危机空前严重的当时当地，中国不少内省型的知识分子对上海公园的事例皆保持清醒头脑。他们纷纷指出，当时工部局当局之所以限制华人入园，主要是国人不讲卫生、随意便溺、乱采园花的陋习所致。因此，学者杨昌济在当时就愤愤不平地写道：

> 平心论之，华人如此不洁，如此不讲公德，实无入公园之资格。西人所为，虽欺人太甚，亦吾国人有以自取之。不急改良习惯，养成与西人平等交际之资格，则此等耻辱终涤洗无期。(《教育上的注意之点》)

如此理性地对国人公德欠缺的反省，日后在声浪一浪高过一浪的资产阶级革命派和民族主义者的喧嚣声中，全然消散不见。

作为当时的弱势民族，国人对于上海公园近乎歇斯底里的反应，可以理解为被边缘化、疏远化之后的过激表现。苦难不能抹杀，但也不能抱持一种激进的反思去故意放大被误解的历史回忆。

在所谓的“后民族主义”时代，真实的情况是，民族主义重新崛起，麻痹的历史记忆苏醒后，肯定变得更加敏感，人们更会有意无意地从历史深处去钩沉那些陈旧的具有标志意义的苦痛。

其实，这种矫枉过正并非民族自我尊重的好办法，回拨历史的指针，不能带给我们什么“警醒”，只能带来模糊的仇恨和忽然涌上的愤怒，最终把发黄记忆照片中的敌人复活为假想敌来泄愤。

作为具有生命力的强大民族，如果我们总是沉浸于“华人与狗不得入内”的怨愤，肯定是非常不健康的。具有高度自由感的民族主义，应该摆脱血腥和暴力，学会宽容与审慎，以一种理性的、没有误解的修辞和“祖国的历史”联系起来。

与其去深挖民族的“耻辱”，不如去回顾淹没在岁月中和意识形态阴影下的那些真正的民族英雄；与其不加反思地盲目仇恨，不如巩固我们民族伟大的理想，珍视民族文化的特殊性，参照民族历史中的特定文化、历史、宗教、信仰，去重新构建真正的自信和美德。

民族主义绝非种族主义，更不是以文化承诺和文化歪曲为核心的狭隘的、仇外的、自我中心的封闭民族主义。病态的夸张情绪和想象中的受迫害，是对历史有意的误读状态下一种不健康的自我哀怜。如果冷静下来，从心理学到病理学的跨度去“诊治”这种历史的“虚假回忆”，就能感觉到这确是一种黑色幽默。

民族主义不会消失，也不能消失！清醒的、理智的、以自由引导的民族主义，是民族国家的基石。但是，以种族中心主义为内核的民族主义一定要抛弃，特别要警惕那些以“受害者”回忆面目出现的屈辱姿态，这并不符合长远的民族利益。

每个时代，总是有那个时代特殊的局限性。当陈旧的民族心理堤坝垮塌的时候，新的堤坝未能重建，忽然失去心理怙恃的人群所产生的躁动和狂暴想象，成为一种新的心理迷失。

可能，在清末那样一个“革命”时代，这种充满民族受压迫色彩的极端情绪会激发某种浅薄的、低层次的、情感化的国家主义，推动一个时期民族认知的发展，但它毕竟缺乏冷静的真知灼见。

民间秘密力量的暗流涌动

清末会党势力及各类“邪教”对清政权的侵蚀

清王朝的覆亡，连它内部的旧官员也承认，是亡于新军、会党和革命党的联手打击。由此可见，会党组织在清末政治中的重要性。

远的不说，太平天国时期，以小刀会、天地会为代表的会党组织就多次在各地武装暴动，给清政府以极大的震撼。1853 年，上海小刀会攻占上海十七个月。1854 年，广东的天地会大起义更是声势浩大，三粤大地到处都是会党香堂的旗帜和标语、揭帖，他们各处屯聚，杀掠不已。

作为中国近代史上重大事件之一的 1910 年“长沙抢米风潮”，更是到处可见一支头裹青包巾、一身青衣打扮的神秘人物。这些人，属于当时的“白莲在理教”教徒，乃湖南哥老会的一个分支。他们与当时的“洪江会”“洪福会”以及哥老会的另一个支派“洪天保派”，都是抢米风潮中最积极的参与者、组织者和策划者。在“喊打则打，喊烧则烧”的暴力运动中，他们不仅烧毁了湖南全省二十一个州厅县的清朝地方政府的衙门、巡警局以及洋人的教堂，还焚掠了各国在长沙的洋行、企业、公司等四十多处。根据官府统计，打砸抢烧造成各方面的账面损失，就达八千多万两白银。

辛亥革命前党人的组织工作，最通行的，“其方法不外借会党之声气，以鼓舞军学界，复以军学界之名义，歆动会党”。（陶成章《浙案纪略》）

讲起清朝的会党，首先就要说天地会。

天地会本来是成立于清朝初年（1647 年，康熙十三年）的一个反清复明的组织，此后一直不断秘密煽动起义，最有名的有 1787 年台湾林爽文起义，1832 年广西天地会起义，1841 年湖北崇阳县钟人杰起义，1847 年湖南雷再浩起义。

太平天国起事前，会党在清廷严厉镇压下，本来几乎销声匿迹。趁着太平军入浙，南中国的会党气焰复炽，无岁无之，特别是广西的“大成国”起义和上海、福建一带的小刀会起义，给人印象深刻。清末的陕西，更是哥老会活动的高发地带，其势力遍及全省并蔓延全国，会名不一，山堂名号不一——平洋党、金钱党、祖宗教、百子会、黑旗会、红旗会等，人众多达百万。

青帮和哥老会的形成时期，大约都在咸丰、同治年间（1851—1874 年）。青帮，最初是由信奉罗祖教的漕运粮船水手行帮组织演变而成。至于哥老会，也称“红帮”，是在长江中下游木帆船水手行帮组织基础上发展起来的，由大江两岸其他秘密结社组织，如青莲教、江湖会、仁义会、边钱会等长期融合而成。

天地会、哥老会、青帮虽然分属于三个不同的系统，却有着相同的结社动机和类似的群众基础，这些会党帮派的活动方式，也因此有着许多交叉叠合之处。在清统治时期的长期衍变过程中，它们不断互相融合。

鸦片战争后，巨额的战争赔款不说，帝国主义在中国开始倾销商品，大批手工业者纷纷倾家荡产。甲午战争以后，列强又在沿海、沿江各省市大肆兴办洋行、银行、工厂、矿山等诸多企业，对中国传统的经济形态产生了强烈的冲击。中国传统农村的自然经济迅速解体，大批农民和手工业者纷纷破产失业。此外，太平天国运动被镇压后，大批地方乡勇被裁撤，加上原先各地的起义队伍逃散流离，因为战争而背井离乡的民众四处游走，致使流民问题极其突出，各种社会矛盾日益加剧——

正是在这种大环境下，秘密会党勃然而兴。

这些会党的所作所为，绝非教科书上的“反帝反封建”——他们之间，往往没有组织联系，彼此相仇，互相械斗，四处抢掠杀劫。在这些组织中，绿林强盗习气严重，纪律松弛，缺乏政治远见，散漫盲动，成员复杂，特别是那些被遣散的兵勇和无业流民，肆意劫掠，仇杀报复，对当时的中国社会其实造成了很大的、盲目的破坏。

孙中山对他们的看法，可一语道破革命派对他们的利用目的：“彼众皆知识薄弱，团体散漫，凭借全无，只能望之为响应，而不能用为原动力也。”（孙中山《革命原起》）

而武昌的革命党人，一向认为会党“发难易，成功难；既成而嚣悍难制，不成则徒滋骚扰”。（杨玉如《辛亥革命先著记》）正是看中了天地会（洪门）的反清宗旨，革命党人才一直与他们进行联络，但骨子里，他们都对这些人十分警觉。其中，陕西的革命党则更明白表示，联络会党起义，只是想避免革命发起后他们的破坏作用。

可见，在革命党的各级领导人中，对会党势力的看法非常矛盾。一方面，他们认为从会党那里能得到最迅捷有效的响应，容易取得相帮的速效；另一方面，他们又鄙视会党，觉得那些人孤陋寡闻，脑子里面还仅仅是想着恢复“明太祖、洪天王”的江山，根本不懂得任何共和真理。

貌合神离下，革命党人对会党组织以利用为主，并纷纷亲自加入会门当“龙头老大”，借此取得对方的信任。

纵观革命党人发动的起义，无论是1895年广州起义还是1911年黄花岗起义，无论是武昌起义还是四川独立，几乎每一次起义和造反都少不了会党的支持。特别是萍浏澧起义和辛亥革命中陕西、贵州独立，会党组织的加入成为成功的关键。

从组织角度说，从海外的兴中会开始，一直到武昌新军中的文学社，一直有会党成员的身影。

会党的力量，蔓延滋生，让当时的清政府防不胜防，徒发哀叹："此间乡民，兵到即民，兵去即匪，可恨之至！"（《袁统领第四次致赣抚电文》，《辛亥革命》（二），上海人民出版社 1957 年版）

对于革命党、会党以及群众之间的联动关系，清末的江苏巡抚陈夔龙（终任直隶总督）最有心得："长江一带，各邦匪徒本众，孙文逆党亦多，不独联络勾结，固属滋蔓难图，即使各不相谋，而闻风响应，为患何可胜道！……第逆党可忧矣，不与盗匪合，其势尚孤，是锄伏莽急于治逆党也；盗匪可虑矣，不与饥民合，其患犹小，是抚穷黎急于诛盗匪也。"

陈夔龙奏折中的"逆党"，指革命党；"盗匪""伏莽"，指会党；"饥民""穷黎"指穷苦无依的百姓。他恰恰道出了当时革命党、会党、百姓之间的三角关系，明确指出了会党在其中的中介作用和影响。

确实，如果没有会党的介入和深入参与，辛亥革命的成功不可能那么迅速。特别是陕西、湖南、浙江、贵州、四川等地，如果没有会党，独立成功几乎是不可想象的。

在长期与清廷为敌的基础上，会党分子建立了严密的、完整的组织系统，制定了无比严格的纪律约定。清末，他们在革命党人的指导下，在不少地区实现了大联合，能够做到一方起事，八方响应发难。只有在最后关头，会党的一些领导者才从多年以来的"反清复明"旧框框里面跳出来，进入了"资产阶级革命"的新轨道。由此，他们参与的斗争开始与旧式的会党暴动大有分别，减少了行动上的破坏性和意志上的盲动性。

不过，会党毕竟是会党，辛亥革命时期，陕西、四川的会党势力帮助革命党人取得成功后，他们不是继续协助去稳定地方秩序，而是为非作歹、胡作非为，常常引致地方混乱，形成了新的恐怖局面。

最典型的，当属陕西。哥老会头目们几乎都不识字，独立后各自占据"码头"地盘，气焰嚣张，鱼肉乡里，明抢暗夺，祸害地方，使得民心大失。在四川，赵尔丰交出权力后，“大汉四川军政府”成立，那些散布在城内的巡防军、陆军、同志军以及各种会党分子，在“革命”胜利后，皆以功臣自居。这些兵哥、地痞，不少人花天酒地，在城内为争妓女大打出手，整日持枪拥械，招摇过市。特别是哥老会的“袍哥”们，他们相互打杀，互有死伤，最终引起地方大乱。

从思想方面看，会党成员的幼稚低下，有时候甚至让人感觉啼笑皆非。以萍浏澧起义为例，革命党发出一份檄文，其中尽表同盟会的宗旨：“驱逐鞑虏，恢复中华，建立民国，平均地权”；而与此同时，会党头目也让手下的腐儒冬烘胡诌了一份《新中华大帝国南部起义恢复军布告天下檄文》，内容荒谬离奇，不伦不类：“……毋狃于立宪、专制、共和之成说，但得我汉族为天子，即稍形专制，亦如我家中祖父，虽略示尊严，亦不过望吾辈之肯构肯堂，而非有奴隶犬马之心。我同胞即纳血税，充苦役，犹当仰天三呼万岁，以表悃忱爱戴之念。”（《辛亥革命》（二），上海人民出版社 1957 年版）

除此以外，当新军在湖北活动的时候，长江一带的会党大头目张伯祥竟然提出要把同盟会的“平均地权”改为“平均人权”，最终还竟然得到共进会的同意，极大地降低了革命运动的水平。（杨玉如《辛亥革命先著记》）

民间教门对军事、政治方面的影响，最显著的在于“妖法”和“厌胜”两种形式。近代战争中，连与西方正规军交战的清朝军将，也利用妇女月经污布、屎尿等作为厌胜物品，在与洋枪洋炮的比试中想以此来取胜。其中最“经典”的战例，当属虎门失陷后参赞大臣杨芳，他让人在江上用排满屎尿木桶的木筏迎击英国铁甲舰。

当清朝大臣面对近代威力巨大的火炮惶然不知所措的时候，已有的经验不能帮助他解释那个未知世界的新事物，瞠目结舌之际，就只能想到民间教门和邪教的妖法。当一个王朝的大臣们开始使用这些伎俩的时候，我们感到的不是可笑，而是那种隐藏在历史背后的令人心痛的黑色幽默。

纵观秘密会党的基础，主要是那些一直被疏离于主流社会之外的游民群体。这些人形形色色，包括江湖郎中、民间艺人、舟楫水手、僧侣乞丐，以及那些没有固定职业的破产农民、游勇散兵、城乡棍痞等。相比于文化层次较高的群体，会党分子肯定缺乏清晰的理性思维，基本处于一种高于生存本能而低于逻辑运筹的精神状态。

由于一直是文化贫困的群体，会党成员的情感、愿望、价值观念、道德风尚，自然是他们极为低下的经济地位、社会地位的具体反映，所以难免有着强烈的唯利是图欲望和实用的雇佣意识，且时常表现出来。

如果对晚清各阶层进行缜密分析，可以得出这样令人惊讶的结论：无论是洋务运动、戊戌变法还是辛亥革命，在对广大底层群众的影响方面，都比不上那些会党发动的基层暴力活动。没有经济基础而引进的“民主”“自由”“平等”这些字眼，对于数亿处于群氓状态下的清朝百姓来讲，远远不如“反清复明”“杀洋灭教”“均田均粮”等标语式的口号那么鲜明和亲切。在千余万平方公里的大地上空，乡村气息浓厚的歌谣、谣谶、揭帖、咒语等更加深入人心。

成长初期，秘密会党的政治组织色彩并不浓厚，这种游民阶层反抗意识的萌动，在于他们在社会中长期以来受歧视、受排挤、受压迫的亚文化群体地位，所以才会产生与现实统治相对抗的政治心理。会党分子早先最理想的境界，也不过是营建一个《水浒传》中所描述的“八方共域，异姓一家”的大同平等社会而已。

这种政治上“越轨”的信仰集团，同中国农村的传统家长制一拍即合。它们不仅仅融会儒、道、释三教，更多的是吸收了民间的迷信、民俗，杂糅交错，自成体系。它们脱胎于正统宗教，反映了痛苦小民的彷徨无依，成为无数人的精神信仰和支柱。而农村小生产者长久以来为了生计和互助而结盟的风习，在清末大量流民的社会背景下，如火如荼地发展起来，如溃堤之水，一发不可收。

处于困苦生活状态下的小民，特别是农村地区的乡民，生活在一种中世纪的状态中，而西方列强的入侵，打破了昔日基本闭塞的生活，使得死水微澜式的生活更加难以忍受。他们在日常生活中饱经威胁，在精神上无可倚恃，而民族、政治方面的高压，最终使得长久以来的压抑得到了前所未有的情绪化宣泄，在正统的教化失去威力的前提下，他们纷纷加入教门和会党组织。

所以，平素看似麻木如牛的小民，在骤然失控的社会中，在“天朝”尊严被列强削剥殆尽的情形下，爆发出令人瞠目结舌的狂热和躁动，昔日的小心翼翼和拘谨木讷，一变而成为放纵和破坏。

应该看清的是，游民阶级没有自己独立的政治思想体系，不能体现新的生产关系。即使在清末那个天翻地裂的时代，分散、落后的经济地位以及蒙昧、闭塞的文化水平，也决定了他们依旧摆脱不了传统的皇权主义。

所以，如果说秘密会党具有某种政治意识，也不过是感性经验的意识，绝非理性批判的类型。

失衡社会的精神庇护所

分析了会党，我们再看晚清社会的秘密教门。

从“革命”的角度看待他们，晚清秘密教门的政治意义不大，从本质说，这些组织乃近代社会的一种反动力量。但应该加以指出的是，秘密教门组织长期以来不止不休的地下活动，对于清政权渐进的腐蚀力，不容小觑。

被清政府称为“邪教”的秘密教门，自始至终屡禁不止。

“邪教”这个词，不是近代词语，最早可追溯到唐武德四年（621

年），太史令傅奕上奏唐高祖李渊，指斥逃避徭役的佛教为“邪教”，这是中国史书最早出现这个词语的记载。但唐朝除了唐武宗曾经短暂“灭佛”之外，绝大多数皇帝一直把佛教作为教化的重要辅助工具；宋朝的时候，佛教异端教派弥勒教发展迅速，还有摩尼教、白莲宗、金刚禅等教派出现，宋朝政府通称这些异端教派为“妖教”，民间称为“吃菜事魔”，但政府律令中并没有称之为“邪教”；元代，由于白莲宗在下层社会泛滥，元朝政府对之加以禁止。白莲宗和弥勒教融合为“白莲教”，推动了元末大起义；本人就是白莲教起家的朱元璋，在建立明朝后，严禁白莲教、明尊教等教门活动，称这些下层社会中流行的教门活动为“左道乱正”。

自明朝中叶开始，大臣们在奏疏中开始把民间教门黄天教、罗教、闻香教等称为“邪教”。

明清易代后，清政府沿用明朝的称呼，“邪教”一词慢慢定型，专门用以称呼社会中的秘密教门，并逐渐成为特定的政治概念。

一般来讲，凡是利用咒水书符、妖言妖术的手段，假神道设教之名蛊惑人心、敛财渔色的秘密团体，包括利用教门聚众造反、反抗朝廷的组织，在清朝皆被视为“邪教”。

清朝是教门活动的高发朝代，各种名目的教门近四百种，当然，其中不少是同教异名或者是同名异教，也有的是在不同空间和时间内繁衍蔓延的结果。教门组织活动最发达的地区，包括直隶、河南、山东等省，其中有清水教、罗教、斋教、天理教、一贯道、八卦教、清莲教、大乘教、圣贤教、悄悄会等，千奇百怪，名目繁多。

清代的教门活动主要打着宗教旗号秘密结社，创立“无生老母”等神仙，实行教主崇拜和教主世袭，一般是教权、神权交叉，目的往往都是力图实现邪教教主特殊的政治、经济利益。这些教门绝大部分源于中国传统的农村社会，他们的主导思想都是荒诞不经的、反人性的历史观和价值观。

教门的教主们，为了敛财渔色、蛊惑人心，往往对教众实行精神控制，他们常以消灾祈福、健身益寿、编造“天盘三副”说和“无生老母”等神话信仰为诱饵，哄诓百姓入教。

翻看汗牛充栋的清朝档案，有关“邪教”的供状中被逮之人最多的供词是这样八个字：“穷苦难度，起意敛钱”。无论是乡间的算卦师傅、歪门僧道、巫师卦士、武术艺人，还是落魄的师爷、读书人，这些教门的发起人，最先创教设门的目的，都是出于谋生的思考，完全与宗教理想无涉。

以“五省教门大起义”时期的混元教教主刘之协为例，他在供词中声称，只要收一个徒弟，他就能得到三千文钱；替人念一次“经文”，就可以获得三百文钱。以乾隆年间的购买力计算，他收一个徒弟所得的钱，就能购买他所在地河南的三间大瓦房。如此好生意，不得不让人大起生财发家之意。而教门发展迅速的最大原因，还有类似今天传销组织的上下线串联方式。一个人交钱“拜师”后，只要他能拉新人入会，不仅会赚回自己的“本钱”，还能从他介绍入会的人所上交的钱中提成，大赚特捞一笔。

可见，财富诱惑是清朝教门发展的一个重要因素。

只要教门有所发展，邪教教主一般都会产生世俗野心，都会想从秘密状态进入与政府的公开对抗。以嘉庆年间的天理教为例，本来是个夹杂江湖道义的秘密互助合作社的组织，发展到后来，就喊出了这样的口号：“若要白面贱，除非林清坐了殿！”本来是乡民朴素的寻求安全生活庇护所的小团体，最终却想改朝换代，重新分配人世间的财富。

原因其实很简单，这些靠结盟拜会为主要谋生方式的秘密组织，由于没有正常的经营、生产和交换手段，随着人众的日益扩大，不可能满足越来越多的成员的基本生活需求，在抢劫、走私、贩卖人口之余，最后只有靠拼力一搏，转为对传统社会的正面攻击。如果恰值一个王朝处于虚弱状态，星星之火，往往燎原。

纵观清朝二三百年的“邪教”案件，绝大多数是彻头彻尾的、敛财蛊惑的邪教，其中有些是带有邪教性质的秘密结社，也有少数确实是属于低形态的民间宗教和民间信仰。

18 世纪后期，清朝社会开始了转型，商品经济的迅速发展和列强的军事入侵造成了社会矛盾的飞速加剧。鸦片战争后，更是内忧外患，灾难频生。

在到处涌现着流民、灾民、饥民和散兵游勇的历史背景下，社会动荡不安，民不聊生，邪教和土匪等武装盗贼相互勾结，形成了邪教组织发展最好的温床。

不过，晚清秘密教门虽然发展得如火如荼，但新创立的教门很少，大多数是由青莲教和八卦教派生出来的。青莲教之所以有影响，在于它在晚清派生出来许多其他教门，如一贯道、末后一著教、灯花教、江南斋教等。除了青莲教、八卦教及派生教门外，还出现过一些独立于这两大教门系统的其他秘密教门，如黄崖教、真空教、刘门教。

通过研究可以发现，晚清的秘密教门发展，其实是处于一个相对停滞时期，活动规模相比清中叶严重萎缩。

一方面，清政府一直大力加强对秘密教门的打击，屡兴“邪教案”，迫使大的秘密教门化整为零；另一方面，在人口爆炸性增长和土地兼并严重的晚清背景下，晚清秘密会党的飞速发展削弱了秘密教门的群众基础。加上外国势力的入侵，使得中国社会结构发生了质的变化，破产农民和流民为了谋生自保，纷纷加入秘密会党。彼时，秘密教门原先以“聚财敛钱”为目的的“三期末劫”等说法，再难以吸引民众。而且，晚清乡村宗族权的强化，也对秘密教门形成了巨大的阻力。

从文化心理的层次讲，晚清社会动荡不安，新鲜事物千奇百怪，科学知识传播四处，社会风气逐渐开化，秘密教门宣扬的那些“三劫末世”论、“无生老母”、“真空家乡”等俗浅鄙陋的教义，很难再让普通百姓产生敬畏感。还有一个原因，鸦片战争后在坚船利炮掩护下蜂拥而入的外国传教士们，在中国城乡多处地方建立了不少教堂。洋教的实际“好处”，极大争夺了秘密教门的基础“客户”。

在这种不利的政治、经济和社会氛围中，晚清的秘密教门就由民间秘密宗教向秘密结社方向发展。而后，教门昔日的宗教狂热色彩逐渐黯淡，低级点的就去聚敛钱财，高级点的想在巴掌大的小地方“改朝换代”。逐渐地，秘密教门的组织系统日益微弱，大多数教门蜕变为小型的秘密结社。再后来，随着各种教门宗教色彩的淡漠和组织的蜕变，他们与会党的关系逐渐紧密，慢慢实现了会教融合。

免灾祈福，是中国民众宗教的最大宗旨，对这个四个字最浅俗的解释，就是“临时抱佛脚”。真正内向的自省型宗教在中国很缺乏，最获民众青睐的就是这种外向的实用型宗教。只有“实用”价值所产生的精神慰藉，才能让国人“信仰”某种宗教或者宗教类的事务。乱世之中，加入某种乡间教团组织，不仅能得到避灾免祸的心理支持，还能享受到互助互帮的实际效能。

传统中国发展到晚清，依旧处于这样一种尴尬的状态：社会表层极大的有序和社会深层极大的无序。所以，看似在庞大的官僚体系和行政体系控制下的中国社会，它的权力网络远远不能覆盖广袤的农村地区和州县的偏僻角落。王朝教化的死角，遍地都是！

在这样的情况下，秘密教门的土壤，就变得非常肥沃。

秘密教门的教主们，可以利用宗教恐怖、富贵憧憬、入教避劫、共担患难等口号来吸引民众。在晚清那种人心浮动的历史阶段，寻求庇护的免灾心理和有所归附的依赖心理，成为教门得以成立的最大基础。

教门和会党合而为一最大的成功案例，当属哥老会的形成。哥老会这一无业游民结社团体，原本是以“啯噜”（清初四川移民社会中专门从事抢劫、偷窃活动的一种游民结社）为基础，逐渐吸收青莲教等教门和其他会党的组织形态，混杂融合，最后形成的一种很有教门色彩的会党组织。

在中国近代社会，秘密教门对社会的影响不可忽视，对此，我们既不能对它们简单以“封建迷信”加以否定，更不能把这些教门当成“农民革命”的重要组成加以拔高。

清末秘密教门的发展，是当时各种社会问题——流民增加、民教矛盾、鸦片泛滥等的集中展现。少数秘密教门组织成员，例如灯花教的刘义顺，就曾经奋起反对洋人占领中国领土，揭露洋人贩卖鸦片的暴行，进而号召民众起来反清。也有一些教门组织的目的简单，只是想劝百姓吃斋行善，禁烟禁酒。如廖帝聘的“真空教”，恳切地劝诫人们警惕鸦片的危害，以武术导引的方式教导吸食鸦片的百姓脱瘾，广受支持。

在清末大环境下，即使是那些居心叵测的秘密教门，比如响应“太平天国”的八卦教、青莲教、灯花教等，虽然也打着血亲化、神巫化的“上帝”幌子四处起事，对社会进行破坏，但他们对于促进清末革命形势的发展和革命高潮的到来，客观上都起到了一定程度的积极作用。

即便如此，从本质上说，作为封建社会怪胎之一的秘密教门形式，从思想上讲既封建又落后，特别是他们所宣扬的“末世论”，严重阻碍了社会文明的进步，属于典型的邪教性质。

秘密教门在晚清与会党融合后所打出的“反清复明”旗号，大多塞入“弥勒信仰”和“劫变”等“私货”，目的无非是建立政教合一的“国家”，使得他们本教门的教主能够登基称帝。

这种意识形态方面的反动，也使得晚清秘密教门的荒谬悖乱暴露无遗。从本质上讲，它们中的绝大多数，是社会进步过程中不折不扣的毒瘤和赘物。

铁路，碾过清帝国的心脏

四川保路大起义的发酵

> 一场浩劫怎能避免呢？一方面是一个民族，其中发财欲望每日每时都在膨胀；另一方面是一个政府，它不断刺激这种新热情，又不断从中作梗，点燃了它又把它扑灭，就这样从两方面推促自己的毁灭。（托克维尔《旧制度与大革命》）

作为一个外表看似极其强大的东亚政权，清朝其实在1793年马戛尔尼访华的乾隆“盛世”时已经显露出它外强中干的秘密。这个老大帝国在当时的亢奋期，已经被那个不肯向“大皇帝”屈膝下跪的英国人比拟为一艘外强中干的“破船”。

鸦片战争后，洋人的坚船利炮打开了大清帝国的国门，清政府被迫开放了工商业，民营经济开始得到迅猛发展，契约精神越来越代替道德约束，成为地方社会治理的基石。

普通民众的致富愿望和民主意识在日益增长，但由一个专制、腐败政府却依旧感觉良好地我行我素。晚清的国家权力，虽然比起先前已经大大弱化，但作为强权政府的习惯性思维，依旧使得北京中央政府觉得自己在地方事务上可以恣意妄为。这种根本不具备司法独立的独裁体制，总在重大事务上视“民权”为无物，加上统治核心阶层根本没有能力（也很少顾及）有效化解公民在集体愤怒的个案时期强烈的敌对情绪，从而最终失去把握社会稳定性力量的关键时机。

近代以来，铁路一直是一个国家交通发展程度的标杆。大概在1864年，英国人斯蒂芬森就已经拟定过在中国建设一个大型铁路网的计划。他以华中的汉口为出发点，西经四川，经云南后直达印度，东达上海。彼时，洋人已有自湖北修铁路入川的打算。

清朝末年，眼见中国这块大肥肉的潜在利益越来越大，各列强一拥而上，纷纷争夺中国的铁路建筑权，并强加借款特权。由于川汉铁路贯通长江中上游，地处中国富庶地区，富饶利多，引起各方垂涎。

自甲午战争后，清政府不敢再和洋人（东洋和西洋）直接冲突。因此，对于这个外交方面的“正常国家”，各列强很少再能找到以战争索赔款的借口。

为了各自利益，列强们就把黑手伸向了中国的铁路，借口修路划立各处的势力范围。军事入侵改为经济入侵，更能榨血吸髓。老奸巨猾加上居心叵测，列强们可谓心机算尽。

1897年和1898年两年间，英法两国取得了修筑滇缅、滇越铁路的特权后，得寸进尺，表示要把铁路延筑至四川成都和重庆两地，然后再与长江流域铁路对接。德国、美国自然想分肥，也向清廷提出“投资”要求。更有甚者，未经允许，英国人自己就派人入川，勘查铁路路线。

无论是“投资”还是“助建”，列强的目的只有一个，无非就是对中华大地展开赤裸裸的掠夺。

四川路权纷争的历史回顾

由于铁路关系到中国的主权和国家的兴盛，在四川人民强烈呼吁下，开明的四川总督锡良于1903年上疏，力主中国自办川汉铁路，不让外国人染指。

清廷觉得锡良所奏有理，1904年初，谕旨发下，在成都岳府街挂出了“官办四川省川汉铁路总公司”的牌子。到了1905年，官办改为“官绅合办”，又过两年，终于完全改为“商办”。

面对当时列强强索川汉铁路权利的情势，四川人民非常有危机感和紧迫感。几年来，他们含辛茹苦，一直推动修路救亡运动。前车之鉴，朝鲜、印度以及我国东北地区，当时皆因路权被洋人所夺，最终连带主权丧失。四川人民强烈认识到：“（列强瓜分中国之诡计）其最坚牢而最惨败者，莫若铁路政策！”（《商办川汉铁路公司白话广告》）

川汉铁路的预定设计路线，自湖北汉口经宜昌，过四川夔州（今奉节）、万县、重庆、永川、内江、资阳，最后抵成都，总长一千五百公里左右。

1906年，川督锡良与湖广总督张之洞相约，川汉铁路宜昌段以下，连接京汉铁路干线在湖北境内的铁路，由湖北省负责修筑；宜昌以上湖北境内的铁路，由四川省修建。铁路修成后，经二十五年时间，再由湖北省政府备价赎回。而四川省的铁路，皆由四川省筹资修建。

由于鄂、蜀两地山川险峻，修筑如此长的铁路线，初步预算高达五千万两白银。为此，四川人民出钱出力，倾其所有，积极认购股票，连在日的四川籍留学生也踊跃筹款，四处号召集股修路，并带头认股。

根据锡良所定的《川汉铁路总公司集股章程》，川汉铁路的修建，只召中国人入股，既不借外债，也不招洋股。集资和股款的来源，主要有以下四种：

第一，认购之股，乃官绅商民自愿以资金认购股票者；

第二，抽租之股，凡业田之家，收租十石以上者，按该年实收之数，抽取3%。照市价折合银两后作为铁路股款（各川县“酌情更改”，起征点非常不同）；

第三，官本之股，以国家资本投入公司作股本；

第四，公利之股，川汉铁路公司筹款办实业，收取余利，然后再投

1903 年中国铁路

入，以作铁路股本的股份。

在上述四种股款中，抽租之股（租股）所占份额最大，以 1911 年集资银两的近一千二百万估算，租股占 76% 以上。也就是说，当时全川七千万人民，不论贫富贵贱，均因租股而与川汉铁路扯上了干系。这样一来，川地铁路就关涉到四川全省中小地主以及广大劳苦农民（自耕农和佃农）的根本利益。“川路股款，独持人民租股为大宗”。（《邮传部奏折》）

六年间，租股征收总额超过九百二十八万两白银，相当于同时期四川省地白银税额总数的三倍，并超过以商股为主的浙江铁路实收股总额的九百二十五万两，多于湖南铁路和湖北铁路全部实收股款的八百六十四万两，甚至接近苏路、赣路、皖路、黑省、同蒲、洛潼等铁路相加在一起的全部实收总路款的一千零三十万两。

可见，川路租股的征收额，为数甚巨，牵涉在四川的经济利益，不可谓不大。租股同“有去无回”的“封建”捐税相比，有着明显的“资本主义”性质。因为，租股股票，乃具有“资本主义”性质的有价证券，可以自由买卖和转让。一旦路成，租股股票与购股股票具有同等价值，都可以分取红利。

作为垫支资本，租股在川汉铁路中发挥了极其重大的作用。

有人可能奇怪，既然修路有利可图，为何清政府没有实行“官办”呢？这是因为，当时清廷赔款压力巨大，而要举办的“新政”也极费钱。在此拮据状态下，清政府根本无力参与这项估款达五千万两白银（甚至更多）的工程。

川汉铁路自 1906 年就开始了勘路工作，1908 年又聘主持京张铁路工程的詹天佑为总工程师。几万筑路工人加紧修建，至武昌起义前，已经修成铁路三十多里，因桥洞未完工的未通车铁路也有八十多里。

相较之下，湖北方面，由清廷聘请洋人为总工程师的宜昌以下段川汉铁路，没有丝毫进展，仅仅做了点象征性的测量工作。

川汉铁路矛盾的加剧

统而言之，腐朽至极而又无能无效率政府的一大特色，就是对内极凶残，对外极“忍让”。让列强捡现成的大便宜，激起亿万民愤，是清政府作为主权政府最大的失招。

眼看着川汉铁路在中国人自己手里越办越好，洋人们心急如焚。他们通过外交、报纸等手段，极尽恫吓、诬蔑、要挟之能事，认定川汉铁路这种不借款、不雇洋人的“自行其是”，会导致“中国前途叵测”。他们还煽动说，清政府把路权下放给各省，实在是“政府一大错误”。

在威逼利诱下，1909 年 6 月 7 日，张之洞率先与英、法、德三国银行签订了湘鄂境内的粤汉路聘用英国人为总工程师，川汉铁路（湖北宜昌段）聘用德国人为总工程师的合同。

见英、法、德三国捡得大便宜，当时还属于列强“小弟”的美国人眼红不干了。在清廷与英、法、德三国谈判的时候，美国已经组成了由摩根银行牵头的银行团。经由美国国务院策划，他们要求加入“国际”银行团并占取主导地位，以图“利益均沾”。美国总统塔夫脱本人直接致电摄政王载沣，对清廷发出“警告”。于是，在其他三国点头应允的情况下，美、英、法、德四国成立了“四国银行团”。

列强们紧锣密鼓开始分赃谈判的同时，言辞严厉地“照会”清政府，要求尽早正式签订契约。与此同时，对于如何“分肥”，四国银行团发生了激烈的争执，谈判长达近一年之久。直到 1910 年 5 月下旬，四国银行团才在法国巴黎签订了协议，把借款总额增加到六百万镑，决定借款和材料购置的处理权由四国银行团平均分配，总工程师的委任由四国分段承担，并擅自商定把修路范围扩展，向南延伸到广东，向西延伸到四川。如此重大决定，他们事先竟然连招呼都不打，视清廷为无物。

四国协商决定后，急催清政府依照他们的意思马上实施，分别照会清政府，要求立刻签订正式的合同。在洋人的巨大压力下，清政府又送上一杯羹，与美国人谈判，想先弄一笔“整顿币制借款”。

19世纪后期，世界市场的金银比价发生变化，银价下跌，对日赔款和庚子赔款需要以金币外汇支付，这使得清廷的财政支出大大增加。为此，清廷内部开始研究如何将国内银币整齐划一。当时，流入国内的外国银圆非常杂紊，各省所铸银币成色不一，于是清廷决定要把国内银币的成色统一为千分之九百，重量为七钱二分。所谓的改革币制，需要非常大的一笔款项，清廷对外借款的目的，不是真的为了币制所需，其实是为了拿这笔钱来填补国内巨大的财政亏空。

美国人不敢自己独享这等“好事”，与英、法、德三国会商，最终决定四国银行团一起参与清国的币制借款，总数为一千万镑，清廷以五厘利息递还。签订了这项合同后，迫在眉睫的就是要签订粤汉、川汉铁路合同。

清政府当时之所以如此急切地与美国等四国签约，研究者们一致认为是清廷“讨好”四国，但往往忽视了这样一个事实：1911年2月17日，沙俄要在中国东北设立“军事观察站”，这其实意味着俄国对东三省武力兼并的开始。吓破胆的清政府急忙求助于美国银行团代表司戴德。据司戴德当天的日记记载：“这些满洲人吓得半死……我派人叫总督的代表到这里来。我告诉他，俄国人的打击已经来到了……我催促他，立即向摄政王、载涛和其他人做工作，明确地告诉他们：中国在目前的困难处境中获得英、美、德、法四国外交支持的唯一希望，在于立即缔结湖广贷款与币制贷款协定。”

正是在沙俄军队直捣“神京”的惶骇情绪煽惑下，在寻求美国等国庇护的胁迫下，清政府才迫不及待地同意了币制贷款的签订，并原则同意签订湖广铁路贷款协定。对此，居心叵测、贪横狂妄的四国银行团还不放心，威胁清廷说，缔结湖广贷款协定，乃是他们履行币制贷款协定的先决条件。

短视、昏庸、怯懦的清政府，不顾全国人民的激烈反对，在1911年5月9日（“皇族内阁”成立的第二天），宣布了“铁路干线国有政策”。5月18日，清廷起用先前窝里斗被罢免了直隶总督的端方，任命他为“督办粤汉川汉铁路大臣”，准备强行接收粤、湘、鄂、川四省铁路公司。5月20日，清廷派盛宣怀与美、英、法、德四国列强签订了《湖北湖南两省境内粤汉铁路、湖北省境内川汉铁路借款合同》，借款六百万英镑，以两湖厘金盐税作担保，允许四国享有陆续借款的优先权及展路权。

如此，距离宣布铁路国有后仅仅十天，清廷一纸契约，就断送了两湖境内一千八百里的路权，且即将把全部的粤汉、川汉铁路拍卖。

无论是普通百姓还是立宪派激进人士都认为，清廷的“铁路国有”，究其所由，内里不过是替四国列强从国人手中把路权夺走，变相没收人民的财产。面对如此“卖国”之举，连清政府所派的代理四川总督王人文也怒叹：“（此）合同，乃举吾国之国权、路权，一畀之四国！”

平心而论，仔细研究，“铁路国有”政策虽是清廷的“卖国话柄”，也有其起因与难言之隐。

早在1898年，清廷允许张之洞、盛宣怀等人主持开办粤汉铁路，由驻美公使伍廷芳在华盛顿与美国合兴公司签订《粤汉铁路借款合同》十二条，约定三年内完工，借债四百万英镑，期限四十年。合同期内，应允给美国公司余利的五分之一。四百万磅，九折实付，息金五厘，这一合同使中国在借息、折扣、选路管路等权力方面丧失甚多，国人纷纷反对。

张之洞事后察觉不妥，就以合兴公司拖延工程、私下兜售股票为借口，要求废约。最后，中国方面以六百七十五万美元的巨款收回了粤汉路权，虽然缴纳了巨额“学费”，毕竟买回了面子。张之洞本人因废约之举，转脸而成为“民族英雄”。声名再好听，实事总要办。等到张之洞向湖南、湖北、广东三省乡绅表示要筹款修路，大出他的所料——

有钱人不作声，无钱人一张嘴。无奈之余，张之洞只得向英国借了一百一十万英镑，先补偿给美国的合兴公司。

可见，一直以来，中国士绅们往往“口头”爱国很厉害，轮到让他们出真金白银，就都不吭声了。

张之洞认为筹款修路历时持久，十年也凑不到足够的钱数，于是主张向英国借款。1909年6月，他与英、德、法三国签约，借得五百五十万英镑，95%折扣，利息五厘。这一借款，与先前的美国借款相比，优惠不少，且在铁路修筑管理权、材料购买权上，没让对方占太大的便宜。但是，先前已经被点燃的民族情绪支配了舆论，反对呼声日益高涨，都认为既然是“去美来英”的结果，那么原先的合约不如不废。

即使商办的川汉铁路，士绅管理者们层层盘剥，而“中国特色”管理也拖得工程进展缓慢。所以，清廷宣布“铁路国有”也有其无可奈何的一面。但他们想不到的是，老百姓“觉悟”不会那么“高”，革命党人以及川汉铁路大股东（由于贪腐过甚，大股东们最怕查账）更是心有所图，因此导致了最终四川的保路大起义。

而且，放眼当时世界，铁路的国有化，其实正是趋势和潮流。无论是德国、荷兰、意大利、比利时，还是日本和墨西哥，都在对铁路实行或者实现了国有化。特别是日本，日俄战争之后，政府发行了近五亿日元的公债，把十七条国内的主要私营铁路干线全部收归国有，并在1906年颁布了《铁道国有法》。

清廷刚刚开始筹划铁路国有的时候，不少有识之士对此都抱持赞成态度，特别是在川汉铁路公司的会议上，与会人士反应并不激烈，即使反对政府赎买的人士，也只表示说“不能随便承认”赎买办法，底气不是很足。正是清廷与洋人接洽的四国借款，才使得国人敏感的神经重新绷紧，政府又一次以“卖国”的形象站在了人民的对立面。

此外，摄政王在盛宣怀鼓动下，竟然绕过资政院，只与邮传部、度支部沟通后就直接发布了决策上谕，连皇族新内阁都不打招呼，也激怒了包括内阁总理大臣庆亲王奕劻在内的几个权贵。所以，当日后抗议声四起，连这位庆亲王也拒绝为此事负责，态度极其冷淡。

不过，仔细察看1911年5月9日的清廷“上谕”，其中不少言语，都是当时铁路修建的现实描述：

> ……中国幅员广阔，边疆辽远，绵延数万里程途，动需数阅月之久。朝廷每念边防，辄劳宵旰，欲资控御，惟有速造铁路之一策。况宪政之咨谋，军务之征调，土产之运输，胥赖交通便利，大局始有转机。熟筹再四，国家必待有纵横四境诸大干路，方足以资行政而握中央之枢纽。从前规划未善，并无一定办法，以致全国路政错乱纷歧，不分支干，不量民力，一纸呈请，辄行批准。商办数年以来，粤（广东）则收股及半，造路无多。川（四川）则倒账甚巨，参追无著。鄂（湖北）则开局多年，徒资坐耗。竭万民之膏，或以虚糜，或以侵蚀，旷时愈久，民困愈深，上下交受其害，贻误何堪设想……

而在5月14日护督部堂发给端方等人的申文中，也有不少情实之理：

> 川路奉命改为国有，实因民办艰难，虽竭二十年亩捐，亦不能竣事。滇藏危倡，川路不成，边防难办。川省京官甘大璋等前奏，款靠租捐，专害农民小户，非数十年不能凑成一股，利永绝望，害难脱身。民尽锱铢，局用如泥沙，出入款项，均无报告。路线延长，原估额金九千余万，且现开工二百余里，九年方能完功。全路工竣，需数十年，后路未修，

前路已坏，永无成期。前款不敷逐年工用，后款不敷股东付息，款尽路绝……

国库空虚，支付艰难，清廷确实有许多难言之隐。但是，西方列强对中国的蚕食鲸吞，一步也未停歇过。

透过层层迷雾，回望历史，可能会有学者发现一个奇怪的“巧合”——5月8日，清廷宣布成立“皇族内阁”；5月9日，清廷宣布“铁路国有”政策。为什么清廷全面向洋人“出卖”利权之日，就是预备立宪的破产之时？是历史巧合，抑或是必然的联系？

戴着有色眼镜去思考，似乎这绝不是偶然的巧合！学者们一般都会这样解释：对外，清廷向列强们全方位地出卖国家利权；对内，他们肯定就要结束预备立宪。西方列强入中国，目的无他，定要垄断中国的经济命脉。而立宪派所憧憬的“国会”，目的也在于借助“国会”这种新兴力量，以期能够控制中国的政治和经济。

我们回望历史，可以掸尘扬沙，深入矛盾本质去看当时的事件。

所谓的“皇族内阁”，是在清廷颁布《新订内阁官制》后，实行“责任内阁制”名义下形成的。旧设内阁及军机处被裁撤，成立了由十三名国务大臣组成的新内阁，以庆亲王奕劻为总理大臣，那桐、徐世昌为协理大臣，下设外务部、学部、民政部、度支部、陆军部、海军部、法部、农工商部、邮传部、理藩部十部，以梁敦彦、善耆、载泽、唐景崇、荫昌、载洵、绍昌、溥伦、盛宣怀、寿耆分任各部大臣。这十三人中，满洲贵族九人，汉族官僚四人。满洲贵族中，皇族又占七人，所以，似乎给人的印象纯属是一个以皇族为中心组成的内阁。为此，革命派和激进人士都认为，这个内阁的成立，就表明清政府根本无意实行君主立宪，只是借“立宪”之名集皇权。

但是，如果仔细究查当时内阁诸人可以发现，庆亲王奕劻本人就是一个改革派，以他名义设计的管制改革方案，已经明确了立法权归属议会。而载泽、善耆、绍昌等人无一不是满洲权贵中最开明者，他们一直推动中国的司法改革，其幕僚中有大量的留美、留法人士。甚至，海军大臣载洵和梁启超的关系都达到称兄道弟的亲密地步。而摄政王载沣建立这个内阁的初衷，也是想把它当作“过渡性内阁”，为两年后的正式国会作准备。如果没有铁路引发的武昌起义，即使是“皇族内阁”，对于立宪派来说，他们所起的作用应该还是积极的。

作为民族资产阶级地方官绅代表的立宪派，他们强烈要求清朝实现立宪政治，目的在于使用一种和平的手段为中国民族资本的发展扫除障碍。出于本身的利益考虑，他们当然不希望出现王朝倾覆式的激烈革命。当时听闻政府开始和四国商讨借款的事情，立宪派非常忧急。如果清廷把利权出卖给列强，立宪派在经济上势必失去独立发展的机会。所以，立宪派最担心的，乃“国权”的丧失。

“凡外人之扶植利权于我国也，自铁道、矿山以外，无论其为农为工为商，几有一网打尽之势。故我国欲振兴实业，其必自收回利权始！”

因此，立宪派一直反对与洋人有着千丝万缕联系的“官办”，他们认为，“官办”，就等于“官卖”。立宪派所掌握的资政院（国会雏形）与各省谘议局都一直强烈反对清廷的“铁路国有”，反对政府与洋人签订贷款协定。这样一来，自然使外国列强大为恼火。

在19世纪末，西方列强为什么蜂拥而入中国呢？无他，为获巨利耳。由于当时垄断统治日甚，西方各国积累了大量的过剩资本。正如康奈特所言：“（空前的过剩资本）极其深刻地搅乱了西方社会的经济秩序。”在巨额过剩资本的影响下，利率大幅下降，继而引发频繁发生的危机与萧条，甚至是为期达二十年的长期萧条。

在如此岌岌可危的情况下，为了自救、避免经济崩溃、躲避“次贷”危机，他们自然先要阻止利率的下降。而最关键一点，就在于为那些巨大的过剩资本找到崭新的、能够赚取超额利润的投资机会。机会在哪里呢？自然在“第三世界”。东方和非洲落后国家，肯定成为资本猛兽贪婪鼻息率先嗅闻的猎场。

资本输出开始后，缓冲了西方国家内部利率的下降，贴现率开始上升，可谓立竿见影。当然，西方资本入中国，不能直接就产生出超额利润。首先，从生产资本角度看，资本必须先改变形态，化身为生产资料和能产生剩余价值的劳动力；从借贷资本角度看，必须先取得对重要税收、矿山、铁路等大宗物权的抵押，以作为债券发行的条件。

依据上述各种“资本”要求，如果想使生产资本顺利输出，西方列强就必须夺取中国铁路干线以及重大工矿产业的投资让与权；而保障借贷资本输出的前提，就势必要直接对中国的财政金融下手。所以，西方列强要想利用中国这块巨大的市场为他们自己解困谋利，就必须要率先压制中国国内的民族资本。

一向标榜“人权”“自由”为天下先的洋大人们，一反常态，强烈要求清廷加强中央集权，反对资政院与地方谘议局控制各地的工业与金融。他们不停地吓唬清朝上层，表示说，如果清廷对立宪派让步，“将是个莫大的政治错误”（美国驻华代办费莱齐）……

面对洋人们的压力和来自国内士绅的压力，清廷到底偏向谁呢？中国的工业与金融命脉，是给国会，还是给洋人？“宁赠友邦不与家奴”的惯性思维以及清权贵的私心，使他们最终选择了向洋人倾斜。

要想顺利地出卖利权，当然需要一个唯清廷马首是瞻的听话内阁。在这样的背景下，“皇族内阁”就产生了。相比让预备立宪流产，与洋人撕破脸则是更加危险的事情。这种选择，清廷的皇贵们自以为得计。实际上，他们是自掘坟墓，从根本上松垮了清朝的统治根基。

立宪活动的最终失败，使得立宪派悲愤欲绝，认定根本不值得与清王朝图治天下。和平立宪不成，使立宪派最终倾向“革命”。

辛亥革命的成功，又重重加上一个巨大的砝码。

我们再把话题牵回到铁路。

对于帝国主义对铁路的特殊“偏好”，列宁曾经有过一段不俗的分析：“建筑铁路，似乎是一种简单的、自然的、民主的、文化的、文明的事业。因粉饰资本主义奴隶制而得到报酬的大学教授和资产阶级庸人就有这样的看法。事实上，几根资本主义的干线，已经用千丝万缕的密网，把这种事业与整个生产资料私有制联系在一起了，已经把这种建筑事业变成压迫附属国（殖民地加半殖民地）的十亿民众和‘文明’国里资本的雇佣奴隶的工具。”

特别对四川这块宝地，西方列强一直垂涎不已。英国人肯德在1896年，就大肆叫嚣要把“条约港重庆”变成“远东的‘圣路易’（港）”，不为别的，正在于“这个省份（四川）的财富和资源……是世界上任何地方都无法和它比拟的”（《中国铁路发展史》）。法国的印度支那总督杜美也认为，要把法国从中南半岛修往云南的铁路一直延伸到四川，才会有真正的价值。加上德国、美国人的鹰顾虎视，四川铁路无疑成为西方列强的大餐。

七千万四川人民，虽然一直挣扎在饥饿线上，但他们几年来怀抱难以言喻的爱国热忱，不惜卖儿鬻女，竭力抵交租股。不怕别的，怕的就是外国人侵占我们的路权和国权。

盼了许久，等了许久，熬了许久，最终却得来清廷把铁路“收归国有”的虎狼谕令。仇恨的怒火，顿时燎原而起！

作为列强经济入侵领路人的盛宣怀

讲历史，有时一定不能忽视个人的影响。辛亥革命的爆发，直接导火线就是清廷的“铁路国有政策”。而把这项政策变成现实的，则是清末买办官僚资本家盛宣怀。

盛宣怀（1844—1916），江苏武进人，官僚地主出身，最早是给李鸿章当幕僚起家。三年师爷当得好，李鸿章赏给他筹立“轮船招商局”的肥缺。早在1876年，他就与李鸿章共同签订《中英烟台条约》，可以说是很有资历的外交卖国派大员。由于他和洋人打交道日久，熟悉洋人运作的程序，连慈禧也夸奖：“今日看来，盛宣怀是不可少之人。”（盛宣怀《墨斋存稿》）

当资本主义进入帝国主义时期，西方列强不再依靠商品输出赚“小钱”，而是靠资本输出挣大钱。他们除了直接在中国开设工商业、银行业外，还“提供”财政借款、铁路借款和进行矿产投资。这样一来，盛宣怀这种买办官僚就正好和他们里应外合。

1895年《马关条约》签订后到1911年辛亥革命爆发前，清廷向列强借款达六点二亿多银圆，铁路借款达五点五亿多银圆。其中，盛宣怀一人经手或谈妥的财政借款占总数的18.5%，铁路借款占57.3%。两者相加，约占总借款的36.79%。为了自己套利，他还以本人控制的汉冶萍公司作抵押，擅借外债近四千万银圆，其中大部分借自日本。

观此数字可知，盛宣怀此人，乃民族罪人，也是列强资本入侵中国的带路汉奸。1898年到1911年，西方列强在中国，除了直接经营的铁路外，通过“借款”手段共得到七千二百零七公里铁路的修筑和经营权，而经盛宣怀之手的，就达四千二百三十二公里。

盛宣怀手中最大的一块肥肉是他直接控制的汉冶萍公司。这个公司，旗下有大冶铁矿等重要矿产资源。为了自己盈利，他主要是与日本人勾结，十来年间，先后借日债三千零九十万银圆，使得产权日益沦入日本人之手。

盛宣怀所有企业大量聘用洋人，基本由买办当高级管理人员，一直残酷压榨中国人民的血汗。

自始至终，在与张之洞、袁世凯等人的斡旋、争斗中，盛宣怀把“官办”企业逐渐变为“商办”，其实就是逐渐稀释“国有”股份，变公有为其私有。在他所控制的所有公司中，盛宣怀一直损公肥私，为自己和家族成员谋利不停。

盛宣怀一直努力促成的清政府“铁路国有”，当然不是真正的“国有”，而是把铁路权从人民手中抢回去，再转给西方列强。

常年以来，他最善于在出卖路权、滥借外债中得利。只要合同一签，他本人就可以从中得到天价的“买办佣金”，同时可以借“政府”之名，不断输送利益给他本人直接控制的公司。为了钞票和金银，盛宣怀顶着“邮传大臣”的帽子，“挟官以凌商，挟商以蒙官”。

四川保路运动爆发后，接着又发生了辛亥革命。立宪派们嚷嚷要他项上人头，清廷本想牺牲盛宣怀，革除他的职位。盛宣怀惊骇至极，马上四处哀求洋主子们给他“保护”。洋人们知道此人可用，纷纷向清廷抗议，最终迫使清政府默许他离京出走。

辛亥革命爆发后，这个一直受日本人保护的洋奴四处煽风点火，并在1912年南京国民政府成立后，以金钱作饵，唆使孙中山等人以中日合并汉冶萍公司为条件，向日本借款五百万日元。

南京临时政府与日本人私订借款合同消息传出后，群情激愤。当大家得知又是盛宣怀从中起作用后，纷纷表示要杀之以谢国人。从此之后，盛宣怀才算消停。毕竟他在国内、国外财产无数，就从日本回到上海当起寓公来，养尊处优，直到1916年4月去世。

盛宣怀在晚清，既无“中兴”大功，又无科举功名（他仅中过秀才），竟能跃至堪与袁世凯等比肩的官位。在时下，他摇身一变，成了“中国近代企业的开拓者”“中国早期工业之父”……

从“文明争路”到武装抗暴

洋人对四川的觊觎，在第二次鸦片战争后已经开始。经过了中英烟台条约、中法战争、中日甲午战争，帝国主义势力在四川不断扩张。

七千万人的大市场，如许大好山川，不仅能倾销商品、掠夺原料，还能同时进行宗教、文化的侵略。特别是1901年《辛丑条约》后，西方列强和小兄弟日本纷纷加紧在四川的全面经济侵略。

《辛丑条约》之后的清廷，完全成了列强的工具。庚子赔款数额巨大，仅这一项摊在四川人民头上的银两，每年多达千万两。其他各种苛捐杂税，名目奇多，甚至连农民入城担粪也抽税。"粪税"都有，娼妓的"花娟"就不奇怪了。数层盘剥下，四川人民生计艰难，街市乞丐成群，疮痍满目。在这种政治情势下，四川青年的救国救民热望空前。

1902年以后，四川的邹容、吴玉章等人纷纷去日本留学，到国外寻求救国真理。1907年，吴玉章创办《四川》杂志，连同先前邹容的《革命军》、陈天华的《警世钟》等革命书籍，纷纷传入川地。人民争相阅读，大为感动，对清廷的不满日益加深。

清廷宣布铁路"国有化"的消息，恰似盐入油锅。开始的时候，四川人民反应并非最激烈，反而是湖南、湖北的民众最先表示强烈抗议。

由于1904至1905年间收回粤汉铁路建筑权的斗争取得过成果，两湖人民对铁路这两个字非常敏感。召开大会四处印发《意见书》之余，湖北谘议局议长汤化龙首先到北京请愿，湖北绅商学农等各界也群情激奋，奋起反对清廷的作为。

由于一直处于西南僻远腹地，川地人民开始对于清廷铁路"国有"政策反应比较温和。以谘议局为首的立宪派士绅们，特别不敢反应过激，只要求"保存现有之款，求还已用之款"。也就是说，只要国家能还钱给广大股民，也就算了。但是，6月1日，邮传部大臣盛宣怀和铁路督办大臣端方联合发出"歌电"，明白表示："欲举现存已用之款，一律填给股票。"如果四川民众非要筹还路款不可，清廷"必须借外债，必以川省财产作抵"。也就是说，不仅夺路，还要夺款！

清廷如此强硬，公然掠夺不说，几乎不给川民任何回旋商讨的余地。这一来，连最温和的谘议局议员们也不干了，因为这严重损害了他们的自身利益。于是，温和派纷纷联合民众发起保路运动。

6月17日，成都出现了“四川保路同志会”，立宪派人士蒲殿俊、罗纶任正副会长。仅仅半个月，在川地加入的会员已超过十万之众。

初始阶段，胆小怕事的立宪派人士很担心保路运动酿成“民变”。因此，他们高言“文明争路”。在四处安抚大众的同时，他们派出代表去北京向清廷哭诉，希望朝廷收回成命。面对群情激昂、有理有节的请愿人群，当时的署理四川总督王人文很感动，表示他自己一定力奏朝廷，为川民请命，即使是被罢官，也在所不惜。

1911年7月，盛宣怀等人收买了川汉铁路公司驻宜昌总理李稷，宣布此人为清廷直接委派的国家铁路驻宜昌总理。这种行为，就是绕过川汉铁路公司，直接派人去接收川汉铁路，抢夺路权。这一步棋，清廷也是投石问路，试探这一着是否灵验。

四川人民愤怒日甚，川汉铁路的股东们召开会议，开除李稷的职务，上书纠劾盛宣怀。自以为大权在握的清廷罔顾民意，更发出语气严厉的“上谕”，指示署理川督赵尔丰严办“闹事”群众，并“钦派”李稷为川汉铁路宜昌总理。

当然，即使如此激动，川民并未武斗，而是仍旧处于“文明争路”的框架中。接着，他们开始罢市、罢课、罢工、罢耕。由此，保路运动开始走向纵深。在这过程之中，连成都执行任务的警察，也在会场上跟随愤激的群众一起哭泣、感动，也就是说，清政府的国家机器内部也出现了巨大的裂痕和分歧。随着怒气的日益加深，川民表示开始拒纳对清政府的厘税杂捐。当时的川民，在斗争形式上一直保持克制，以“良民”状态进行抗争。他们四处摆放光绪皇帝的圣位牌，或粘于门首，或供于街道通渠，焚香礼拜，以显示保路运动全无“犯上作乱”之意。

在此期间，革命党人到处串联，煽动演说，致使保路运动的内压越来越大。

短视而激进的清廷，一方面死命催促四川署理总督赵尔丰对川民进行镇压，一方面派出端方从湖北携一部新军入川弹压。由此，本来温和、和平的保路运动，最后被激酿成“保路同志军大起义”。

“股民造反”的保路同志会大起义

枪杀和平示威民众的“成都血案”发生后，给了同盟会以最好的鼓动革命的时机。

血案发生后，赵尔丰宣布成都全城戒严，封锁一切邮电交通。同盟会会员龙鸣剑、曹笃、朱国琛等人密议之后，连夜赶制数百块木牌，写上“赵尔丰先捕蒲（殿俊）、罗（纶），后剿四川，各地同志，速起自保自救”，外裹油纸，趁夜色浓浓，把木牌投入锦江。

成都周围河网密布，这些木牌顺流而下，沿江流纵横，越漂越多，形成了声势浩大的“水电报”。说是“水电报”，实则是“木牌檄文”，提前宣告了清朝的覆亡。警讯传出后，在成都附近的“保路同志军”（以下简称“同志军”）率先起义。

同盟会会员、哥老会头领成为带头人，从华阳、荣县、新津、灌县等地揭竿而起，源源不断攻往成都方向，与清军展开血战。

赵尔丰毕竟是经过大世面的清朝干吏，虽坐守孤城，依然方寸不乱，作困兽之态，指挥清军四下阻击。清廷得知四川大乱，非常惶恐，立调湖北、湖南、云南、贵州、广东、陕西等省派兵合剿。但当时的清廷，百孔千疮，指挥失灵，最终只有贵州、湖北、湖南部分军队入川。

在派出端方入川的同时，清廷指派曾在四川灭义和团有经验的岑春煊入川，帮赵尔丰平祸。岑春煊心里打鼓，一路磨蹭，直到9月底才从上海行至武昌。见各地局势吃紧，他脚底抹油，又托词回上海。辛亥革命爆发后，清廷任命他为四川总督，严令催迫他带兵经由河南入陕，入川剿办。岑春煊很狡猾，见各省纷纷独立，躲在上海租界内不出，终于躲过革命。

四川同志军大起义，兴兵上百万，与清军相互杀伐，愈杀愈惨，愈惨愈杀，终于奠定了四川独立的基础。最早在四川独立的，是荣县。1911年9月25日，吴玉章、王天杰等同盟会会员率同志军六万余人，成立荣县军政府，宣布荣县独立。他们的纲领，正是同盟会的纲领："驱除鞑虏，恢复中华，创立民国，平均地权。"所以，荣县独立，开全国独立之先河，时间上要早于辛亥革命。

荣县独立辐射力巨大，进而推动了广安独立、重庆独立以及蜀军军政府的成立。作为长江上游最重要的水陆交通枢纽，重庆地理位置非常重要。1911年11月5日夜，新军排长、同盟会会员夏之时等二百多人在成都附近的龙泉驿起义。他们杀掉清军东路卫戍司令后，挥师东下，经由简州、乐至、安岳、潼南，在合川走水路，兵临重庆城。城内，在同盟会、哥老会影响下的军队很快起义，里应外合，开门迎接义军。

兵不血刃下，坚城重庆光复，"汉"字白帜遍布城内，蜀军军政府成立。重庆义军废清朝宣统年号，以1911年为"黄帝纪元4609年"，竖十八星旗。

11月27日，由端方携带入川的湖北新军两标人马起义，在贵州杀掉了这位清朝大员。

成都方面，在四川大乱后，清廷下令任端方为钦差入川救火。端方首先电令赵尔丰放人。赵尔丰不干，上奏说一旦把蒲殿俊、罗纶等人释放，这些人肯定会"纠合徒党，与群匪联为一气"，并参劾端方，说他的举动会激起更大的祸乱。清廷恼怒，下旨撤掉了赵尔丰的署理川督一职，改由端方接位。那时节，赵尔丰进退尴尬，由于端方还未来得及赶来成都，他只得在城内四调巡防军，把几百万库银收集起来。兵钱在手，赵尔丰想伺机自保。

1911年11月15日，现了红脸又扮白脸，赵尔丰亲自入狱放人，大设酒宴，在督府款待蒲、罗等人。酒席间，他摊出一堆电报、公文，为自己先前的杀人行为开解，说都是盛宣怀、端方那些人撺掇朝廷逼自己干事。果然，蒲、罗等士绅真是“良民”，眼见成都以外的四川大地已势若沸釜，他们心中着慌，立刻宣发《哀告全川叔伯兄弟》一文，恳求大家放下武器，解甲归田，继续当好百姓。

弦上之箭一经发，再也没有回头路。到了此时，任谁出来说话也白搭。辛亥革命爆发后，独立浪潮风起，全国响应。

久经宦场的赵尔丰见势不妙，很知进退，就与立宪代表私下磋商，想来场不流血的权力交接。11 月 22 日，他们共同签署“四川独立条约”。赵尔丰把行政权交给蒲殿俊，军权交与他的心腹、陆军十七镇统制朱庆澜，他本人依旧保有个“川滇边务大臣”的头衔，在城内掌握先前选拔的边军精锐，借以自保。11 月 27 日，典礼隆重举行。赵尔丰把四川总督的大印，毕恭毕敬交与四川省谘议局议长蒲殿俊，宣告四川独立。一时之间，成都城内，遍树白旗，中间各绣斗大一个“汉”字。典礼后，参加人员一律剪辫，表示脱离清统治。乍看上去，成都完成了一场不流血的革命。

心中打鼓的赵尔丰所不知道的是，白天他在成都“独立”，晚上，他的老同事端方就在资州被新军杀了头。

可惜的是，仅仅十二天，“大汉成都军政府”就破产。成都城陷于血雨腥风之中。在烟火与杀戮中，不仅平民百姓纷纷被杀，赵尔丰本人也稀里糊涂掉了脑袋。

财富被剥夺，参政欲望大受压制，川民的愤懑如岩浆一样炽热沸腾。作为强势并老到精明的政治家，端方和赵尔丰都栽在了成都。他们希望大清朝长治久安的愿望和费尽心思的苦口婆心，最终换来的是明晃晃的刀锋。

当然，我们尽可祛除“不是专制就是民主”的极端二元思维。从晚清的实际经验看，无论是简单的公共、私人财产处理，还是宪政意义上的国家制度改革，无政府主义都会带来巨大的灾害。个人“自由”，在某种条件下当然会与政府权力发生尖锐的不可调和的冲突，但政府权力未必就是个人“自由”的绝对敌人。

可悲的是，晚清的政府权力那样失去公信力，其统治正当性衰弱到比公民个人组成的集体的力量还要弱得多。所以，如果清廷中央少了盛宣怀那样干坏事都理直气壮的坏人，如果地方政府的支持官员能在维护政府权能的基础上小心翼翼地进行政治改革，如果他们能以政治家的审慎和自我节制处理事端，如果能稍稍尊重公民的基本权利，事情的结果可能完全是另外的样子。

进入现实利益的博弈领域，罔顾人民高压下的叛逆心理，一切自以为是的强权镇压在宣泄的舒畅过后，都会留下令人忧心忡忡的后遗症，势必引起令人瞠目结舌的、超乎预料的强力反弹。这种发泄性的群众反弹，将会愈来愈多地从自发变为自觉，力量大到超过参加者自身的想象力，并有可能造成一个暴力政权的“猝死”。

下卷　革命进行时

引子　早产的革命

言及武昌首义引发的辛亥革命，我们可能会立刻对此涌出太多的疑问：

在1911年晚秋发生的辛亥革命，真像标签式教科书上所讲的是一次“资产阶级革命”吗？

领导和参加起义的那些革命者们，清朝的新军军官、士兵、高级官吏、会党、地主，以及形形色色大小武装集团的头子们，都属于资产阶级吗？

青年汪精卫为什么有足够的勇气，从安逸的南洋返回，去刺杀摄政王载沣？

所谓的袁世凯、黎元洪“篡夺”辛亥革命胜利果实，在让后人莫名其妙咬牙切齿之余，我们扪心自问：这种结果，是历史的荒唐，是大势所趋，还是孙中山等党人的无奈？

清朝统治二百六十多年，亡于寡妇孤儿之手，为什么那么多人对于袁世凯的“逼宫”深恶痛绝？我们的国人，从什么时候起，失去了有仇必报的“冉闵人格”呢？

中国同盟会与日本黑龙会之间千丝万缕的联系，在我们的教科书中，为什么对此一直讳莫如深？

辛亥革命后，中国民众所得，真的不过是“枉然”失去了一条脑后的辫子而已吗?

为什么在湖北?为什么是清朝新军?为什么一场谣言所引发的士兵革命,是一个包含着极大偶然性的必然事件?

……

太多太多的问题!

1911年10月10日,湖北武昌新军工程营中的一声枪响,绝非普通的一枪,它是中国民主主义、民族主义革命的发令枪,是埋葬清朝二百六十多年统治的夺命枪,也是结束中国长达两千余年封建帝制的宣示性的一枪。

在并不遥远的、一个世纪前发生的事情,如今回望过去,却如雾里观花,那样模糊不清,那样扑朔迷离,甚至,那样不可思议。

10月10日,在那样一个杀机四伏、危险重重、激动人心、令人屏息的夜晚,到底,发生了哪些事情呢?

"舍得一身剐,敢把皇帝拉下马!"

辛亥革命的武昌首义,是一首个人英雄主义的伟大史诗,也是一首民族主义的雄浑交响曲!

掸去历史的灰尘,我们终于发现,武昌起义,这个宏大、雄壮的历史过程,正是在某些英雄个人的主观意志活动下达成的。

在伟大的革命中,新军官兵们无惧牺牲和挫折,他们大无畏的革命冲动,使得枯燥、琐碎、危险的日常生活,顿时充满了冒险和激动。即使是一个铁钉,一个威力微小的炸弹,一纸无关紧要的文字,也因革命的宏大叙事,而变得充满了戏剧性和不朽的意义。

作为那些已经超越时代局限的革命者个人,他们坚韧不屈,百折不挠,充满了乐观主义精神和历史感。

在个人英雄主义的激励下和民族主义的感召下,那么多坚忍不拔的革命士兵、知识分子,抛头颅,洒热血,以身殉志,以命酬国。

武昌起义,敲响了清王朝的丧钟。在中国的腹心地区,革命军打开了一个血淋淋的缺口，形成了对清王朝的突破性一击，进而在全国点燃了革命和独立的燎原烈火，最终迫使清帝退位，结束了中国二千多年的君主专制统治。

武昌起义，是中国历史上一场伟大的军事、政治试验，它催生了中国历史上的第一个共和国——中华民国。

无量金钱无量血，最终换取这个结果，都是值得的。

这场地方精英们所领导的武装起义和暴动，以其超乎预料的辐射作用，颠覆了清王朝二百多年的统治。

从革命性质来看，它确实是一场以民族革命为现实基础的伟大政治革命。

武昌起义的仁人勇士们，在血与火的考验中所展现出的大无畏的历史主动精神和首创精神，使得他们的名字会永远镌刻在人民的集体记忆中！

可惜，辛亥革命又是一场早产的革命，注定要夭折。

随之而起的，是无数让人焦虑的问题。革命“胜利”后，经由无数层妥协、按照美国模版建立的国家，那么突兀，有悖于我们历史的传统、儒教的信仰以及我们所能顺利适应的政治制度。

所以，最终我们发现，在这种基础上所描绘的共和蓝图，不过是一幅粗糙、稚陋的政治漫画。

在近现代史中，我们中国一直是个缺乏运气的国家。

1853年，日本的德川幕府没能阻止美国海军准将佩里的武装舰队进入江户湾。在切实感受到自身虚弱的刺激下，日本人群情激奋，仅仅过了十五年，明治维新告成。至此，日本完成了西化运动，而且实现了一种在现代西方世俗精神影响下的科学西化；而中国，1793年英国人马戛尔尼率领使团访华，西人与故步自封的乾隆帝就下跪、不下跪问题纠缠久之，我们的“天朝”大皇帝依旧浸沉于中央王国的自恋中。过了一百一十八年，我们这个国家才最终能有一种破坏性、颠覆性的政治建设的实现。而最终取代清朝帝国的，也不是强有力的、高效率的统治政府，而是中国王朝更迭后常见的那种秩序混乱的状态。

一百一十八年和十五年，这种距离，发人深省!

“能争汉上为先著，此复神州第一功！”无论如何，辛亥革命，这一场看似鲁莽、猝然、由一个清军新军班长（正目）联合几十个士兵以一百五十发子弹所发起的起义，轰然推倒了革命的多米诺骨牌，抽去了清朝这个摇摇欲坠泥足巨人脚下的一块支板，让帝国跌入了永劫不复的历史深渊。

当然，辛亥革命的最终结局，也应验了英国哲学家卡尔·波普尔的理论：

> 暴力革命造成的一个并非本意的后果，常常就是独裁。总是这样，法国革命带来罗伯斯庇尔和拿破仑。17世纪时的英国革命带来克伦威尔的独裁……因此看来，革命理想的拥护者，几乎总是成了革命的受害者。

这段话，很容易让我们联想到——辛亥革命，带来了袁世凯独掌大权和日后军阀混战的局面。

确确实实，“有暴力倾向的革命，肯定不容批评的自由和建立反对派的自由”，但这种苦涩的结果，绝非起义英雄们的初衷。

怀着许多好奇、许多敬畏、许多怀疑，我们回望1911年那激动人心的铁血华年。

在对历史的凝视中，我们可能从高昂的革命和黯淡的失败中，寻找到给予我们启示的、成功的且少具破坏性的另一条新的道路。

或许如此，具有非凡凝聚力、耐久力和坚忍决心的中国人民，面对日后姗姗来迟的社会试验，就会有足够的应变能力。

录《红叶》诗一阙，以代叹息：

无定河边日已昏，西风刀翦更销魂。
丹枫不是寻常色，半是啼痕半血痕。

暗夜沉沉血作灯

唐才常，20 世纪率先倒下的英雄

1900 年 8 月 22 日（阴历七月二十八日）。夜。武昌滋阳湖畔。

如漆的夜色，在岸边，因月光映照，湖水顿时鲜亮起来。一队荷枪实弹、如临大敌的清军，押解着二十多个戴着脚镣手铐的犯人，沉默地走到了湖边。

士兵和多数犯人，都低着头，悄无声息。

为首的犯人，方面大耳，目光如电。他嘴角紧抿，透露出无比的坚毅。唯他一人，无桎梏加身。

这个人，就是清廷要秘密处决的“自立军”首犯唐才常。

由于昨日才遭逮捕，未及加刑，唐才常衣衫整洁，鬓发肃然。他端昂不紊的做派、卓尔不群的姿仪，使得不知就里的人乍看上去，以为是夜阑时分赏湖景的诗人骚客。

但是，寒光凛冽的刺刀和近二百名紧张的清军，明白昭示出这是一次不同寻常的杀人行动。

在新世纪晨光熹微的时刻，唐才常，与他二十多名战友和同志，将要在中华大地上，抛洒尽他们肉身内灼热的鲜血。

凶残嗜血的清朝政府，以这种秘密处决的方式，暴露了他们的虚弱——对于犯有“大逆”的党人，他们已经不敢在青天白日之下“明正典刑”了。

清兵把二十多名“自立军”成员按跪在地上，抡起明晃晃大刀，一一斩下了他们勃勃不屈的头颅。

最后，只剩下唐才常一人。他萧萧肃肃，慨然临风，面湖而立。大英雄此刻，似在悲愤，似在沉吟。

清军带队的队官走近前，立正敬礼：“唐先生，请您上路！”

鲜血腥甜的血息，弥漫在湖畔潮湿的空气中。

与清末大多数慷慨临刑的义士一样，唐才常口占二绝：

新亭鬼哭月昏黄，我欲高歌学楚狂。
莫谓秋声太萧杀，风吹枷锁满城香。

徒劳口舌难为我，大好头颅付与谁？
慷慨临刑真快事，英雄结局总如斯。

整队执刑的清兵，脚下踩着同胞冒着热气的滚烫鲜血，均肃然无声，鬼影一般伫立在夜色中。

“剩好头颅酬死友，无真面目见群魔！”唐才常最后长叹一声，吟出了句绝命诗。

而后，他指着自己的脖颈，平静而坚定地对清兵队官说：

“堂堂男儿，怎可屈膝！你动手吧。”

队官敬礼，退后一步，举起手中的大刀，向唐才常的后脖颈砍去……

唐才常（1867—1900），湖南浏阳人，字黻丞（后改“佛尘”），自号“洴澼子”。他生性豪放，自少有英杰气概。我们可从他那些如花扑眼的笔名、化名中，窥见一斑：无游居士、咄咄和尚、去梦残生、蔚蓝、弗人，等等。甚至，他还有一个看似倭名的化名：田野民治——更暴露了他大同共和的思想。

现在的人，能知道唐才常的，确实不多。我们耳熟能详的，是另外一个人——谭嗣同。这两个人，生死知己，曾一同在大儒欧阳中鹄门下拜师求学，时称“浏阳二杰”。

相比有“高干”背景的谭嗣同，唐才常更不简单。1886年（光绪十二年），十九岁的唐才常连得县、府、道三个等级的考试头名，时人目羡为“小三元及第”，可谓春风得意马蹄疾。

在长沙岳麓书院就读期间，唐才常用心时政，鄙夷八股经学。光绪十七年至十九年间，青年唐才常入川，担任学署教读等职，主要为开阔自己眼界。光绪二十年，他又到武昌两湖书院任教。这个书院，乃洋务派代表人士之一张之洞创设。在这里，唐才常教学相长，如饥似渴，阅读了不少翻译过来的西学著作。

最早给予唐才常精神刺激的，是清廷甲午战争的惨败。对于巨额赔款的《马关条约》，他痛心疾首：“所定条约，款款辱国，哪里是和约，分明是对倭国的降表！奸臣卖国，古今所无！”

拔刀誓斩奸臣头。切齿之余，他对朝廷的腐败和黑暗日益愤恨。

确实，通过《马关条约》，日本从中国勒索的战争赔款和“赎辽费”达二点三亿两白银之巨，相当于当时清政府年收入的三倍，也相当于日本年收入的四点五倍。

回头再算，自1840年以来，两次鸦片战争，一次中法战争，一次中日战争，还有数百次大大小小的列强侵略战争，香港、台湾等地相继被割。半个多世纪以来，中国丧失了一百八十一万平方公里的大好河山，相当于三个法国、五个德国、七个英国的面积！

也正是从彼时起，唐才常完全摒弃了经论无用之学，专心研究西方及日本的政治外交制度，想从中探寻国家富强之路。

在维新风潮日益涌动的大形势下，刚得“拔贡”虚名的唐才常，与谭嗣同、熊希龄等人一起，加入湖南巡抚陈宝箴（大学问家陈寅恪祖父）创办的“湖南时务学堂”。

时务学堂教习

左起：叶觉迈、谭嗣同、王史、欧榘甲、熊希龄、韩文举、唐才常、李维格

1898年（光绪二十四年），唐才常与谭嗣同共同开办《湘报》，自任“总撰述”，以“君主立宪”“议会政治”为主张，呐喊鼓吹，力求变法图强。

彼时的唐才常，依旧属于温和派。他主张“学新法须有次第，不可太骤”。

在光绪帝《定国是诏》的大政治背景下，唐才常四方奔走。全国之内，维新运动勃勃而兴。兴奋中，他的思想也日渐激进。与改良派不同，他强力推介西方国家的民主制度，主张“公天下”“公权”。而他心中最倾慕的对象，是美国的华盛顿和日本武力倒幕的西乡隆盛。

八月间，人在北京的谭嗣同为了增强臂膀力量，电召唐才常赴京，想让这位好友参与新政的推广。

岂料，风云突变，唐才常刚刚行至汉口，消息传来，戊戌变法失败，谭嗣同等人，已经被慈禧杀于北京。

得知生死知己被害，唐才常忽忽如狂，悲愤异常。为此，他作长联吊挽谭嗣同：

与我公别几许时，忽惊电飞来，恨不携二十年刎颈交，同赴泉台，满赢将去楚孤臣，箫声呜咽；

近至尊刚十数日，被群阴构死，忍抛弃四百兆为奴种，长埋地狱，只剩得扶桑三杰，剑气摩空。

七十二字，一字一泪，一字一恨！

其中的“扶桑三杰”，指流亡日本的康有为、梁启超、章太炎。

洪澜会翻世界海，何用行吟江之滨！

此后，唐才常遍游香港、南洋、日本等地，到处集结侨胞进行演讲，慷慨陈词，晓以大义，筹款募饷，意在为谭嗣同报仇。

在日本，他还拜于变法派头面人物康有为座下，执弟子礼，与康有为、梁启超日夕谋划，商议起兵。

1899年（光绪二十五年），唐才常在上海活动了一段时间后，又乘轮船于香港、南洋、日本等地游走，面见孙中山，一起密议举事大义。

当时，孙中山与革命同志正策划“惠州起义”，自然希望有唐才常这样的人在湘鄂振臂，于长江流域响应。

在此，只要对辛亥革命历史稍熟的读者就会产生疑惑：康、梁二人为首的“保皇党”，与孙中山为首的“革命党”一直不和，明争暗斗，唐才常为什么能走钢丝一样，左右平衡，在两者之间都吃得开呢？

中国人习惯于简单划分“好人”“坏人”，缺乏自我辨识，缺乏分析弹性，尤其缺乏历史的“现场”感。

唐才常，绝非一个左右逢源的滑头政客，在“改良”与“革命”之间，其实当时他自己也处于摇摆阶段。作为谭嗣同生死战友，他自然为“保皇派”引为同志，因为他反清的同时一直宣称“保皇”。这种思想，正如他本人在《正气令序》中自我剖示的那样：“日月所照，莫不尊亲。君臣之意，如何能废！”在他心目中，还把被慈禧幽囚的光绪帝当成要加以解救的“明君”。与此同时，反清的情怀，也在他心中郁结不去：“国于天地，必有所立。非我种类，其心必异！”而他这种想法，自然与一直抱着“驱除鞑虏”想法的革命党人一拍即合。

对于唐才常这种人中之龙的人物，保皇党和革命党人都刻意拉拢，以为己用。

而唐才常呢，依违其间，游刃有余，在二者之间各取所长：保皇党有钱，革命党有人。而保皇党的“钱”，也是最早使孙中山的“兴中会”向康、梁主动示好的原因。

康有为、梁启超等人，当时在海外名气大得不得了，他们手中握有不少华侨富商捐献的“会费”。孙中山等革命党，专门能搞“革命”鼓动和策划，特别是在日本学习的“士官生”中，不少人是孙中山信徒。如此多的青年才俊，也是唐才常所急切渴取的人才。

为此，唐才常在康、梁面前慷慨“勤王”，在孙中山面前大言“保种救国”，自然赢得了双方共同的好感。

相对而言，好友谭嗣同在北京的被杀对唐才常刺激极大，颇思复仇，想必他心中“革命”的念头，要炽于“勤王”的忠心。

在日本东京期间，唐才常不仅同康有为、孙中山这些领袖人物打得火热，也与林圭、吴禄贞等人密切往来。前者在湖南哥老会等会党中人脉颇丰，后者乃湖北人，正在日本士官学校学习。他们各受孙中山等人指示，与唐才常约定在长江流域起事，首要目的地就是武汉。其目的，就是攻取武汉这个战略要地作为军事大基地，进行全国性的起义。

1899 年（光绪二十五年）底，唐才常回国之际，前来送别的人都是大腕级人物——梁启超、孙中山等。送行者中还有留着络腮胡的宫崎滔天（寅藏）、仁丹胡的平山周等几个日本“同志”。

返国之后，唐才常依托上海租界这块“飞地”，假借日本人田野橘次的名义，在虹口的“武昌路”（冥冥之中有天意）创立“东文学社”。

在这里，他打着日语培训班幌子，开始了“正气会”的活动。

不久，正气会易名为“自立会”。

与唐才常同时回国的林圭，在湖南长沙设立哥老会“中央本部”，暗中与张之洞联系，很想争取到这位清朝大员的支持。

为了在长江流域争取到各会党等下层组织的支持，唐才常仿效哥老会，创设“富有山堂”，并发行“富有票”。

这种方法在下层民众中行之有效，仅两湖地区，就卖出了两万多张“富有票”。

有了钱，有了人，唐才常信心日增，就把自立会升级为“自立军”，分为五路，他自任全军总司令。

“自立军”之所以如此顺利“扩招”，也与唐才常的“统一战线”有关。

一方面，唐才常有康、梁保皇党撑腰；另一方面，他又打起孙中山的旗号，甚至给这位革命党“大头子”封了一个“富有堂”的最高段位——极峰。

这样一来，长江流域各省中的会党、新军军人、衙门中倾向革命的富吏以及中下层的农民，纷纷加入。

恰好，1900年（光绪二十六年），慈禧为了排洋，唆使义和团四处攻杀洋人，搅起天下大乱。

对于盲目排洋的怪力乱神“义和拳”，唐才常等人自然不屑一顾，但又认为可乱中发难，认定“拳变有可乘之机”。于是，他们加紧活动，准备伺机起事。

7月间，唐才常在上海张园召开了第一届“中国议会”（国会）。

此次“国会”，各路英雄荟萃，人数达数百人之多，均是自立会骨干及各地名流。

在会议上，大家公推容闳为“会长”，严复为副会长，唐才常任总干事。就此，也正式宣布了“自立军”的成立。

会议决定，除中、前、后、左、右五军外，还专设总会亲军和先锋营两军，直接由唐才常指挥。

会议宗旨，看上去似乎并不是很“革命”——保全中国自立之权，创造新“自立国”，不承认清朝政府有统治中国之权力，但又请光绪皇帝“复辟”——也就是说，本质上还不脱“保皇”范畴，继续拥戴光绪皇帝。

风云际会，时机忽临。“国会”召开后不久，八国联军在轰隆隆的炮声中打进北京，慈禧带着光绪帝仓皇西遁，又去“狩猎”了。

闻知此讯，唐才常等人兴奋莫名：“北京已破，皇上及那拉（氏）诸人，仓皇西窜，此时此机，绝大题目，万不可失！”

而唐才常口中的“绝大题目”，就是以“起兵勤王”为名，率众起事，想趁此机会开创东南独立的局面。

但历史开了一个大玩笑，当时真正能实现“东南独立”的关键人物，不是唐才常，而是洋务派大腕张之洞。

浑水摸鱼，英国、日本两大国际黑霸势力，也都在拉拢张之洞。维新派的康、梁诸人，通过日本人向张之洞殷勤致意，想利用他在东南起事。而英国更是快人一步，为了在长江流域排除其他国家的势力，积极策划张之洞的“东南互保”，甚至想扶植张之洞在长江中游地区建立一个割据的“中华帝国”。

对于英、日两个帝国主义，唐才常感情上与张之洞一样，对他们一直抱有不切实际的幻想。早在1898年，唐才常就在《湘报》上撰写《论中国宜与英日联盟》一文，号召联英联日，抵制沙俄。这种思想，其实源于他两湖书院的经历。正是在那里，他阅读了不少从英文、日文翻译过来的书籍。从个人“关系”上看，张之洞创办两湖书院，不论依据旧中国的“潜规则”还是“明规则”，唐才常都算张之洞的门生。

恰恰恃于这些因由，唐才常在1900年8月9日，毅然自上海溯江乘船抵达汉口，落脚于汉口英租界与华界相邻的李慎德堂楼，准备亲自说谕张之洞，使这位“老师”成立东南“自立国”。

事实证明，唐才常这种想法，乃剃头挑子一头热的一厢情愿。

张之洞此人，与曾国藩、李鸿章没什么两样，宦海浮沉，多年的官场老政客，随世摇摆，劲断利弊。

作为朝廷大员，张之洞早就对唐才常和自立会有所警惕，他上报朝廷说：“长江一带，会匪素多，因之造为各种揭帖，纠众谋逆，实堪发指，亟应严禁！”

他奏折中所称的“会匪”，就是指自立会。也就是说，张之洞一直就想对自立会下狠手。

义和团之乱后，八国联军入侵，慈禧西逃，全国政局一片混乱。在这种事态未明的情况下，老谋深算的张之洞如水面上的鸭子，表面上与包括自立军在内的各派各帮虚与委蛇，底下双腿猛划，一刻不停。

在与各种送信人周旋的同时，他一直派出暗探侦察自立军的分布和动向。

本来，唐才常与诸人相约，要在1900年8月9日（光绪二十六年七月十五日）那天起事，而且是在汉阳、汉口、湖南、江西、安徽等地一时并起。

时间约定好了，人员分布下去，准备基本就绪，但独缺康有为事先保证发到的海外汇款。

英雄为钱发嗟叹！钱是英雄胆，没钱，唐才常心中无根，只得又派人去各地通知起义延期。但安徽大通的秦力山、吴禄贞二人没有及时得信，按时起义，终因寡不敌众，无人响应，被清军镇压下去。

惶急之下，唐才常拟定于8月23日（光绪二十六年七月二十九日）在武昌、汉阳、汉口起义，主要想夺取汉阳兵工厂后，攻占武昌，接下去率军西进，迎取光绪帝归大位，"复行新政，共奋中华"（梁启超语）。

当时唐才常手中的自立军，虚数有十多万人（理论上的数字），而康有为口头上准备汇来的钱，据说新近筹措了三十万美金（可能是鹰洋和龙洋混杂在一起，币种多多）。

康有为本人是如何想的呢？

这位南海"康圣人"，自认为大略雄才，运筹帷幄，决胜千里。但他一直是以"桂湘"为重地。也就是说，他机械照搬洪、杨"太平天国"进军的老套路，想先煽动广西起兵，然后过广东，入湖南。按照如此思路，在有了丰厚的人力、物力基础之后，可以挺进湖北，按部就班地出奇制胜，最终往北京迎扶光绪归大位。

为此，康、梁一直暗中"策反"时任两广总督的李鸿章，劝他拥光绪帝复辟，在英国支持下成立"自立国"。义和团之乱后，李鸿章北上议和，英国自然不再热心于康、梁的建议。

在这种情况下，康、梁两个保皇党巨头更对湖北局势拿捏不准，生怕巨款打了水漂。基于这种考虑，唐才常的武昌、汉口、汉阳起义，如果发起，就是偏师变成了主力。

仔细观察局势后，康、梁迟疑不决，故而汇款一直未发。

其实，从实际情况上看，唐才常太看重金钱的力量。即便康有为汇款及时送到，区区三十万，又能为十万之众提供多少天的支撑？

涉及“造反”这种灭宗灭族的大事，最主要是点燃起义人士头脑中的“精神原子弹”。后来1911年的武昌起义，无钱无饷，依靠区区一百五十发子弹，仅由几个下层士兵振臂一呼，不也是能推翻腐朽的清王朝吗？

造反，不是搭台唱戏。接连不断的临时改期，风险日益加剧，致使造反的消息逐步泄漏。

清廷的江汉道稽查长徐升派出的暗探很快就侦知唐才常自立军要在汉口、汉阳、武昌起事的情报，迅速上呈给张之洞。

多年的政坛经验，使得张之洞深深感觉到自己辖下“火药库”潜在的威力。于是，他决定先下手为强，力图先把处于“星星之火”状态的“自立军”灭了再说。

当然，在那个时代，张之洞难道不看与唐才常一直关系密切的英国人脸色吗？

他一定会看！

但是，那时的英国人，心底已经有了谱，正准备放弃手中唐才常这块筹码。

究其根由，世上没有不透风的墙。英国人明里暗里推动张之洞“独立”的事情，早已经为法国、德国诸列强知悉。他们当然要下决心粉碎英国人对长江流域的独霸意图。法德两国甚至出动军舰，在长江口耀武扬威，警吓英国和张之洞。

明争暗斗中，列强们达成了“保全主义”的默契。而保全主义的精髓，英国人赫德说得最直接，最露骨，最贴切：

> 各国于支那问题，大率不外三策。一曰瓜分其土地，二

曰变更其皇统，三曰扶植满洲政府。然变更皇统之策，无人足以当之，骤难施行。今日之计，惟有以瓜分为一定之目的，而其达此目的之妙计，则莫如扶殖满洲政府，使其代我行令，压制其民。民有起而抗者，则不能得义兵排外之名，而可以叛上之名诛之。我因得安坐以收其实利，此即无形瓜分之手段也。

也就是说，保全清廷，就能维护形式上中国的“独立”与“统一”。通过清朝这个“首席执行官”，董事局的各位洋人大佬们就可以堂而皇之地瓜分中国的利益。

消除了英国人干涉的隐忧，张之洞自然得心应手。于是，他先行照会英国驻汉口领事，得到签字允许后，派兵进入英租界。

对于英国人的出卖，唐才常一丝戒备也没有。自恃是亲英派，他做梦也想不到平时道貌岸然、满口信义的英国人会把他给“卖”了。

所以，清军的搜捕行动，一点没有“戏肉”的惊险成分。

设在李慎德堂的自立军总部被一锅端，而正在租界内宝顺里居所中商议大事的唐才常、桂圭等领导人物，尽数落网。

面对如此要案、大案，张之洞派出做主审官的，却是京汉铁路总办郑孝胥。高坐于大堂之上，面对着傲首而立的“逆犯”唐才常，郑孝胥如坐针毡。

两人是老相识！

戊戌变法中，郑孝胥也属于维新派，与谭嗣同、唐才常是“同志”关系。而且，数月前在日本，二人还秘密见面，共商劝张之洞在东南“独立”的事情。

唐才常打破尴尬气氛，佯装不识座上的郑孝胥，厉声喝问：“堂上所坐何人？姓甚名谁？”

堂上胥吏依常例，高喝顿棍，镇唬唐才常。

郑孝胥摆摆手，示意堂吏噤声，自报家门："我，郑孝胥，福建人氏，现为京汉铁路总办。"

唐才常若有所思："哦，原来你就是郑孝胥。戊戌年在京城，皇上（指光绪帝）亲自接见你，特旨恩赏你为道员，派在总理衙门办事，君恩不浅啊！"

郑孝胥默然。

突然，唐才常顿足喝道："作为'戊戌变法'同仁，你应该知道我的为人。我们不是大逆造反，而是奉旨讨贼！那拉氏妄踞天位，卖国割地，幽辱圣上，罪恶滔天……"

于是，唐才常慷慨激昂，滔滔不绝，不仅郑孝胥呆坐静听，厅衙里如狼似虎的胥吏们，也犹如中了魔障一样，默然耸然，仔细听着唐才常的宣讲。

听毕堂下"犯人"的慷慨陈词，郑孝胥的脸，青一阵，紫一阵。

最后，他只得降阶行礼，当着众人面对唐才常说："从公从私，我都无权审问唐先生，就此别过，我向总督请示，回避这个案件……"

言毕，郑孝胥匆匆而去。

皮球踢回给张之洞，使得老奸巨猾的张大人倍感踌躇。

"动辄杀人，大非佳兆啊。"他故意装出为难状。

但是，时任湖北巡抚的于荫霖深恨会党，坚持要杀人以儆效尤。

于荫霖，字次棠，乃清末一代名臣。1878年清朝贵族崇厚擅自与沙俄签订丧权辱国的《里瓦几亚条约》，正是他率先挺身而起，与张之洞等人联名弹劾崇厚，使得清廷下旨宣布不承认《里瓦几亚条约》。在湖北任职期间，这位翰林出身的一方大员，更是清廉爱民，严惩贪官。所以，对历史人物下评判，有时难以用"好坏"二字妄下判语。

为了避免官场纠纷，张之洞私下对主持审讯的郑孝胥说："唐才常一案，无论谁审他，他都难逃一死。最好不要对外广为声张，从速结案！"

张之洞如此说，自然有他的道理和隐衷。自立军的首脑唐才常，是他两湖书院的“门生”。而此前在安徽大通领导起义的吴禄贞，又是他亲自签署批准前往日本留学的士官生。如果细审深究此案，还不知广牵出多少与自己有瓜葛的人。

唯恐夜长梦多，为保全自身，张之洞下令迅速对唐才常、林圭等所捕得的二十多人加以秘密处决。

此举，也完全断绝了日后维新派、革命党人对张之洞、李鸿章这些洋务派大佬的幻想。

“改良”的希望一旦破灭，只剩流血一条路了。

湖湘之地，人杰辈出。自太平天国乱起，曾国藩独擎大旗，胡林翼、彭玉麟、左宗棠等人，佼佼争辉，削平大难，名震中华。继谭嗣同“戊戌变法”失败后，又有唐才常、林圭这样的刚烈义士，舍身为民，临危不惧。

仅自立军一案，被杀湘籍青年，就有五十多人。

话说唐才常先前自上海赶赴湖北后，梁启超、蔡松坡也从东京潜回上海。于是，受唐才常之托，蔡松坡前往长沙劝说威字营新军首领黄忠浩（字泽生）起义。

唐才常的这位湖南同乡黄忠浩很爱才，他大不以为然，高声怒骂道：“梁任公（梁启超）、唐佛尘（唐才常）二人，自己谋逆也就罢了，奈何牺牲大好有用青年！”

蔡松坡反复劝说，皆无效，只得任由黄忠浩把自己软禁一样“保护”起来。

而惦念蔡松坡行踪的梁启超，在上海码头买了船票，想冒险去汉口寻找蔡松坡下落。结果，那艘船因货少提前驶离码头，使梁任公错失了搭上这艘“不归号”轮船的机会。

由此，梁、蔡二人躲过张之洞武昌杀人的一大劫。

蔡松坡，听着这么耳熟，他是谁呢？对，他就是蔡锷！

蔡锷，原名艮寅，出身于湖南宝庆府（今邵阳）一个普通农家。此人乃神童，十三岁中秀才，十六岁就考入湖南时务学堂。当时，梁启超是中文总教习，谭嗣同是学堂总监，唐才常是主要的授课教员。所以，他和维新运动的诸位首领，亦师亦友，感情深厚。

得知唐才常死讯，蔡艮寅心如刀割，失声痛哭。泪干之余，他改名为“锷”，其深意乃“砥砺锌锷，重新做起”。

蔡锷遁回东京后，投笔从戎，进入陆军士官学校，坚定了流血革命的信念。武昌起义后，时在云南的蔡锷发动了昆明“重九起义”，成功后出任云南军政府都督。日后讨袁第一枪，也是由唐才常的这位高足率先打响。

在日本，追思谭嗣同、唐才常二位先烈，蔡锷作《杂感》十首，现摘取其二：

其一

前后谭唐殉公义，国民终古哭浏阳。
湖湘人杰销沉未，敢谕吾华尚足匡。

其二

贼力何如民气坚，断头台上景怆然。
可怜黄祖骄愚剧，鹦鹉洲前戮汉贤。

唐才常的死，不是一般的牺牲，而是20世纪中国的一个重大事件。

他一个人的流血，预示着清朝的覆亡。“其后武昌倡义诸人，多其部下，孙武亦自此出。”（章太炎《稽勋意见书》）

正是他的头颅所掷之处，血迹斑斑，让中国许多有识之士意识到，与其受清廷奴役驱使，不如振臂一呼，翻身成为主人。

“倚剑登高望八荒，无边秋色正苍茫。”

当唐才常等人的鲜血在武昌滋阳湖畔的大地上凝固的那一刻，一个崭新中国的曙光，正渐趋明亮……

附：无论如何想不到的是，唐才常大英雄，身后竟然出现了一个汉奸儿子唐有壬。唐有壬（1893—1935），字寿田，早年毕业于日本庆应大学。曾任湖北省银行行长，在国民党历史上，他是仅次于汪精卫的第二号汉奸。1932 年 1 月 28 日，日军发动“一·二八事变”进攻上海。唐有壬时任国民政府中央政治会议秘书长，竟然向日本间谍川岛芳子出卖重要情报，结果使得日本在摸清国军底牌的情况下结束了“一·二八战事”，尽得大利。1935 年 3 月，趁国民党政府与日本签订《何梅协定》和《秦土协定》之际，他为日本主子鞍前马后地奔走，倚仗自己国民党元老的身份打探情报。12 月 25 日，他在上海寓所被国民党特工人员刺杀，时年 42 岁。地下相逢同父子，人间读史各君臣。黄泉见面，想必唐才常不会饶过如此孽子。

赤血横流洗乾坤

史坚如、吴樾、徐锡麟的无悔青春

“非隆隆炸弹，不足以惊其入梦之游魂；非霍霍刀光，不足以刮其沁心之铜臭！”

这是中国留日学生杨毓麟（1872—1911）的振臂高言。1902年，他在《新湖南》杂志中发表文章，反复呼吁国人对清朝的反动官吏应该采取激烈的肉体消灭手段。

1903年，为了反对俄国入侵中国东三省，在日学生、侨胞爱国热情澎湃。随之，由于“拒俄义勇队”受到日方压制，爱国者们就把组织更名为“军国民教育会”。

这个团体的中心目的，就在于“养成尚武精神，实行爱国主义”。而手段方面，他们明明白白排列如下三种：鼓吹、起义、暗杀。

清末暗杀之风，有两次高潮。

第一次，是1903—1904年。由于拒俄运动的兴起，在日留学生的暗杀风潮兴起，《苏报》《浙江湖》《女子世界》等刊物如雨后春笋，无不鼓吹暗杀。其中最有名的文章，当属《中国白话报》上以“无名道人”为笔名发表的《论刺客的教育》。在这种暗杀主义的鼓动下，易本羲谋刺铁良于南京下关、王汉谋刺铁良于河南彰德、万福华枪击王之春于上海英租界（统称“甲辰三暗杀案”），加上稍后的吴樾炸五大臣，一时间暗杀理论成实际，蔚然风起。

暗杀的第二次高潮，为 1907—1908 年。由于同盟会丁未、戊申几次起义的失败，党人冀图以暗杀手段来振奋同志精神，鼓舞革命意志。

1905 年俄国革命的风潮，加上欧美各国革命史上的暗杀事例，刺激、吸引了大批党人把理论诉诸行动。同盟会的机关报《民报》，在 1904 年春刊的增刊号刊载了烈士吴樾的《暗杀时代》。这篇系统介绍暗杀目的、手段、志向的文章，文笔淋漓，反清旨意鲜明，而作者吴樾本人又亲携炸弹舍身殉义，故而在当时造成非常广泛、强烈的影响。

老一辈同盟会会员，都把暴动和暗杀列为革命必备的两种方法。

蔡元培、吴樾、宋教仁，包括孙中山（惠州起义前他亲派史坚如去广州进行暗杀活动）无不如此。就连黄兴这样的革命党首脑级人物，也几次想亲自去施行暗杀，最终皆为手下所阻而已。

黄兴说："革命与暗杀二者相辅而行，其收效至丰且速。"

老同盟会员认为，当时的人民，尚未觉醒。革命党对清政府，心欲去之而力不足，只能用暗杀加暴动，双管齐下。而炸弹、手枪、匕首，种种强力而导致的对清朝达官巨吏的暗杀，第一容易成功，第二暗杀者本人可享"光荣名誉"，第三能促成下层民众觉醒，第四可促进社会"进化"。

更进一步，暗杀过后，清政府必然大行压制杀害手段。如此大的反动力，会愈加引起人民更强烈的反抗。

终极目的，暗杀为因，革命为果。

中国 20 世纪的暗杀风潮，深受俄国民粹派的影响。革命先行者们一直试图"西验欧洲，东观日本"。他们研究过后，总结出一条规律：革命之先，暗杀可以广播火种。

所以，陶成章、胡汉民、章太炎、汪精卫、陈天华、秋瑾等人，皆对暗杀手段加以推崇。

秋瑾的诗，更激励过无数仁人志士慷慨赴死：

抟沙有愿兴亡楚，博浪无锥击暴秦！

当时，著名的“暗杀团”，大概有七八个：军国民教育会所属的暗杀团（黄兴等）、上海暗杀团（光复会，蔡元培等）、北京暗杀团（吴樾等）、同盟会东京总部暗杀团（方君瑛等）、支那暗杀团（刘思复等）、成记洋货店（李应生等）、京津同盟会（汪精卫等）以及陈独秀在安徽的“岳王会”等。

在辛亥革命前后的一段时间内，从 1900 年史坚如谋炸两广总督德寿开始，到 1912 年彭家珍炸死良弼止，付诸行动的暗杀，共五十多起。虽然成功的次数不是很多，但影响巨大。

有一些辛亥革命研究者简单地把暗杀活动归结为武装起义失败后悲观失望情绪的发泄或是革命“走捷径”的侥幸，实缺公允。

暗杀，是革命党一向的既定方针，是为了唤醒国人迷梦、清除元凶巨憝的有目的的活动。

历史不能简单化，深入思考，方可探其究竟。

大好头颅何轻掷

为什么辛亥革命时期暗杀多

暗杀，在清末那个特殊的年代，绝不能与当今所谓的“恐怖主义”画上等号。

辛亥革命义士的暗杀主义，乃中国古代游侠刺客精神与西方资产阶级革命暗杀活动的结晶，是典型“中西合璧”的产品。

自 1900 年到 1910 年十年间，革命党人最钦服的，乃俄国的“虚无党”。“虚无党”，就是俄国的民意党（他们自称“国家主义者”，而并非一般人认为的“无政府主义者”）。

革命党人中的刺客，主刺人很少有为金钱杀人的职业刺客，大多是出身良家的大好热血青年。他们从事暗杀的目的是促成革命，推翻清朝统治。

不过，在当时党人之中，也有不少人把俄国的无政府主义与社会主义相混淆，以为“无政府”主张和党人理想中的乌托邦是一个概念。这并不要紧，手段是“无政府主义”的，并不妨碍目的是“革命”的。

同盟会等革命党人确实在许多地方与俄国的民粹派声气相通。因为，二者的“英雄史观”相同，即他们都认为自己是先行先知的“英雄”，而麻木的人民，则是待警醒的“群氓”。只有依靠英雄的个人，才能唤醒迷醉的群氓。

也就是说，少数英豪血淋淋的人头，可作广大群众的指路明灯，引导和推动革命。

俄国的民粹派、民意党人，其实比同盟会走得更偏、更远。他们一直幻想通过干掉沙皇这样一次性的行动获取全胜。所以，暗杀成为他们唯一的手段。当这些人干掉了亚历山大二世之后，就不愿再进行暴力抗争。他们甚至上书亚历山大三世，希望沙皇能进行自上而下的改革。

相比之下，中国的革命党人，大多数要比俄国民粹派清醒得多。他们只把暗杀当成革命重要的手段之一,一直努力联合各层阶级，策划新军，以此起彼伏的暴动和起义，最终推翻了中国数千年的帝制。

中国革命党的暗杀，具有鲜明的历史烙印。他们倾慕司马迁笔下的豫让、聂政等人，但又摒弃了“士为知己者死”的私恩。他们明白表示，他们所进行的暗杀，目的是“宏大汉之声”，是“种族之恩，祖国之恩”，是“为民请命”。

在承继了古代中国侠客敢于牺牲、不畏强暴、一往无前的精神之外，革命党人发扬光大，力倡勇敢之风，力提矢志不渝之气。其目的，就在于浇铸中华新民族之魂。

每个携枪携弹去行刺的革命者，对于自己的结局都一清二楚：不是宰割凌迟，就是枭首挖心。

舍生忘死，玉石俱焚。他们之所以能够如此慷慨赴死，无外乎有着这样坚定的理念：

与其奴隶以生，不如不奴隶而死！（吴樾语）

当然，清末暗杀盛行的原因，除了革命哲学的灌输以外，还有章太炎等人佛学虚无主义哲学的影响。

章太炎主张用宗教催发人民信心，增进国民道德。为此，他不断宣讲法相宗与华严宗佛学。二宗之学，就是讲在普度众生之时，头目脑髓，均可施舍予人。万法唯心，一切有形之相，无形的法尘，皆为幻见幻想，并非实有。

有此种信仰铺垫，仁人志士自可勇猛无畏，以达致群志成城的目的。

章太炎为了鼓动青年为革命而死，为了使行刺的勇士们觉得自己抛洒热血是“普度众生”，就一直宣扬大开“自戕成仁”之风。有了此种精神麻醉剂，革命青年更能“轻去就而齐死生”。

“一缘既绝，万念俱消。”有了精神的原动力，革命者自可蹈死不顾，潇洒赴死。

暗杀真的有作用吗？当然有！而且非常大。

“长梦千年何日醒，睡乡谁遣警钟鸣！”

炸弹、匕首、子弹，惊雷贯耳，惊醒沉睡的国人。

史坚如、万福华、王汉、吴樾，一个又一个烈士以身殉国，激发了中国国内以及海外有志青年杀身成仁的伟大志气，打破了国人对清王朝虚伪立宪的迷梦。

暗杀活动不仅陷前朝大小官员于恐怖之中，也使悍酋大吏们谈虎色变，不敢再轻易对党人施以辣手和毒手，甚至出现过这样的怪事——清朝人在北京的宗贵，往往暗自遣人去东京，向同盟会出万两白银以“购买”自己脑袋平安在颈的机会。

数次暗杀活动，最有成效的，当属彭家珍刺杀良弼。这次暗杀，也从最关键处促成了清朝的覆亡。

难怪良弼临死时，他自己都叹言：

“炸我者，英雄也。我死，大清遂亡！”

无须讳言，革命党人的暗杀策略，也有其大缺欠的一方面。首先，他们意识中存在着简单化的肤浅，以为中国的积贫积弱，乃几个清朝大头目所造成，只要宰掉他们，革命就能迅捷成功。此外，暗杀活动进行的时候，他们深知自己羽毛未丰，不敢“扰累”地方，不敢“惹外国人干涉”。又次，各个暗杀团体，山头林立，各行其是。

更天真的是，一些革命党人，一直迷信金钱的力量，“每做一事，开口便道没钱”。所以，出于这种“经济”考虑，不少革命党人觉得：暗杀，只需一两条人命和炸弹，如此去做，从经济角度上“便宜省俭”。换句现在的话说，暗杀这种革命手段，可称“成本低廉”。

暗杀活动最消极的一面，还在于有时会误伤无辜，引起普通民众的反感。以史坚如炸德寿为例，他在地下埋烈性炸弹，德寿本人只被炸下床，毫发无损。而宅前园后的广州平民，反被炸倒的房舍压死压伤多人。如此，则给了清政府以口实，借以煽惑群众，诬蔑革命。

无论如何，那些已经超越时代局限的革命者个人，他们坚韧不屈，百折不挠，以个人英雄主义为激励，声称“人为其难，我为其易”，抛头颅，洒热血，以身殉志，以命酬国，这种大英雄的作为，真真让后人扼腕赞叹。

所谓暗杀手段的是与非，《民报》第18号上以“寄生”为笔名的一个革命者所言最为恰允：“先审其敌，次观其志，而后是非乃略定。”

以下，笔者描述一下辛亥革命期间影响最烈的三个暗杀行动英雄：

史坚如、吴樾、徐锡麟。

百粤山河照眼雄

史坚如刺德寿

在广州越秀区的吉祥路，有个“新墙头街”。街上人来人往，一如广州其他街道，没有任何独特之处。

其实，此处原为清朝末期的巡抚衙门后墙，当时为史坚如所埋炸药炸塌。修复之后，新墙有别于昔日的老墙，故称“新墙头”。沿用至今，成为街名。

史坚如，名久纬，字经如。他后来嫌其字文弱，改为坚如。

史坚如原籍绍兴，出生于广东番禺（今属广州），六岁即丧父，由母亲抚养成人。

史坚如自幼就不喜八股文章，喜谈古今治乱，精研地理天文、兵法政治之学，深慕中国历史上轰轰烈烈的大英雄所为。

所以，他身为文弱书生，内心却激昂壮烈。

甲午战争后，清朝丧权辱国，与日本签订《马关条约》。史坚如时年仅十六岁，闻此讯，他悲愤异常，对同学讲：“今日中国，恰似千年破屋，败坏至极，不可收拾。不尽毁之而妄图更新，不能救中国！”

于是，从那时起，史坚如忽忽如狂，终日走马习武，甚至延请日本武士教他击剑，以增强体魄。

待到戊戌变法失败、谭嗣同等人被杀消息传来，史坚如更加悲愤，对清政府完全绝望，并大骂慈禧：“此老妇真真可杀！”

不久，他进入广州的格致书院学习。这个学校乃美国人所开，属于教会学校。在这里，他受到西学熏染，结识了许多与自己年纪相仿的有为青年。读了革命著作后，他深慕孙中山的革命学说，坚定了投身革命的信念。

需要提及的是，史坚如虽年幼丧父，其家却是当地富室，田产房屋很多。为了赞助革命，他一直想以低价尽售家中土地房屋。最终，却因价钱过低而无人问津——乡邻均窃议："史家根本不缺钱，如此低价售卖产业，难道其中有诈？"

几经周折，他还是把不少财产变现，把母亲接到澳门居住。然后，散尽万两白银，用以资助、交结各方会党及革命人士。

后来，在广州的"东亚同文会"广东支会的负责人、日本人高桥谦与史坚如相识。二人一见如故，欢谈良久。通过高桥谦，史坚如尽知孙中山等人在东京等地的活动，就欲去日本一游，拜见孙中山。

去日本之前，史坚如先到了香港，见到了"革命四大寇"之一的陈少白，并在他介绍下加入了兴中会。接着，他在上海、湖北等地游历，与革命同志畅议天下形势，为日后的起事做精神和物质准备。

以留学为名，史坚如日本之游成行，终于在东京与孙中山见面。二人深谈十余日，一见倾心。

对于这位翩翩美少年，孙中山嗟讶不已，认定他是"命世之英才"。

在孙中山劝说下，史坚如放弃留学计划，回国策划革命。他先到香港，协助陈少白兴办《中国日报》，在理论上大力宣传革命。

1900年，趁义和团乱起、八国联军侵华之际，孙中山决定在广州、惠州二地发起武装起义。

本来，两地准备同时举事，在惠州起义的同时，史坚如将与广州清军中的部分人员及东江、西江、北江三地会党分子共同向广州发动进攻。

正在筹备间，惠州起义先发，清军两万多人前往镇压，局势凶险。为了最大限度减轻惠州方向起义军的压力，史坚如准备采用暗杀手段，先干掉广东巡抚兼署两广总督德寿（两广总督原本为李鸿章，当时他北上与侵华的八国联军谈判）。然后，再准备联合会党、军人攻占广州。

德寿乃清廷封疆大吏，保卫十分严密，向他投弹或者开枪行刺，都非常不易得手。

思来想去，史坚如就决定用炸药炸毁巡抚衙门，给德寿一家来个连锅端。

他先以朋友宋少东名义，在德寿官宅的后花园附近租了一间民宅。1900 年 10 月 23 日，他本人与几位同志搬入此宅，并搬入从香港购置的烈性炸药二百多磅。

10 月 26 日晚，几个人连夜在屋中刨地，开挖出一条深约五尺的通道，把满装炸药的铁罐陆续放入。到次日凌晨，工作基本就绪。史坚如亲自点燃一根香，把另一头拴在炸药引线上，然后匆匆离去。行前，几个人相约，分开出城，在江边开往香港的轮船上会合，一同逃往香港。

都快上船了，谁也没听见爆炸声。

史坚如不放心，独自一人回返，检查炸药。原来，粤地秋日气潮，引线失灵，炸药未被引爆。

他决定独自一人留下，准备再次进行爆炸的任务。

10 月 28 日，在屋中小睡片刻的史坚如起身，仔细放灯引线，重燃一根香，然后离开了那间房子。

基于上次未能成功的教训，史坚如并未马上远走。他来到西关的华人传教士毛文明（此人也是兴中会会员）家中，静待消息。

不久，轰隆一声巨响，爆炸似乎成功。

炸药肯定响了，但德寿不知死活。为了证实德寿是否被炸身亡，史坚如冒险亲乘一轿，到事发地点察看。

现场一片乱哄哄，衙役、平民乱窜。

最后，消息令人大为气馁。他打听到，花园附近的平民被炸死炸伤几个，德寿本人只被震下床榻，连轻伤也未受。

懊恼之余，史坚如仔细检讨暗杀行动，最终认定是雷管太小，导致部分炸药未被引爆。

确实，二百多磅烈性炸药，德寿卧房如许近，足以把他全家送上西天。当然，还有另外一个可能，是他们地道挖偏，距德寿睡房太远。

史坚如下决心再举。

于是，10 月 29 日，他准备乘船去香港重新购置炸药。

不料，清廷密探郭尧阶眼线多，一直跟随史坚如。在他即将登船之际，化装的捕役虎狼般涌上，把他当场逮捕。

在南海县衙，清朝官员施尽酷刑，拔光了史坚如的手指甲，遍笞其体。

这位自幼娇生惯养的少爷，一直傲睨自若，只称主谋是自己一个人，未供出任何党人行踪。

由于他是基督教徒，华人传教士、美国传教士急忙把美国领事请来，与清政府交涉放人。

清政府拒绝放人。一是史坚如本人坦然承认放炸药，二是他身上有一份德文书写的炸弹配方，属于“人证物证俱全”。

11 月 9 日，清廷在广州天字码头处决了史坚如。

年仅二十一岁的美貌青年，为革命事业喷洒了他一腔热血。

史坚如为人，观其相片，一长身玉立美男子，潇潇洒洒，恰似文弱书生。

日本人宫崎滔天在他《三十三年落花梦》中，曾这样赞叹道：“彼十八岁少年（应为二十一岁），貌美如玉，温柔如鸠，先天下之忧而忧……”

被砍头之前，狱吏问他有何话要说。

史坚如微笑：“悔矣，恨矣！”

监斩的清官好奇，忙过来套问：“悔什么，恨什么？”

史坚如朗言：“悔甚！恨甚！悔德寿未死，恨我自己先行，没有炸死这个满贼！”

百烈刚肠如火热

吴樾刺五大臣

吴樾（1878—1905），字梦霞（孟霞），安徽枞阳人。他出身于清贫之家，年少失怙，由兄长抚养成人。性格早熟，遍览群书，青少年时代就已经遍阅诸子百家，作得一手极好的古诗词，但最恶八股文。

二十岁出头，在浙江、上海闯荡几年的吴樾进入保定高等学堂学习。正是在那里，他接触到了最先使他走上革命之路的书籍——《革命军》《警世钟》《自由血》《扬州十日记》《嘉定屠城纪略》……这些书籍，或讴歌自由，或揭示清朝入关暴行，或导引革命——由此，本来倾向于君主立宪的青年，一变而成为坚定不移的光复志士。

数年之间，吴樾所识好友，均为中国近现代史上鼎鼎大名的人物：陈天华、赵声、蔡元培、张榕、章太炎、秋瑾、陈独秀等。

不久，由于人在保定，吴樾加入光复会之后，担任“北方暗杀团”的支部长。

说起暗杀团由来，还有一段故事可讲。1903 年 4 月 29 日，由于昏庸腐败的清朝政府暗中与沙俄签订卖国密约，在东京的留日学生五百多人召开大会，组织“拒俄义勇队”，其中包括黄兴、陈天华等人，大家准备去东北抗击俄寇。清政府侦知此事后，认定这些人名为拒俄，实为革命，就与日本政府私下交易，就地弹压学生军。

被日本政府强行解散后，“拒俄义勇队”改称“军国民教育会”。这一次，学生们组织严密，汲取会党经验。他们自制圆形镍币徽章，一面刻轩辕黄帝头像，一面镌有如下誓语：“帝制五兵，挥斥百族。时维我祖，我膺我服。”明白地显示出恢复中华之志。

在秘密聘请俄国、日本武师教习格斗、爆炸、刺杀技能的同时，军国民教育会又派出数路人马回到国内，在各地组织革命暗杀团体。

当时，清政府内外上下，立宪呼声高昂，不少人沉迷于此，幻想清廷能发愤图强。

吴樾本人十分激进，也十分清醒。他认为，这种名义上的“立宪保国”，实际上仍旧是清廷的花招。即使立宪成功，最后保的，仍旧是满人，而不是兆亿汉人。

于是，他自排名单，列出了下列数位必定要刺杀的目标：奴汉族者那拉氏，亡汉族者铁良，保清朝的汉人封疆大吏张之洞、袁世凯、岑春煊……

1904 年至 1905 年，义士万福华和王汉在上海、河南行刺清朝巡抚王之春及户部侍郎铁良，均以失败身死告终。

当时，正在保定创办《直隶白话报》宣传革命的吴樾愤然而起，高言“手持三尺剑，割尽满人头”，决定舍文就武，去北京亲自刺杀满族青壮派代表人物铁良。他暗杀的目的很明确：“逆贼铁良一杀，而载振、良弼辈必起而大行压制之手段，将生不尽灭我汉族不甘心之志！噫！幸乎，不幸乎？吾敢断言：幸事，幸事！”

吴樾的意思就是想杀铁良后，清政府越镇压，越杀戮，就更能唤起人民奋起反抗之心。

这时候，吴樾在保定高等学堂学业已满。他放弃接受毕业文凭的机会，先前往清朝发迹地辽东等地游历，与张榕等人沿途密议，准备寻机入京师行刺。

张榕比吴樾小七岁，当时才二十岁。这位少爷，祖上乃汉军镶黄旗，正宗的汉军旗人之后。他家财巨富，籍又在旗，却在革命思想鼓动下，一生以“皇汉”自居，时刻准备暴动反清。

来到北京后，吴樾在安徽会馆租房住下，一边等待时机，一边写下他著名的《暗杀时代》。他断言道：

> ……今日为我同志诸君之暗杀时代，他年则为我汉族之革命时代！欲得他年之果，必种今日之因。我同志诸君，勿

趋前，勿步后，勿涉猎，勿趔趄。时哉不可失，时乎不再来。手提三尺剑，割尽满人头！此日，正其时也！……欲思排外（洋人），则不得不先排满。欲先排满，则不得不出以革命！革命！革命！我同胞今日之事业，孰有大于此乎！

1905年9月24日，清朝的辅国公载泽、兵部侍郎徐世昌、户部侍郎载鸿慈、湖南巡抚端方、商部右丞绍英五人准备出国考察，时称“出洋五大臣”。

此前一天，吴樾已经得到了五大臣行程的详细情报，就决定在前门火车站用炸弹行刺。

9月23日晚，吴樾、张榕二人在安徽会馆招待老乡明日聚饮。

席间，吴樾欢歌慷慨，言笑从容潇洒，望之英气如云。当其时也，他已抱必死之心。

转天早晨，前门车站，铁路局提前预备的五节专车在前门车站待发。中间一节，乃五大臣所乘专车，前后四节，是供随员乘坐及载运仆役、行李的车厢。

火车预定十点出发，可八点一过，不少人就络绎而来。清朝官员讲排场，除五大臣以外，前来送行的大小官员，站满了站台，赤乎乎一片红顶子。

吴樾本来穿着学堂操衣上站台，被衙役拦下。他只得匆匆出站，临时买了一套类似随行仆役的号衣穿上。皂靴棉袍，红缨帽。凭借这身服装，吴樾得以混杂在五大臣随员中上了火车。同行的张榕本想也随之上车，但人群涌动，把他挤到了送行人群的后面……

杀人心切，吴樾怀揣炸弹，瞪眼伸头，就往五大臣的花车里面闯。他即将入得花车时，被通道内卫兵拦截盘问。

吴樾解释自己是五大臣手下仆从。他不说话倒好，一说话，露出了很浓的安徽口音。

卫兵大疑。因为，五大臣的仆随，都应该是一口京腔才对。

警疑之下，卫士们把吴樾拦住，七手八脚，准备扭送他下车。

见此情状，吴樾大叫一声，忽然掏出炸弹砸向地面。

当时的手工炸弹，多用“银药法”，即用水银装在炸弹里，扔出时威力巨大。但水银和硝酸，特别容易发生反应，非常不保险，该响的时候不响，不该响的时候总响。最次的方法，乃以导火索点燃普通黄炸药，当时那种情景，吴樾事先已经想到，根本没机会点火。

所以，事前，吴樾采用的是“撞针法”炸弹。即炸弹扔出后，撞针触击，引爆炸药。

轰然一声巨响，血肉横飞，吴樾本人腹溃肠流，当下牺牲，卫士、衙役被炸死好几个。

五大臣呢，却因为吴樾提前被卫士拦住，中间隔有一段距离，没有一个人受到致命的炸击，只有绍英受伤较重，流血不少，也非致命伤……车厢内一片狼藉，人肉、鲜血、木屑、各种碎片，满地都是，车厢顶部也被炸开一个大洞。五大臣惊惶失措，或躺或趴，个个摸自己脖子上的脑袋……

慈禧听说此事后，又惊又怕又恨，立刻下旨让肃亲王耆善亲自主持侦查工作。后怕之余，她严命军队加强颐和园的警戒，生怕有人把炸弹从墙外扔入。

细心人可发现，现在的颐和园北宫门围墙，最上三尺是后加的，正是当时吴樾刺杀事件所导致。

当时，吴樾本人的身体，已经遭受炸弹碎片重创，但头颅完好无损，虽身体血肉淋漓，刚毅面庞依旧怒目圆睁。

清政府马上把他的人头用药水保存起来，进行拍照。然后，印出数百份相片，发给城内的侦探，让他们遍持照片，四处找人认看。

事情真是节外生枝。安徽会馆没人认出吴樾，倒是桐城会馆一个小女孩记性好，说这个人是在我们这里住过的“吴公子”。

拔出萝卜带起泥，张榕最后也被搜捕。

查来找去，差役们在安徽会馆吴樾住房的枕头下，找到了一封信，乃大英雄的绝笔。

在信中，他详尽说明行刺乃他一人所为。好汉做事好汉当，因此避免了牵连许多安徽老乡入案。

更可歌可泣的是，吴樾未婚妻听闻心上人殉国消息，立时自刎殉夫。

吴樾的本名是吴越，清廷审“逆犯”，总要篡改犯人姓名，或把张洛行改成“张落刑”，或就像这样在原名前加一偏旁部首，以示鄙蔑。但吴樾就此而大成其名。

吴樾死时，年仅二十七岁。

在如今的太平盛世，夜读《暗杀时代》，依旧让人血液沸腾：

> ……以复仇为援兵，则愈杀愈仇，愈仇愈杀。仇杀相寻，势不至革命而不已……予愿死后，化一我为千万我，前者仆而后者继，不杀不休，不尽不止，则予之死为有济也！

誓灭胡奴出玉关

徐锡麟刺恩铭

给笔者印象最深的徐锡麟照片，有两张。

第一张，是他身穿巡警学堂制服的戴帽照片，戴深度近视眼镜，文质彬彬，极其儒雅；第二张，是他就义前着囚服、戴镣铐的遗照，目光坚定，含笑怡然。

正是在拍了这张照片后，他被清朝斩首剜心。等待这位大汉义士心肝的，还有恩铭数位卫士。这些奴才鹰犬，为了给主子复仇，烫热烧酒，竟然以大英雄徐锡麟的心来下酒……

“功名富贵，非所快意。今日得此，死且不悔！”临刑前，年仅三十四岁的徐锡麟对清朝监斩官慨言。

徐锡麟（1873—1907），字伯荪，别号“光汉子”。浙江绍兴人。

他出身于中等地主家庭，父祖因多年为人做幕僚攒下不少家业。出生于这样的家庭，自不必言，青少年时代，他受到了非常系统的儒家教育。

与一般“文科”思维不大一样的是，徐锡麟自少年时代就喜欢天文数算，中秀才后，更自制天文望远镜，仰望星空，探寻奇奥。

他十五岁那年，与本县门当户对的王氏成婚。而后五年，红袖添香夜读书，徐锡麟循规蹈矩，终于在光绪十九年（1893年）考中了秀才。

但是，清朝政府腐败无能而造成的国家糜烂，最终使得两耳不闻窗外事的徐锡麟再不能“一心只读圣贤书”。特别是甲午战争后，《马关条约》的屈辱，戊戌变法的影响，使得这位文质彬彬的绍兴青年热血沸腾，开始对国事天下事急切地关心起来。

为了效仿当年刘琨、祖逖“闻鸡起舞”的故事，他习武强身，终日在腿上绑沙袋，长跑疾行，强健体魄。

在清廷推行“新政”的大背景下，徐锡麟受聘为新式学校“绍兴府学堂”的副监督。他一面教育学生深造“理工”科目，一面终日带领学生跋山涉水，锻炼身体和锤炼意志。

1903年，徐锡麟得到公费去日本考察的机会。到了东京后，正赶上留日学生“拒俄运动”如火如荼地展开。目睹留学生慷慨为国的激昂，徐锡麟深受触动。

他回国之后，恰恰又发生邹容、章太炎因撰写反清文章而遭逮捕的“苏报案”，更使他看清了清朝政府的黑暗与凶残。

同年秋试，徐锡麟中副榜。当时，他已经对科举仕进完全失去兴趣，便回到家乡东浦创办初级小学。从此，他在东浦和绍兴两地奔走，终日劳碌，意在兴学强国。

激于当时沙俄瓜分我国东北的义愤，他在操场上竖立一“俄国人”草靶，日日以手枪实弹射击，一来练习射击技术，二来射之以泄恨。

每日数十次的射击，徐锡麟日后竟能弹无虚发，很有“神枪手”的风采。

1905年，为开阔视野，徐锡麟到了上海。在那里，他见到了浙江老乡蔡元培、陶成章、章太炎等人，并加入了光复会。这也标志着他终于成为真正的革命党人。

在蔡元培等人的开示下，徐锡麟年底返回绍兴，四下联络散布在民间各个行业内的会党人士，相约排满抗清。

两个多月里，他行走数县，不辞劳苦，黑道白道全介入，结识了不少会党首领，比如张恭、王金发（此人日后为秋瑾报仇，杀了好几个叛徒和告密者）等人。

在与会党“龙头”们的交往中，徐锡麟觉察出这些“黑道”团体在蕴有极大革命力量的同时，也缺乏凝聚力，组织涣散，各自为政。特别不足的是，他们的政治意识极其淡漠。所以，开办学堂对他们进行系统性训练，尤为必要。

这一年，徐锡麟还结识了秋瑾，并介绍她加入了光复会。

徐锡麟四方奔走，在东浦堂而皇之兴办“大通师范学堂”，遍开国文、英文、日文、历史、理化、体育、兵式体操等课程，每期六个月，结业文凭由绍兴官府发放。文凭的背面，记有暗号，作为日后起义的凭据。这样一来，大通师范学堂就成为各地会党在当地的落脚点和训练所，也成为光复会在浙江的指挥中心。与现在私人办学敛财误人子弟相反，徐锡麟当年赔本办学，一心只为革命。

在红红火火办学的当口，陶成章与徐锡麟想得更远。他们见同志中家境殷实的人不少，就商定鼓励富裕者出钱捐官，向清政府的陆军中进行渗透。

清朝末年，买官跑官是公开的，加上徐锡麟的表叔俞廉三又是湖南巡抚那样的封疆大吏，几封亲笔书信一写，徐锡麟等人很快就拥有了“道台”“知府”等官衔。

为了学习真正的陆战知识，徐锡麟在1906年去日本，准备进入日本陆军学校深造。

阔人亲朋多，当时，在横滨码头上，站满了前来迎接的绍兴老乡。其中，有一个平头小个子年轻人，站在人群后面，丝毫不起眼。徐锡麟没记住他，他却记住了徐锡麟。这个人，就是后来的“鲁迅”。

当日在日本负责留学生事务的王克敏，乃清朝老吏，嗅觉灵敏。他觉察到徐锡麟、陶成章等人不是善茬，千方百计阻挠他们入学。

忙了几个月后，未达成入学目的，徐锡麟只得悻悻回国。

当时，徐锡麟怀揣表叔俞廉三的推荐信，在北京待了一阵子，想进入清廷军事要害部门“练兵处”。

奔走数日，“练兵处”未去成，在表叔俞廉三的帮助下，安徽巡抚恩铭来信，要徐锡麟去他手下当差。

恩铭，字新甫，满洲镶白旗人，举人出身。1895年俞廉三任山西布政使的时候，他正当太原知府，二人相处得不错。当时，恩铭深得俞廉三栽培。为表知遇之恩，恩铭主动投帖，拜在老俞手下当“门生”。1901年，时署山西按察使的恩铭遇到天大好机会，外逃返京的“老佛爷”慈禧由西安过山西，恩铭伺候周到，接驾有功，从此仕途一帆风顺，先后当过两淮盐运使、江苏按察使的肥差。1906年，他得补安徽巡抚。

作为一方大员，恩铭自然感念恩师俞廉三当年的栽培。所以，他忙发信，让徐锡麟投奔自己。

临行前，在老家绍兴，徐锡麟与秋瑾会面，共商大事。他希望秋瑾在浙江急切寻觅革命人才，训练队伍，待时机成熟，浙皖同时起义，然后直取南京，占领长江流域的重镇坚城。同时，他也向秋瑾表示了自己此次安徽之行流血革命的决心。

秋瑾虽属女流，却不让须眉。她听完徐的计划，目眦尽裂，与徐锡麟相约，要为民族为国家流干最后一滴血。

1906年9月，徐锡麟抵达安庆（当时的安徽省会）去见恩铭。

见面之后，恩铭态度很热情，办事却不是十分积极。待了三个月，只给了徐锡麟安徽陆军小学堂“总办”一职。这个学堂只有一百多个学生。

恩铭虽官场多年，但此举并非辜负恩师俞廉三厚意，乃意在一步一步栽培徐锡麟，让他先从“基层”做起。

强忍住内心的失望、郁懑，徐锡麟韬光养晦，踏踏实实地办事，工作尽职尽责。不久，俞廉三又给恩铭写信，催他重用表侄。

恩铭不敢怠慢，加上徐锡麟口碑甚好，勤勤恳恳，就立刻升任他为巡警当堂会办。当时的一把手督办，是满人毓朗兼任。此人正职是安徽按察使，所以巡警学堂的实权，实际上全由徐锡麟掌握。

在巡警学堂内，有青年学生三百多人。为此，徐锡麟严格督课。他常常集合训话，向这些年轻弟子灌输民族振兴的思想，教育他们发愤图强。

当然，革命道理，不好明说。因为学堂教务人员中人多眼杂，其中的收支委员（即财务处长）顾松是个满人，对徐锡麟十分警觉，不时前往恩铭处告状。

恩铭也烦，对徐锡麟又不好说重话，只得把“恩师”的这位表侄唤入内堂，半吓唬半敲打地说：“有人说你是革命党，你一定好自为之，别惹出乱子！”

徐锡麟处乱不惊，也不多争辩，忙作揖回禀：“望大帅明鉴！”

恩铭摆摆手，示意他回去。他根本不相信顾松的话，但又不能完全没有表示。

为了联合军队中的反清力量，徐锡麟利用自己的官场身份，与不少新军中的中级军官打得火热。酒来茶往中，他逐渐和那些军人们摊牌劝导，结交了数位“把兄弟”。几个人歃血为盟，相约起义，推翻清朝。

打仗一定要考察有利地形，他和军官们相约，在（1907年）六月中旬，一起借郊游宴会为名，同去集贤关、码湖等地审验战争地形，准备起义后迅速夺取制高点和重要的军镇。

步步为营之际，上海的光复会却出了岔子。一个叫叶仰高的革命党人被捕后挨不住苦刑，在南京供出了党人名单（叶仰高这个人，日后会在辛亥革命南京战役中出现）。

他交代说，在安徽，有个名叫“光汉子”的人，已经打入政府内部。

两江总督端方立刻派人把名单交给安徽巡抚恩铭，让他即刻抓人。

由于徐锡麟本人还有一个“巡警会办”的头衔，恩铭就把他找来，让他即刻布置警力，四处下乡入镇，按名单上的人名抓人。

看到名单上“光汉子”三个字，徐锡麟倒吸一口冷气。这个别号不是别人，正是他自己！

他稳住心神，作尽心尽力状，立刻返回巡警学堂布置。

事情发展到这个地步，夜长梦多，徐锡麟只得加快起义的步伐。他立刻派人去上海速购起义所需的弹药，准备见机起事。

秋瑾方面从绍兴带信来，表示他们要在7月6日举行起义。

由于7月8日是巡警学堂甲班毕业典礼，恩铭等人必出席参加，徐锡麟就决定在当天起事，在现场杀死来参加毕业礼的满汉大员，与浙江起义相呼应。

岂料，恩铭看了时间表后，说7月8日是他把兄弟、高级幕僚张次山老母八十寿诞，他本人要去道贺。为此，他要求徐锡麟把毕业典礼提前，改为7月6日。

徐锡麟只得把起义日期提前。更让他意料不到的是，秋瑾返绍兴后，因当地情况有变，浙江起义推迟到7月19日。

对此，徐锡麟更不知情。

安庆方面，他身边真正知根知底的革命同志，只有马宗汉和陈伯平两个人。这二位，几个月前刚刚由上海来安庆。

听说马上要仓促起义，二人也慌，劝说徐锡麟缓发。

“箭在弦上，何可不发！你们放心，只要恩铭被打死，我就宣布自为抚台，带领学生军马上攻占军械所、电报局、制造局等要害地方，然后策反新军，直杀南京！……你们二人最要紧的事，就是刺死恩铭后，学生逃散的时候，一定要把住大门，不让他们出去。稳住军心后，发给他们枪械，让他们听从指挥。”

听上去，这个计划很详密。恩铭一死，其他官吏无兵符调不得兵，又无军械反抗。占领电报局后，又可掐断对外联系，似乎外界对起义事件不能马上知晓。但是，起义一旦爆发，猝发事件极多，他们根本没有任何应急预备之策。

简单布置过后，徐锡麟草拟起义公告，印了数十张，准备在起事后四下散发。

然后，他找出五支手枪，自留两支，其余三支交给马宗汉和陈伯平。

忙完这些，已经是7月6日的凌晨。

仅仅睡了三个小时，徐锡麟起身，装束停当，前往巡警学堂准备“毕业典礼”。

早晨八点钟，学生集合完毕。徐锡麟一身戎装，对下面开始训话，大致意思是宣传救国道理，并表示今天要采取“特别方法”，行动起来。

当然，“革命”的意思，他不能明说，仅大讲特讲“爱国”，其中又不断地说采用“特别方法”。堂中学生，皆听不明白他的言语真意。

不久，安徽巡抚恩铭乘坐八抬大轿来到。在众人簇拥下，他迈着四方官步，一脸笑容，步入这个黄泉道场。

按照清朝官场不成文的惯例，恩铭来到后，应该带一帮大小官员到花厅小憩，饮茶聊天。寒暄一会儿后，再办正事。

他刚落座，巡警学堂一直暗中伺察徐锡麟的满人顾松，悄悄俯在与恩铭同来的按察使毓朗耳边，说："徐道台今日有诈，望大人等不要多留此地！"

毓朗立刻转告恩铭，使得后者感到很不好办。

"俞廉三恩师的表侄，一直受我栽培，他又能干啥？"恩铭思忖。

毓朗趁机起身，对徐锡麟说："大人今日身体欠佳，不便久留。"

事已至此，徐锡麟随机应变，高声说：

"好吧，希望大帅能走个过场，在操场上观看一下学生的毕业典礼，以示隆宠。"

恩铭不好推辞，只得同意。

于是，恩铭等人在操场的台子上分别列座。徐锡麟等人，率领学生，依次在操场上向他们行礼致敬。

不远的礼堂处，陈伯平、马宗汉也准备动手。

看见操场上衣着齐整、精神昂奋的学生整齐列队，恩铭大感高兴。他清了清嗓子，准备夸奖徐锡麟等人。

未待他开口，台下的徐锡麟，忽然一个箭步上得台来，立正行礼，大声报告说："大帅，今日有革命党起事！"

这句话，正是他们三个人相约动手的暗号。

小礼堂处的陈伯平，立即掏出一个炸弹，直朝恩铭随身的官员群中掷来。

可惜，臭弹未响。

恩铭吓得一激灵，立时惊起身。"何人起事？革命党在何处？"

徐锡麟从双靴中拨出双枪，大声回言道："卑职是也！"

说着，他连发几枪，子弹全部打在恩铭身上。

陈伯平、马宗汉二人，也趋前而来，各自朝恩铭开了一枪。

整整七枪，皆中恩铭。可巧的是，弹弹着肉，枪枪见血，却皆未伤恩铭要害。子弹所入，不是恩铭的肚子，就是他的大腿。

救主心切，恩铭身边的文巡捕陆永颐“忠勇”，背起恩铭就想跑。

徐、马、陈三个人手枪齐发，把陆巡捕打得满身血窟窿，栽倒在地，恩铭复被摔于地上。

这时候，三个人弹夹内子弹悉数打光。

枪响过后，随行的官员和操场上的学生炸窝一样，四处乱跑。

趁三人回屋重装子弹之际，恩铭的亲兵缓过神来。他们慌忙抬起“大帅”就往学堂外面跑。

终于有命跑出，亲兵们就把恩铭大头朝下扔进轿子里，急喝轿夫抬着他狂逃。

陈伯平腿快，装弹迅速。他朝轿子追上去，抬手就是一枪，正中呈外翘姿势的恩铭臀部。

歪打正着，子弹一直射到恩铭的心脏附近。恩铭在医院辗转哀嚎了一个多时辰，伤重身死。

告密的顾松正要跑，被马宗汉抓住，踹翻在地。

徐锡麟咬牙切齿，扬起手中马刀，兜头乱劈这个满人。马宗汉不含糊，上前一枪，把顾松的脑袋打开了花。

徐锡麟纵上高台，对惶愕的学生大呼：“抚台已经被杀，快从我革命！”

学生们懵懵懂懂，领取了枪械子弹后，在徐、马、陈三人率领下，往攻巡抚衙门。

恩铭卫队先行抵达，已经在周围严备。

于是，他们改攻军械所。

行进过程中，不少学生弃械而逃。到达北城门附近邓家坡上的军械所时，只剩三十几个学生携枪跟随。

即使如此，如果他们占领此地后，凭借原垒高墙和充足的子弹，在抵御清军最初的进攻后城外新军中的同志能够及时响应，徐锡麟仍旧有成功的机会。

守卫军械所的清军军官很机灵，他逃跑时，顺手把地下室内的库房钥匙带走。

面对大锁加几寸厚的大钢板，徐锡麟等人无计可施——所有枪械弹药均在其中，一颗子弹也拿不到手。

先前派出送信给新军的人，也因城门紧闭而不得出。

硬着头皮，三个人率领学生死命抵抗。相持不久，陈伯平就中弹牺牲。

马宗汉也负伤。辗转呻吟中，他向徐锡麟建议：放火焚毁军械所，与敌同归于尽。

徐锡麟不同意。“如大火烧起，势必引起弹药库爆炸，那样的话，不知会炸死多少百姓！”

在重赏之下，清军发起人海战术死命进攻，最终攻克了军械所。

弹尽援绝，起义众人只得四处逃散。

失却墙体屏蔽，学生们纷纷倒地，徐、马二人最终皆被生俘。

作为首犯，徐锡麟立刻被押入巡抚衙门受审。

按察使毓朗怒不可遏（此人乃爱新觉罗宗室，末代皇后婉容的外祖父），叱问道：“抚台待你实有厚恩！即使想要行刺，你平日有很多拜见抚台于家中的机会，奈何非要于大庭广众中行此杀人之事？”

“抚台确实待我甚厚，私恩也。我杀抚台，乃为我大汉复仇，堂堂公理，定要在光天化日之下行之！”

昂头说完，徐锡麟忽然问：“抚台死了吗？”

毓朗冷笑。“只受轻伤，料也无妨！”接着，他忍不住，恨恨而言，“明日，你将被剖心挖肝！”

闻此言，本来低头气沮的徐锡麟，仰头哈哈大笑：“如此说，抚台肯定死了！好！好！你们可把我剖心断足，碎剐凌迟，只是别难为被捕学生，他们都是在我逼迫下才参加行动的……”

其间，清吏细审起义幕后策划人、主使人以及安庆城内的同党，徐锡麟均不招认。

他接过纸笔，洋洋洒洒，纵笔千言，自道革命因由："我本革命党大首领，捐道员到安庆，专为排满而来，做官本是假的，使人可无防备……我蓄志排满，有十余年，今日始达目的。本拟再杀铁良、端方、良弼，为汉人复仇，乃竟于杀恩铭后即被拿，实难满意……革命党本多，在安庆实我一人。为排满事，欲创革命军，助我者，仅光复子、宗汉子（指陈伯平、马宗汉）两人，不可拖累无辜。我与孙文宗旨不同，他亦不配使我行刺。"

为了迅速平息事态，稳定南方的人心、军心，清政府电报往来，决定尽快处决徐锡麟。

案结讯毕，清吏派人在行刑前给徐锡麟照相。

拍了一张后，徐锡麟表示不满意："刚才我没准备好，面上无笑容，岂可留之后世！一定要再给我拍一张。"

照相师听命，立刻又给徐锡麟照了另外一张。

这张照片，即我们今天在辛亥革命档案中常见的那张英雄微笑的相片。

7 月 7 日凌晨，安庆辕门外，徐锡麟慷慨临刑。

就义时，他三十五岁。

8 月 22 日，他的战友马宗汉也被清政府斩首，时年二十四岁。

7 月 14 日，根据徐锡麟之弟徐伟所供，清廷派重兵逮捕了绍兴的秋瑾，并于 7 月 15 日把这位女英雄处决于绍兴轩亭口，时年三十二岁。

秋风秋雨愁煞人！

在鲜血蔓延中，在清廷的恐怖中，在令人窒息的沉沉夜色中，革命的血色黎明，即将到来……

引刀成一快　不负少年头

韶华时光汪精卫

1944 年 11 月 9 日的深夜，在日本名古屋大学附属医院外的防空壕内，湿冷的地上，一个瘦成枯柴的苍老男人，在担架上瑟瑟发抖。

外面，爆炸声此起彼伏。尖锐的炸弹鸣啸声，房屋被炸后的碎片飞掷声，日本人惊惶的哭叫声，在那濒死人的耳中，全部地逐渐黯淡下去。

依稀中，我们看到了一张已近脱相的垂死的脸，那是高烧中的汪精卫！

他躺在冰冷的防空洞里，任由从掩体未及关闭的门外隙风吹袭。这位前国民党副总裁，眼睛微阖，面色铁青，拉风箱一样地剧烈呼吸着。

在弥留的瞬间，汪精卫丝毫没有与日俱增的肉体病痛所导致的苦痛，他的脑子里，不停回转着两个大字：汉奸！

防空洞内外医护人员嘈杂、焦急的日语模糊了，黯淡了，一切似乎都要远去，但是，海啸一般的汉语，向他劈头盖脸涌过来——汉奸！汉奸！汉奸！……

汪精卫下意识地侧了一下头，回避什么似的抽搐着脸部，痛苦地张大嘴，想呼喊什么，想辩解什么，却没能发出任何声音。

他挣扎着，辗转着。突然间，一丝平静的表情呈现在他的面部，甚至，他的双眼也睁开了片刻。那双眸子，在瞬间变得那么清澈，把濒死的脸也映衬得明亮起来，使得在场的日本护士惊诧不已……

毫无疑问，在汪精卫意识的最后时刻，他肯定回到了1910年3月。

那段时间，是汪精卫人生最辉煌的岁月！

当时年少春衫薄

革命的喉舌

汪精卫，原名兆铭，字季新，籍贯山阴（今浙江绍兴），出生于广东三水。他的生日，是1883年5月4日。

至于汪兆铭日后以“精卫”为名，恰恰表明了他要成为革命志士的决心。

《辛丑条约》签订后，清廷上下欲思振奋，掀起一股海外留学热潮。由于日本最为近便，不少人负笈东瀛，以求救国富强之策。

年甫二十一岁，青春正盛，汪兆铭就与广州的胡汉民等人为官府所派，前往日本法政大学，以“官费生”身份，进入速成科学习。

转年，当孙中山在日本成立“中国同盟会”时，汪兆铭自然心怀雀跃，积极加入，成为同盟会中的得力干将。因其汪洋恣肆的文风，他跻身同盟会机关报《民报》的主笔之一。

汪兆铭在当时东京的革命党人中间，绝对是个光华四射的人物。

汪兆铭何许人也？如果究其所为，我们不得不从他早年的经历谈起。

汪兆铭的出生地广东，自1840年以来，正是阶级矛盾、民族矛盾表现最强烈的地方，更是帝国列强坚船利炮的演技场。而且，作为太平天国的策源地，广东还具有另外一层特殊的“革命”色彩。

沿海之地，广大人民自得风气之先，锐意求新，也为汪兆铭的童年生活打上了鲜明的烙印。

汪兆铭的父亲汪琡，破落小官僚出身，是三水当地的淳儒。有其父而有其子，他对汪精卫教育极严。经书儒典，成为童年汪精卫的必读之书。而王阳明的《传习录》和陆游、陶渊明的诗歌，也成为汪兆铭童年时代每日必须背诵的内容。

有此尊慈严父，汪兆铭国学底子非常深厚。汪琡临死前一晚，仍不忘督促儿子读诵儒经。

汪兆铭十三岁时，汪琡病死。此后，汪兆铭跟从他博学的叔父继续研学。青少年时代，他诗词歌赋无所不通，被公认为当时当地大才子。

十九岁时，汪兆铭考中秀才。

整个青少年时代，汪兆铭不是读死书、死读书，而是心中有选择地汲取学识营养。

明末清初两位大儒黄宗羲、王夫之的著作，深刻影响了他的思想。二位大儒"夷夏之防"的理论，使得年纪轻轻的汪兆铭心中充满了"恢复华夏"的志向。而他少年时代从父亲、叔父等人处所听来的民族英雄文天祥、岳飞、史可法、陈子壮等人激昂壮烈的事迹，更促成了他民族意识的萌发，一步一步酿成他反清排满的思想。

也正是在其思想定型的年纪，汪兆铭早期的民族主义思想得以形成。

当然，彼时的汪兆铭还受儒家"君臣之义"观念束缚，没有太过激的"革命"念头。

1904年的日本之行，是促成汪兆铭思想飞跃的关键。在日本法政大学，他真正开始了国家、宪法等知识的系统研究。卢梭的《民约论》、斯宾塞的《政治进化论》、孟德斯鸠的《万法精理》，都成为他案头的必读书。

在日期间，他还亲自动笔，把日本的《法规大全》翻译成中文。

海阔天空，受到如此深刻的资产阶级思想启蒙，汪精卫无限憧憬自由、平等、博爱的理念。他心中原先反清的民族主义，一变而为更积极、激进的“民族帝国主义”。

此前他对清朝帝王“君臣之义”的念头，一时全抛。

1905年，汪兆铭终于见到了孙中山，立即成为这位“革命先行者”的信徒。加入中国同盟会，成为他终生难忘的最重要的事件。

这一年的7月30日，在孙中山主持下，中国各省代表、留学生、日侨共七十多人，在东京赤坂区桧町黑龙会首领内田良平的家里，召开中国同盟会筹备会议。汪兆铭以其倜傥不群的人品和犀利的笔锋，被公推为章程起草小组成员（仅有八人）。

8月20日，中国同盟会在东京赤坂区召开正式的成立大会。同盟会总部下设三部，汪兆铭被任命为评议部的议长，由此可见他当时在孙中山和各位同志心目中的位置。

《民报》是同盟会的宣传喉舌。而《民报》创刊后的头条文章《民族的国民》，正是由汪兆铭亲自撰写。

《民报》最初的十几期，汪兆铭作为主要撰稿人，共写有十余篇文章，每篇皆泱泱数万言。当时，他几乎就是同盟会的发言人，其本人也被视为孙中山“三民主义”理论的最重要阐述者。

由于青少年时代的深厚儒学素养，汪兆铭写得一手好文章，洋洋洒洒，简明快捷，感染力极强，特别是针对当时康、梁为首的保皇党反“革命”谬论，皆一一驳斥，使对手几无还口之力。

汪兆铭的文采华章，争取了越来越多的人开始赞成、同情革命。

汪兆铭绝非头脑发热、简单冲动的革命者，在他下决心要终生献身革命之后，他以“家庭之罪人”的名义给国内的哥哥写信，表示自己要“为国流血”，声明断绝与汪氏家族的关系以及与刘氏姑娘的婚约。其兄长也很“聪明”，立即把此信上交“有关部门”，表示“驱除逆弟，永离家门”。

这种表面的决绝，其实也是汪兆铭对家人的一种保护。在他的性格中，始终存有这种类近柔弱的温情，大事小事，他对自己以外的事情，总是思虑过多。

《民报》时期，是汪兆铭生命中光华四射的年代。从那时起，他以“精卫”“枝头抱香者”“扑满”等笔名，拿起笔来作刀枪，鲜明地阐述了民族思想。

“精卫”，原为我国古代神话中的一种鸟，传说炎帝的女儿溺死于东海，就化身为“精卫”鸟，衔西山木石以填东海，日日不绝。所以，有“精卫填海”这一成语，喻指那种持之以恒、长久不懈、不达目的绝不罢休的精神。汪兆铭自取“精卫”为名，就是要昭示他献身革命的痴绝之心。

而“枝头抱香者”，取自诗句“宁可枝头抱香死，何曾吹落北风中”，乃南宋遗民郑思肖为菊花而题，显示出汪兆铭对待清朝不媚不屈的决心。

“扑满”之意，扑灭满人也！

为行文方便，下面我们提到汪兆铭，就开始用汪精卫这个名字。

在汪精卫早期革命思想中，最重要的内容，一是排满，一是要争取民族的“奋然自立”。

当时汪精卫心中的革命，就是“排满革命”。

帝国列强，对中国蚕食鲸吞，步步逼近。清政府对外割地赔款，丧权辱国；对内纷乱如丝，杂税盛行，取之无度，残酷挤榨人民，并一直实行极端野蛮、残酷的民族压迫政策。

汪精卫力主“排满”。“排满”的口号，在当时的日本和中国，最能激动人心，也最能煽动民族和革命情绪。

当然，汪精卫的“排满”，并非简单地“仇满”，他以大众能接受的古色苍然的民族主义为表饰，目的是激发人民、引导人民进行伟大的民族救亡运动。所以，他强调种族革命和政治革命要同步进行：

今之政府，异族专制政府也。驱除异族，则不可不为种族革命。颠覆专制，则不可不政治革命。徒驱除异族而已，则犹明（朝）之灭元（朝），于政界不生变革也。若徒欲颠覆专制而已，则异族一日不去，专制政府一日不倒。故种族革命与政治革命岂惟并行不悖，实则相依为命者也！”（《民报》第4号）

应该值得我们今人注意的是，日后孙中山的一套说法，几乎完全是照搬汪精卫这位“追随者”的原话，不过是更“白话”而已：

我们推倒满洲政府，从驱除满人那一面说，是民族革命；从颠覆君主政体那一面说，是政治革命，并不是把它分作两次去做。(《三民主义与中国前途》)

相比康、梁保皇党的“满汉不分、君民同体”以及章太炎等人过分偏激的“民族复仇”，汪精卫思想含有更多理性的成分。

邹容《革命军》、陈天华《警世钟》《猛回头》等小册子，通俗易懂，痛快淋漓，在下层社会中非常受欢迎。与之相比，汪精卫的文章，旁征博引，有事实有根据，广引《大清律例》《东华录》《皇朝通典》以及清朝政府的朝谕，铁证如山，更加深刻揭露清朝统治者的残忍罪行。因此，他的文采飞扬的文笔，更易为广大知识分子阶层所接受。

汪精卫的“排满革命”，并非要杀尽满洲人。在系列文章中，他一直强调中华各民族平等，消除民族压迫：

汉人之所排满者，以其覆我中国，攘我主权也，非谓国家之内不许（其）他民族存在。排满不已，更是而排蒙、排回、排藏也。况汉人非惟无排斥蒙、回、藏之心，且将实行平等制度。(《民报》第13号《研究民族与政治关系之资料》)。

也就是说，在中华多民族国家，他只反对“一族（满族）居主人之地位，而他族悉为之奴隶”的不平等民族关系。

在推翻清政府后，他宣扬以汉族人民为首，进行精神上的中华民族“同化”。

如此理论，放之至今，依旧广具先进性。

面对帝国列强当时巧取豪夺中国利益的残酷现实，汪精卫强烈呼吁国人奋发自立，发愤图强，以避免遭受清政府和洋人的双重奴役。对于当时欲图吞并东三省的沙俄，汪精卫更是痛心疾首地警醒大众，指出在汹汹瓜分的列强中，“怀抱野心者莫如（沙）俄！”。

虽然当时年仅二十出头，汪精卫却对国际形势有着超出常人的分析能力。他不仅指出帝国主义侵略内在的经济动因，也明确点明了列强之间狗咬狗的矛盾。他告省国人，所谓的“门户开放”“领土保全主义”“韬光养晦”等清廷的既行政策，实际上是缩头乌龟的亡国经。要想兴族求国，唯一的途径，就是争取民族独立。如此，奋发向上之间，中国才能由亡而存，由弱而强，由危而安，最终才能雄飞于世界。

汪精卫更深刻地认识到，保皇派“革命生内乱”“革命导致杀人流血之祸”的说法，完全是一派胡言。他旗帜鲜明地指出，革命的目的，最终在于救国强国。如果不革命，在清政府统治下滥死枉死的人民，必然更多于为革命而死者。所以，他振聋发聩一呼道：

与其为野蛮政府蹂躏而死，孰若救国而死！

如果仔细爬梳汪精卫在《民报》时期的文章、言行，就会发现，当时，只有他才是孙中山早期革命思想的真正集大成者。毋庸讳言，他其实也是孙中山当时诸多文章、言论的“执刀人”。

所以，研究辛亥革命史的人往往会发现，彼时二人语言、文字存有那么多“惊人的巧合”——其实，都是一个人写的。

对于此，吴稚晖说得最确切：“学生无先生（孙中山）不醒，先生无胡（汉民）汪（精卫）不盛！”

《民报》中汪精卫的文章，不仅在日本获得留学生、华侨广泛赞誉，也盛传于国内，成为当时革命力量的指路明灯。

清朝政府对汪精卫恨之入骨，曾经悬赏白银十万两购其项上人头。敌人如此看重，更使汪精卫这位翩翩才子享誉海内外。

可见，当时的汪精卫，完全是孙中山先生的“文胆”。

唯有实践出真知

南洋的鼓动

1907 年春，经过清朝政府的交涉，日本政府不得不把孙中山“驱逐”出境。表面上说“驱逐”，实则是“礼送”出境——不仅日本政府秘密赠款七千元，大股票商人铃木久五郎也大手笔送给孙中山一万元。

手中握有这么大一笔钱，孙中山只留给时为《民报》总编的章太炎二千元，二人为此闹翻。

意气用事的章太炎，在日本浪人的挑唆下，径自把报社内孙中山画像取下，并四处奔走呼吁，提议革除孙中山同盟会的“总理”一职。

章太炎等人四下反对孙中山，汪精卫却一直对这位革命先行者忠心追随。

孙中山跑到南洋后，汪精卫鞍前马后，竭尽赤诚。

1907 年 8 月 20 日，由南洋华侨捐资，同盟会在新加坡吉宁街 13 号创设了《中兴日报》。

作为新的宣传喉舌，汪精卫、胡汉民为主笔，竭力宣扬民族主义和民权主义，并与保皇党人所印行的《南洋总汇报》展开激烈骂战，以争取和吸引侨众。

当时，孙中山本人在安南（今越南）的河内甘必达街61号设立机关，策划两广、云南等南部省份的独立起义。

受孙中山委托，汪精卫悉心在南洋各地奔走，力图实现孙中山“经营南洋，边陲起事”的战略。

由于在日本已经落脚不住，同盟会的大本营已逐渐往南洋转移。

彼时的南洋，革命风气未开，需要极大的毅力去开拓。

汪精卫四处奔走，不辞辛苦，亲自落实、组织了同盟会分会一百多处，壮大了同盟会的组织架构和人员组成。为了支持孙中山策划的起义，汪精卫还要费尽唇舌，说服当地华侨捐款。

日后，孙中山曾无限感动地表示：“弟前派汪精卫赴河内、海防、西贡、星（新）加坡、暹罗各埠，会见同志，报告军事，劝募军需。”（《致邓泽如信》）

所以，自1907年而后的几百个日日夜夜，青年汪精卫披星戴月，终日奔走，在南洋、日本各地往来穿梭。他办报、写文章、筹款、演讲，没有任何私人的闲暇时间，一直令人耀目地燃烧着自己。

汪精卫的宣传帮助工作，成效甚巨，很有万人空巷的效果。

即使根据当代人的审美观，汪精卫也是不折不扣的美男子。如果以魏晋风度的标准去套，他更是!

当年听过他演说的陈新政，就曾这样回忆汪精卫：“汪君之演说，题目既簇新，而事事颇得肯綮，因此极得听众信仰。南洋华侨之觉醒，实出于汪君之力也！”（《陈新政遗集》）

而曾为《中兴日报》行政负责人的张永福，对汪精卫当年的风采，更有鲜明的忆述：

斯时演说诸人最能令人感动者，尤其如（汪）精卫。凡逢他演说之夕，人未登台，而座已拥满。演讲时，鸦雀无声，每至一段精彩处，掌声如雷。(《谈星洲书报社同德及其他之书报社与中国革命》)

而早年与汪精卫相交最好的胡汉民，如此动情地回忆汪精卫："余前此未闻（汪）精卫演说，在星洲（新加坡）始知其有演说天才，出词气动容貌，听者任其擒纵，余二十余年来，未见有工演说如（汪）精卫者！"

从 1904 年到 1908 年间，用"阶级分析"的观点去套，汪精卫已经由一个"地主阶级"的反清派进步成为"资产阶级民主革命派"。

回顾汪精卫当时的思想，其中的反帝因素尤其引人注目。他认为，国人要想实现民族独立，就一定要抵抗外侮。20 世纪初叶的美菲之战，是帝国主义大国侵略弱小民族国家的战争。而被压迫国家人民可歌可泣的顽强抵抗，给汪精卫以极大的精神鼓舞和振奋。

由此，他仔细分析了中国的情势后，满怀信心地认为：

况中国人数，非菲、杜（可）比，（中国）凭借宏厚，相去千万。外侮愈烈，众心愈坚。男儿死耳，不为不义屈！内储实力，外审世变，夫然后动，沛然谁能御之！（《驳革命可以瓜分说》）

也就是说，汪精卫坚信中国地大物博，又人口众多，只要能团结起来，充分准备，完全有条件可以战胜东西洋帝国主义的侵略。

他还以"救火"相譬喻，形象地指出，要救火，只能依靠邻里善众来救，而不能依靠纵火犯（清政府）来救。而"邻里善众"，就是指他常年不离口的"国民"。

上述种种，表露出他对于当时中国“民力”有着非常深刻的认识。可见，当时的汪精卫，识见层次之高，远超同盟会许多元老。

值得一提的是，正是在南洋期间，汪精卫结识了日后“百年之好”的陈璧君。

陈璧君，原名陈冰如，乳名阿环。陈姑娘的爸爸，南洋巨富，号称“陈百万”，原籍广东新会。其母卫月朗，女中豪杰，识见不俗，曾亲自携女到新加坡见孙中山，加入同盟会。

在槟城，陈姑娘有机会得见翩翩汪精卫在台上宣讲革命，顿陷情网。时年二十四岁的汪精卫，眉目如画，出口成章。虽有倜傥之貌，本质上却是个真正的道德先生。在千人万众间，可以侃侃而言，色不稍变。但只要单独与姑娘相处，汪精卫总是满面羞红，手足无措。

对于陈璧君的大胆追求，汪精卫又慌又乱，急忙婉拒：“革命家不结婚。因为，革命家生活无着落，生命无保障，如果结婚，势必陷妻子于不幸之中。如使自己所爱之人一生不幸，实乃最大的罪过。”

汪精卫如此说，绝非嫌弃“肥环”陈璧君长得不好，而是出自实意真心。汪精卫愈如此说，陈璧君就愈爱他，坚决要她父亲退掉原先与富家子弟的婚约，表示想改嫁汪郎。

陈百万听此，差点气背过去——好好门当户对的子弟不要，非要嫁给一个终日流窜的大清反逆！

拼却头颅刺虏酋

暗杀摄政王载沣

在1907年至1909年期间，以孙中山为首的同盟会遥控了国内六次起义，均以惨败而告终。一败再败，而至六败，不少革命同志意志消沉，意丧气沮。

由于许多款项用处不明，章太炎等人就四处宣称孙中山贪污公费，在同盟会内部掀起“倒孙”活动，并表示要恢复昔日的光复会，不再承认孙中山的领导地位。

内讧外忧，同盟会的活动陷入低潮。

目睹如此情势，汪精卫准备冒死一搏，以身为殉，到北京去刺杀清朝大酋。至于他去北京的目的，在致孙中山的书信中表露无遗：

> 无如革命党之行事，不能以运动为已足。纵有千百之革命党运动于海外，而于内地全无声响，不见有直接激烈之行动，则人（民）几忘中国之有革命党矣。故运动与直接激烈之行动，相循而行，废一不可……（我此行目的），使灰心者复归于热，怀疑者复归于信！

对于如此类近自杀的冒险行动，青年汪精卫却有自己独特的“理论”根基，即“炊饭”理论。这种思想，他以“守约”为笔名，曾在《民报》第26号上表露过：

> 不畏死之勇，德之烈也；不惮烦之勇，德之贞者也。二者之用，各有所宜，譬之“炊米为饭”。盛之以釜，熟之以薪。薪之始燃，其光熊熊，转瞬之间，即成煨烬。然体质虽灭，而热力涨发，成饭之要素也。釜之为用，水不能蚀，火不能熔，水火交煎逼，曾不少变其质，以至于成饭。其煎熬之苦至矣，斯亦成饭之要素。

所以，革命党人要勇于担当，甘愿为“釜”为“薪”，合为“炊饭”。一旦“饭”熟，即可喂饱“嗷饥待哺”的四亿民众。

得知汪精卫要亲入北京行刺满酋，好友胡汉民苦劝。

汪精卫慷慨作书，解释自己以逞一烈的原因，信中他仍以“炊饭”为喻：

> 欲牺牲其身者，其所由之道有二焉：一曰“恒”，一曰“烈”。恒乎烈乎？斯二者欲较其难易，权其轻重，非可一言尽也。譬之治饭，盛米以釜，束薪烧之。釜之为用，能任重，能持久，水不能蚀，火不能熔，饭受煎熬，久而不渝。此恒之德也，犹革命党人之担负重任，集劳怨于一躬，百折不挠，以行其志者也。
>
> 薪之为用，炬火熊熊，顷刻而烬，故体质虽毁，而热力涨发，饭以是熟。以烈之德也，犹革命党人之猛向前进，一往不返，流血溅同种者也……

他表示，自己日后“虽流血于革命街头，犹张目以望革命军之入都门”。

如此豪迈悲壮之举，恰似当年荆轲刺暴秦。

明知其不可为而为之，乃那个时代慷慨悲歌的先行者们的大浪漫真旨所在。

于是，偕同红颜知己陈璧君，汪精卫与喻培伦、黄复生等七人组成暗杀团，日夜在日本、中国香港等地秘密筹划，训练不辍，准备暗杀清朝高官。

与日后相反，当年汪精卫诸人冒死归国，献身就死，一心只想救国爱国。

如此巨大的反差，让人无限叹息。

最早，汪精卫诸人想对清朝广东水师提督李准下手。在听到大臣端方调任直隶总督的消息后，几个人就改道去武汉，于汉口火车站一带踩点摸路，准备行刺。不料，端方走了水路，刺杀计划未成。虽如此，汪精卫等人秘密携至的炸药不少留在了武汉的孙武处，日后武昌起义，正好供义军使用。

反复磋商后，汪精卫觉得，还是在北京的满人权贵多，于是决定潜入京城，伺机动手。如此非常之谋，不仅陈璧君本人步步参与，其母也变卖首饰相助。

汪、陈二人先分路，后在东北的大连聚合，然后化装成夫妻，最终一起抵达北京。

此前，喻培伦、黄复生已经先行归国。他们在北京顺治门外大街租了间房子，佯装开照相馆，制弹弄枪，等待汪精卫的到来。

有意思的是，这间本来用作暗杀行动掩护幌子的“守真照相馆”，生意特别兴隆，天天挤满了前来照相的人，银两还真赚了不少。

汪精卫到北京，最早想刺杀庆亲王奕劻。但这位王爷特别多疑，警觉异常。他府邸的保卫也属于特级，根本下不了手。

接着，听说前往欧洲代表清廷祝贺英王加冕的两个宗室贝勒载洵、载涛二人要回京，汪精卫就想率人在前门车站用炸弹把二人炸死。岂料，当天火车晚点，接迎的官员又多，满站台都是红顶子，根本辨认不出谁是贝勒谁是普通官员。

当时的炸弹，不像今天这样威力大到能炸死几百人。同时，汪精卫等人也怕误杀无辜百姓，就只得中止计划。

选来选去，汪精卫遂下决心，要弄就弄最大个的，最终把目标锁定在摄政王载沣身上。

但是，这位“皇爹”身边，护驾卫兵更是不少，一铁壶的炸药量肯定炸不死他。

思来想去，几个人就专门向铁匠铺订制一个大铁桶，号码巨大，可容近五十磅炸药。

行动目标选定后，黄复生负责踩点探路。几天下来，他发现，载沣上朝，每日必经鼓楼大街。寻摸几日，几个人正好在鼓楼附近发现有截矮墙。

于是，汪精卫就决定择日蹲伏于墙后，待载沣经过时，忽然出现，投出炸药，力争把他就地炸死。

不料，“吉人”天相，清政府忽然派人在鼓楼大街翻新马路，摄政王载沣一行不再走那条路线上朝。

路线一改，几个人只得作罢。

再探了几日，侦知载沣上朝还必须通由烟袋斜街，汪精卫等人就想在那里下手。

烟袋斜街街道很窄，想搞暗杀，没地方躲藏，他们只能想办法在当地租房。当时烟袋斜街无房可租。此计又不通。

又寻摸了数天，找来选去，唯剩一处地点可以下手——什刹海旁边的甘水桥。

当时，甘水桥三面环水，居家稀少，水畔有数棵大树矗立，几可掩人。

几个人在附近的清虚道观租了一所房子，加紧准备，想在甘水桥下埋放炸弹，等待载沣一行经过时，及时引爆，把他这个清朝大酋送“上天”。

行此惊天大事之际，陈璧君不再忸怩，表示说要把自己的女儿身献给汪精卫。汪精卫慨然不受。但他明明白白地对陈璧君表示：一旦事成后二人侥幸不死，他一定会娶陈璧君为妻。

宣统二年二月二十一（1910 年 3 月 31 日），汪精卫、喻培伦、黄复生三个人，赶着一辆骡车，连夜把炸弹运往甘水桥下。

他们正要挖坑，突然一只发情的野狗乱叫，立时周遭吠声一片，三人匆忙离去。

第二天深夜，三人复来，费了很大劲才刨出一个土坑。挖扒停当，他们把大炸药罐子埋入桥下。岂料，他们铺设电线时，因先前算计不精，发现铜线太短，不能引出。无奈之余，他们只得悻悻而返，准备转天继续工作。

第三天夜间，一切工具、铜线、钳镊准备周全，黄复生、喻培伦先至，二人低头猛干至深夜。忙碌间，忽然有个人影闪出，出现在桥头，东张西望，还直往桥下探头。

黄复生见此人行踪诡谲，心内发慌，忙把喻培伦唤至近前，让他先返回，通知汪精卫不要前来。

喻培伦走后，黄复生本人从桥孔另一端潜上，藏在大树后，伺察来人。

眼看那个人手拎灯笼，桥上桥下一通转悠，未几匆匆离去。

见此情形，黄复生着急。他即刻下桥，扯起已经放开的铜线，准备携物撤离。但坑里的大铁罐太重，他一个人根本无法再从坑内移出。

半个时辰以后，脚步杂沓，出现了三个人，提一盏灯笼，跑至桥下。

在黑暗中，黄复生模糊看见，三个人中，除刚才的拎灯笼的人以外，隐约还可看见一个巡警和一个宪兵。

至此，这次行刺计划又遭失败。

其实，先前提灯笼而来的人，不是密探，也不是政府巡更人，而是个车夫。三天前他老婆跟人跑了，这车夫心如油煎，夜不能寐，提灯乱找，却在甘水桥下发现了革命党人的惊天大秘密。

清政府“有关部门”不敢怠慢，他们很快就把桥下大铁罐子挖出。

摆弄半天，师爷、衙役们谁也弄不清这东西是什么。

最后，他们找来美国、日本使馆的人，才赫然发现这是一颗大炸弹。

清朝官员一听，全明白了，敢情这是要炸死我们摄政王爷啊。

由于主制炸弹的喻培伦专门学过化学，制造工艺很精，美国使馆的人察看后，认为这炸弹是“原装进口”。

日本人却对大铁罐子的粗陋表示怀疑，双方争辩不休。

清朝衙役见多识广，忙热情送走两位高矮各异的东西洋人。然后，这些人仔细合计了好久，就忙派人在北京的铁匠铺巡察侦问——那大铁罐子的制作工艺，显然出于北京城内的铁匠。

清政府私下忙得欢，表面却很平静。这一来，汪精卫等人就麻痹了，没有及时撤离北京。几个人仍旧待在照相馆，商议下一步新的暗杀计划。

当然，风声也传出一些。市井小民们纷纷传说，谁谁要炸死谁谁——有说有人要炸死摄政王，有说摄政王要弄死庆亲王，也有说贝子溥伦想把摄政王炸死，他自己取代溥仪当皇帝，还有说乱党已被捕获就地正法云云，但听上去皆似谣言，不一而足。

从武汉到北京，汪精卫等人所带的一批炸药基本用光。几个人商量后，只能再行分工，分别前往日本、南洋找钱找炸药。在北京，只留下汪精卫和黄复生二人留守。

这时清廷衙役已经发现了铁罐的制造者——骡马市大街永铁工厂。

看见一大群衙役如狼似虎而来，那里的铁匠铺东家挺冤：我们是应“守真照相馆”的伙计送来的样式锻制的，谁知道这大铁罐子做啥用？又不是锻刀打剑做武器，铁匠铺确实没责任。

知道了订制铁罐子的买主是谁，一切就好办了。衙役们很快就一举端掉了“守真照相馆”，逮捕了汪精卫和黄复生。

依据《大清律》，这二人必死无疑！

刺杀摄政王，如此惊天大案，当然不能为一般官员主审。清廷委派内务部尚书、肃亲王善耆主管此事，亲自审问。善耆，乃清朝开国王爷豪格的直嫡子孙。豪格，乃清太宗皇太极长子。

庭讯之时，汪精卫、黄复生二人争先恐后，各自强言自己是主谋，都把对方说成是从犯。

如此情形，时所罕见。

特别是汪精卫，玉树临风，铁骨铮铮，言语气度，卓尔不群，超出凡俗，使得主审官肃亲王善耆大加嗟讶。

后来，当汪精卫说出他自己正是《民报》的主笔时，肃亲王立刻大张其嘴，恭身而立——王爷太崇拜面前这位英雄小伙了，他自己虽然身为清朝皇廷血亲，可读了不少期被内廷特务送呈浏览的“大内参”《民报》。

先前每每读之，肃亲王爷均拍案不已，大叫“汉书可以下酒”，一直深为汪精卫文章中的识见所折服。

如今，《民报》的主笔“精卫”，竟然以阶下囚身份出现在北京，又是亲自策划刺杀摄政王的大逆之犯，不得不让肃亲王惊为天人。

汪精卫自供千余言，笔下生风，一挥而就。同时，他在庭上当众抗言清廷“立宪”之虚伪，痛陈中国即将亡于外国列强之现状，慷慨激愤，斗志昂扬，毫无一丝惧死畏葸之心。

以当时大逆之罪，汪精卫自忖必死。他在狱中朗然独坐，吟出《被逮口占》四首：

> 衔石成痴绝，沧波万里愁。孤飞终不倦，羞逐海浪浮。
> 姹紫嫣红色，从知渲染难。他时好花发，认取血痕斑。
> 慷慨歌燕市，从容作楚囚。引刀成一快，不负少年头。
> 留得心魂在，残躯付劫灰。青磷光不灭，夜夜照燕台。

其中第三首，最为时人钦慕传诵。

狱卒把这几首诗呈给肃亲王善耆。细看诵读之下，这位清朝王爷百感交集——如此大好青年，竟为大清逆臣！如果他能为国家所用，救亡图存，共商大事，大清何其有幸也！

于是，这位时年四十四岁的肃亲王，放下至尊王爷的身架，屈尊俯就，亲入狱中，与二十七岁的青年刺客、革命家汪精卫共座辩谈。

这两人，言来语往，惺惺相惜。

他们的核心争论点，在于君主立宪问题。

肃亲王善耆谆谆而言，似乎很有道理："革命党宣扬灭满兴汉，乃狭隘的民族仇视。如果国内流血革命发生，外人不正好可以趁机侵乱中国吗？邻国日本，君主立宪，就是我们大清的成功榜样啊。"

汪精卫断然否定："日本明治维新，绝非不流血革命，乃当初西乡隆盛首发干戈，用武力倒幕而成。如今中国的'立宪'，完全是幌子，只有民主革命，只有流血，才能救中国……"

这二人，你来我往，唇枪舌剑，虽然不能彼此说服对方，但相互间渐渐生出倾仰之情。

在当时，肃亲王与汪精卫的这种"化敌为友"，也一时成为海内外津津乐道的佳话。

日后，汪精卫当时这种面对虏王的义士慷慨，也被人泼污成汉奸卖国贼"软骨病"的提前发作。而汪精卫当时与肃亲王的辩论，也变味成了他"很早就与清朝政府在狱中勾结、妥协、出卖革命"。至于肃亲王善耆，似乎名头很快被国人忘记，但他身后有个出类拔萃、卖国求荣的女儿非常有名——川岛芳子（金碧辉）！

作为肉身的人，汪精卫在狱中作《中夜不寐偶成》，诗中表现出他纤敏、感伤、复杂的内心世界：

飘然御风游名山，吐噏岚翠陵孱颜。
又随明月堕东海，吹嘘绿水生波澜。
海山苍苍自千古，我于其间歌且舞。
醒来倚枕尚茫然，不识此身在何处。
三更秋虫声在壁，泣露欷风自唧唧。
群鼾相和如吹竽，断魂欲啼凄复咽。
旧游如梦亦迢迢，半敕寒灯影自摇。
西风羸马燕台暗，细雨危樯瘴海遥。

结案之时，为了撇清和“避嫌”，清廷的汉官都主张杀掉汪精卫。

确实，汪精卫的“罪行”，放在清朝往前的任何一个阶段，都有宗族连诛的可能。

世易时移，以肃亲王善耆为首的清朝亲贵，不少人主张免杀——朝廷正在推行立宪，应该非常注重时议。而汪精卫、黄复生二人，只是革命党派来的暗杀小组中的一小部分。杀此二人，复来二十人，二百人……冤冤相报，何时可了！

所以，肃亲王等人主张对汪精卫诸人“从宽”发落。

即使是身为刺杀目标的摄政王载沣，也在案卷上批复道：“我国正预备立宪，该生等（指汪、黄等人）系与政府意见不合，实不知朝廷轸念民庶情形……该生等躁急过甚，日后当知自误也。此与常罪不同，为国罹罪，宜从宽典。”

也就是说，摄政王载沣认为汪精卫是“为国罹罪”，即救国心切一时糊涂，干了错事。这样，既显示了清廷的“怀仁宽大”，又显摆了他本人的“能撑船”肚量。

于是，清廷很快以小皇帝名义的“上谕”宣告，汪精卫、黄复生被判“永远牢固监禁”，其实就是变死刑为“无期徒刑”。

只要青山在，何怕没柴烧！

大好人头保得住，日后万事如春风。

如此结局，大出世人所料。而同盟会的同志亲朋，比如胡汉民，早在汪精卫入狱时就写好了悲痛的“悼诗”：

挟策当兴汉，持椎复入秦。
问谁堪作釜，使子竟为薪。
智勇岂无用，牺牲共几人。
此时真决绝，泪早落江滨。

1935年，陈璧君（左一）与汪精卫（左二）在一起

其实，身在囹圄的汪精卫不仅没吃苦，反而因肃亲王之令广受优待。

而在汪精卫入狱时最心焦的，不是别人，正是其红颜知己陈璧君。

烦如釜上蚁，悲似失魂雁。

当时，陈璧君正和喻培伦一起回东京买炸药。闻知心上人被逮，她失魂丧魄，竟然当着同盟会同志的面大骂喻培伦临阵逃脱，留下汪精卫当替死鬼。喻培伦无法自明，只能默默忍受。日后，在1911年4月广州起义中，为表明自己的清白，他身背一筐手榴弹，奋勇杀敌。伤重被俘后，他慷慨就义，留下响彻千古的名言："学说是杀不了的！革命尤其杀不了！"

千辛万苦下，陈璧君与几位同志辗转各地筹款，终于回到北京，想设法去解救汪精卫出狱。

在狱中吃着陈璧君托人送来的鸡蛋，汪精卫百感交集。他咬破手指写下五个字："勿留京贾祸"。在心中，他生怕爱人再遭清廷逮捕。毕竟，刺杀摄政王一事，陈璧君一直有份参与。

众同志纷纷出谋划策，想营救汪精卫出狱。救人心切的陈璧君，甚至想出挖地道砸牢房的拙计，均告不通。

得知汪精卫被捕入狱的消息，孙中山倒有主见："谋杀太上皇（摄政王）可以减死，在中国历史亦无先例，况于满洲！其置汪精卫不杀，乃为革命党之气所威慑耳……"所以，孙中山认定要继续起义，才有日后汪精卫出狱的那一天。

孙中山这话说的一点也不错。武昌起义爆发后，惶骇万状的清政府在请袁世凯去镇压的同时，在北京抓紧释放"政治犯"，开放党禁，力图以此"高姿态"收买人心。

所以，武昌起义的枪声一响，万事大吉。

二十六天后，清廷以皇帝名义宣发谕令，把汪精卫、黄复生等人释放出狱。

血泪已枯心尚赤

多余的感怀

辛亥革命爆发后，汪精卫出狱，担任南方民军议和总代表伍廷芳的参赞，多日内一直为国家统一、避免内战、实现共和而往来奔走。

孙中山在南京担任临时总统之时，他苦口婆心，力劝孙中山让位于袁世凯，免蹈太平天国那自相残杀之覆辙（这日后也成为其一大罪状）。当是时也，汪精卫主要出于公心。

中华民国成立后，年甫三十的汪精卫，依照其人望和资历，在北京弄个部级官员轻而易举。但他急流勇退，鼓吹“六不主义”——不做官，不做议员，不嫖，不赌，不纳妾，不吸鸦片——潇洒退出官场。为了深造，他西去欧洲，到法国进修宪政学问。

观国民党及革命军高层，所谓功成身退者，当时唯孙中山与汪精卫二人。前者是被迫，后者则完全出于自愿。

1925 年，孙中山病危之际，为这位“国父”起草遗嘱的“笔记者”，仍旧是追随他左右多年的最得力之人汪精卫。

往后再推，即使到了 1927 年蒋介石“四·一二”清党反共之时，汪精卫仍旧坚持容共拥共，高呼“谁要残害工农，谁就是我的敌人”！他还公开痛斥蒋介石的武力清党行为。不久，在中国的共产国际成员、印度人罗易以为汪精卫是极左派，给他看了共产国际发给武汉中共组织的密令，这才让汪精卫顿时翻脸决绝。在密令中，他看到了如下内容：

改组国民党中央执行委员会，从内部瓦解颠覆国民党，组织革命法庭，审判处决“反革命”军官……

由此，汪精卫忽然大变，由容共拥共变成坚决的反共。

1939 年，毛泽东在延安模范青年大会上作《永久奋斗》为题的讲话，依旧肯定地说：“汪精卫，‘五四’以前曾慷慨激昂地去杀宣统皇帝的保护人——摄政王。他在那时候，是非常英勇的……”

1910年，热血青年汪精卫刺杀摄政王载沣。1943年，滞血中年汪精卫到伪满洲国的伪郡（长春）去拜见载沣的儿子、“康德”皇帝溥仪。

历史，充满了荒诞戏剧家都无法想到也难以表现的纯黑色幽默。

汪精卫刺摄政王时，溥仪年仅四岁，估计他当时并不知道“汪精卫”为何人。随着年龄渐长，这个废帝肯定会对“汪精卫”三个字渐有如雷贯耳之感。

但是，当年的袖剑英雄奇男子，一朝沦为日本人所扶植的伪政府首脑，或许在同为傀儡的溥仪心中，汪精卫的形象已经一落千丈。

一傀儡见一傀儡，着实让人在可笑之余，生出几分凄怆之感。

为了按日本人要求表现出南北呼应的“大共荣圈”团结戏，土肥原贤二安排汪精卫和溥仪会面。

想当初，溥仪初为日本人扶上伪帝宝座时，时为南京国民党行政院院长的汪精卫曾大声痛斥：“溥仪没有独立人格，无论他的名义是‘执政’还是‘皇帝’，都不能改变他傀儡的本质！”

十年之后，五十步笑百步，汪精卫一记耳光，似乎狠狠打回在自己的脸上。

汪精卫坚持“人格”，非要以宾主相抗的国与国之间的礼仪会见溥仪；而傀儡溥仪呢，则在日本人教唆下想以前朝帝王之礼“接见”汪精卫。

争执一番，日本人和稀泥，表示让二人以“西礼”相见。

甫进“皇宫”，溥仪据立于大殿的上方。看见这位伪君，汪精卫入门后微笑示意。

汪精卫未及站定，溥仪侍从官猛然高喊“一鞠躬”。猝不及防，汪精卫的微笑凝固在脸上，只得跟从礼仪官的喊声，一次一次行三鞠躬礼。

康德伪帝眼镜片后，闪过一丝诡谲的微笑，他自得地注视“汪总裁”向自己低头致敬……

晚夕，汪精卫回到下榻处，思及日间所受屈辱和摆布，不禁失声痛哭——堂堂男子汉，竟向倭人走狗俯首！尔父尔祖辈旗人，当年均曾向我拱手相敬，而尔一蕞尔伪国小君，竟然如此倨傲，令人发指！

由彼及己，汪精卫越想越气短。

怀持如此悲怆情绪，返程途经北平时，汪精卫受邀在中南海居仁堂演说（北京汉奸政府主持）。

在台上伫立良久，汪精卫一脸凄伤。而后，他沉痛言道：

> 三十多年前，我为清朝政府所逮，其间，有人问我中国何时能富强？我答说：三十年。时至今日，在座诸位，估计还会向我再问同样的问题……我想说的是，三十年！

言毕，汪精卫泪下如雨。

一夫鸣枪　三军皆反

辛亥首义之精彩华章

“大地沉沦几百秋，烽烟滚滚血横流。伤心细数当时事，同种何人雪耻仇！”陈天华这首《猛回头》，阅之读之，立刻令人血液沸腾，慷慨思愤。

飒飒风中，让人恍然间思云腾绕，回到了那个铁血华年。

正是当时那些风华正茂的革命志士振聋发聩的呼喊，方才唤醒迷滞已久的国人。

在心跳加速中，在咬牙切齿中，他们目眦尽裂，拍案而起！

于是，1911年10月10日，湖北新军工程营中的一声枪响，划破了武昌的夜空。

为什么革命发生在武汉？

在讲“第一枪”的故事之前，笔者先简短分析一下武汉乃至湖北在辛亥革命前的状况。

武昌起义前，《湖北学生界》这份刊物的第一期，曾经有过这样的一段话：

危哉中国，其为各国竞争之中心点也，呜呼！夫孰知以中国竞争之局卜之，吾楚（湖北）尤为中心点之中心矣乎。

可以见出，在武汉打响辛亥革命第一枪，绝非偶然。

湖北，处于中国之中部；武汉，号称九省通衢。这里，不仅仅是清廷一直着重控制的重地，也是西方列强争夺的地盘之一。

狂流激荡下，各种思潮在此聚集交积也就不足为奇。

最早把魔爪伸入湖北的，当属老牌帝国主义英国。而后，众国齐竞，纷纷在此建租界、开银行、把持海关。

由于河道畅顺，各列强的军舰也往往游弋往来，不可一世。

仅仅二十年左右，列强们逐渐控制了湖北的工商、金融、矿业、交通等命脉。

以武汉为例，辛亥革命爆发时，外国企业近二百家，英国五十三家，日本四十三家，德国三十五家，法、俄、美等十余家。大多数洋人的企业，皆在1900年之后进入。

特别是在1902年之后，作为对外贸易大埠的汉口，交易额激增，一年平均保持在一亿三千万两白银之巨，远超天津、广州，仅次于上海，享有“东方芝加哥”的美号。

在疯狂掠夺桐油、茶叶等原料的同时，列强们还向中国进行棉纱等日用工业品的疯狂倾销。

由于封建官府买办化的加剧，清朝的一切“新政”，皆为迎合洋人而生，而中国原有的封建自然经济在西风中迅速解体。

当时，湖北表面的繁荣，完全是畸形的繁荣。一方面是少数几个大城市“超繁华”，一方面是广大农村地区哀残不堪。

作为税款大户，清廷对湖北的“解款”要求日益增加。每年辛丑赔款负担一百多万两不说，还有“补镑”六十万两，“辽东偿费”五十万两，练兵处调解五十三万两，而且，膏捐权也归中央。

不用说，这些钱，富商大官当然不会出，肯定要全部转嫁到广大民众的头上。

湖北的大地主们也很“时髦”。他们一方面大量聚敛土地，一方面进入城市，兼营商业与银钱业，建立起庞大的商业高利贷网络。

由于20世纪初的十年内，天灾人祸不断，农业纷纷解体。在湖北，特别是武汉，聚集了大批流民、灾民。

在这种环境中，哥老会、天地会的新鲜血液就会源源不断，动乱的因子，越聚越多。

由于武汉一带在先前的太平天国战争中，曾几次陷于太平军手中，因而此地“革命”的影响远远大于其他地区。

江湖风波，一浪高似一浪。

破产农民、散兵游勇、城市贫民、手工业者、产业工人，这些人杂集在一起，波蔓交融，形成了特别适合暴发革命的土壤。

鄂、湘、粤、川等地的保路运动，更直接促起了大批中小商人的激烈行动。

放眼纵观湖北社会各阶层，在那个危险的时刻，都对清廷蕴攒了相当大的怨毒之气。

从“人才”方面讲，湖北革命党还应该“感谢”当年张之洞的各种教育举措。张之洞本来想为自己和清廷制造出一大批驯顺的“奴才”，殊不料，反而为朝廷培养了一批广具知识的“掘墓人”。

从1900年开始，张之洞在武汉及其他不少地区开设了许多学堂，科目关涉广博，且大量向东、西洋派遣留学生，人数远远超出其他各省。

张之洞为了提高新军“素质”，招纳不少识字青年入军，使得军队的人员组成结构也远远不同于从前。

科举制废除后，知识分子竭力寻找出路，不仅本省青年“秀才”们纷纷到学校报考，外省（特别是湖南）也有许多人到湖北寻找机会。

所有这些人，思想上属于活跃、敏感的一类。他们政治上特别敏锐，很容易接受进步思想。民族危亡的大背景和生计艰难的小困难，更造成了青年人对“革命”的向往。

在种种社会、经济、思想的合力下，才造成日后的奇景：武昌的清朝新军，汉阳兵工厂的枪炮，皆一齐掉转反向，清廷顿时摇摇欲坠。

湖北的革命势态一直呈独立发展势头。但是，由于孙中山以及其同盟会在革命中“辈分”最高，所以绝大部分团体还是把“三民主义”当作一块大招牌来使用。

不过，湖北主要党人出身富户比较多，特别是共进会成员都不大赞成同盟会主张，很多人排斥“平均地权”这一条。所以，三民主义在湖北，基本变成了“二民主义”。

当然，湖北革命党人最重要的四字纲领，是“革命排满”。因此，他们的当务之急，必然是要“驱除鞑虏”。

鄂籍党人不是很“排洋”，这主要因为他们多年与洋人打交道，深晓对方的“厉害”。

“八月十五杀鞑子”

活跃在武汉新军中的两个主要团体——共进会与文学社——虽然目的都是为了排满革命，但毕竟存有门户私见。开始的时候，双方互挖墙脚。

值得庆幸的是，两个团体的上层人物还算有大局观。危急关头，他们开始商量联合共事。直到1911年5月，共进会和文学社才真正展开正式的合并谈判。

刚开始，双方各不相服。蒋翊武认为，文学社的人数居多，在新军内的基础也好，两个组织合并后应该以文学社为主；孙武当然不同意，他认为共进会是同盟会系统，在全国影响大，经费又多（靠刘公所捐的五千两白银）。所以，联合后自然是共进会掌权。

讲到此，可能有读者会好奇：新军中的革命党人，不少人出身富户，又有不少会员的入会费用，难道缺钱吗？

革命党，他们不仅仅是缺钱，而且是非常缺钱！

在如火如荼闹革命的辛亥年，六月间，为了找钱，共进会的湖北人居正，带着湖南同志焦达峰，潜回自己的老家广济县踩点。他们此行的目的，就是县内达城庙的一尊纯金菩萨。不久，居正、焦达峰招来同志数人，乘月黑风高雨大之夜，穿寺墙而入，把金佛从莲座上凿下，盗之而去。可惜，半路上，他们遇见几个办公差往还的蕲州捕快，误以为盗佛之事败露，慌忙把金佛扔在当地，拔脚狂逃。

湖南革命同志邹永成为了给革命筹钱，绞尽脑汁，很“热情”地去探望家在武昌的婶母。得知她确实家境殷实后，邹永成订购迷药，准备药翻她。岂料，当时就有卖假药的。婶母饮酒一壶，笑吟吟无任何玉山将颓的迹象。无奈，邹永成临走捎带脚把年幼的堂弟拐走，然后谎称是土匪绑架。最终，他从婶母处“勒索”了八百银圆，奉献给革命组织。

最大的一票，当属刘公的五千银圆。这倒不是同志抢同志，基本属于同志抢自己家。

刘公家乃襄阳巨富，他知道老父一心要自己做大官发大财，就写信给家里，说自己想花钱捐个道台。老头子本来正忧虑膝下这个忤逆子有“革命”的意头，忽见他有意献身朝廷，大喜过望，当下就许诺给儿子银圆两万以作捐官用。

说到做到，刘老头立马就往汉口银行汇了五千元，要刘公把这笔钱当作买官的铺垫。

孙武得知此事后，脑里一轰，眼前一亮，忙找到彭楚藩商量，千方百计要把这笔巨款搞到手。

怕刘公舍不得那笔钱，时为新军宪兵排长的彭楚藩立刻拍胸表示：“刘公在东京任共进会头领时，印制过一份名为《革命方略》的地下刊物。我去吓唬他，如果他不交出这笔巨款，我就威胁他，说要把他押送到官府，让他捐官捐不成……”

果真，彭楚藩到刘公家“做客”，没说几句话，他就掏出一本《革命方略》，瞪着眼睛吓唬对方。

此举惹得刘公怫然不悦：“我本来就是从家里骗钱干革命的，干吗你又来吓唬我！”

结果自然皆大欢喜……

盗金佛，拐人质，欺家人……为了革命找钱，革命同志绞尽脑汁，无所不为。

三次谈判过后，文学社、共进会求同存异，最终一起接受了老好人邓玉麟（共进会）的提议——双方一起组成指挥部，共同分享领导权力。

直到 1911 年 9 月 23 日（辛亥年八月初二），共进会、文学社这两个团体才正式开会宣布合并。会议地点是武汉雄楚楼 10 号的刘公住宅。

在合并大会上，大家接受了刘复基的提议，决定日后不再分彼此，一律不再用文学社和共进会的名称，统称为“武昌革命党人”。

权力分享方面，与会者推举蒋诩武为军事总指挥，孙武为军政部长，刘公为总理。

这种安排，非常微妙。

看似文学社的蒋翊武当“一把手”，但孙、刘二人皆为共进会出身。而共进会方面，刘公原为内定的湖北大都督，此时只能屈居于蒋、孙之后，负责民政这一块。

表面上合理、平衡的人事安排，其实为日后双方的争权夺利埋下了伏笔，也为武昌起义后指挥权的归属纠结留下了隐患。

雄楚楼合并会议召开后的第二天，起义指挥部在武昌胭脂巷 11 号胡祖禹家召开干部会议，共一百多人参加。会议决定，将于1911年10月6日起义。那一天，是农历八月十五，暗合元末历史上“八月十五杀鞑子”的传说（元末陈友谅在沔阳起事，就是在中秋节以月饼传信，奋起杀元兵）。

此前，由于四川保路同志军的起义，清廷抓紧在全国范围内抽调部队去四川镇压，其中，就包括武汉的湖北新军第三十一标全标以及第三十二标的一个营。这些部队，皆划归钦差大臣端方，已经先行入川。而蒋翊武所在的第四十一标，也被调往岳州驻防。

这样一来，革命党人原本在新军中各个层级的人事安排，基本被打乱，不少党人士兵纷纷被调往外地。

如此再延搁下去，可能就会失去起义的大好时机。

审慎考虑后，胭脂巷会议决定，一定要尽快起义。八月十五一到，全军革命同志响应，一举推翻清廷在湖北的统治。

入川部队中，革命党人也留下通讯方式——湖北起义，如果成功，即发电报以“母亲故”加以表示；起义失败，暗号为“母病愈”；起义成功有胜算，电文暗号是“母病危”。一俟武昌发动起义，入川鄂军将全力回来支援。

未料到，千端万绪开头难。就在胭脂巷会议召开的当天，驻扎于武昌城外南湖的第八标三营的炮队出了娄子。

南湖炮队的“出事”，不是什么真正的“造反”，而是属于类似“哗乱”的小小意外军变。

当天下午，一队士兵喝酒，为即将退役的正目汪锡九和士兵梅青福饯行。由于排长刘步云（记住这个名字，后来还会提他）干涉士兵喝酒，双方发生争执，大打出手。

炮营管带偏袒那位刘排长，派宪兵抓人打人，为此大大激怒了士兵。几十上百的士兵乘酒劲发威，抢了几十把指挥刀，四处跳嚷，大叫“同志快起”。

革命党在第三营的革命代表赵楚屏等人想借机起事，与几十个士兵一起冲入弹药库，拖出几门大炮要放。

摆弄半天，他们忽然发现，大炮都没有引线，几个人才悻悻而去。

时为武汉最高军事长官的清军第八镇统制张彪，闻讯大惊，立刻派出马队前往南湖炮队弹压。

待骑兵赶到时，哗变的兵士早已逃散一空。

如此小事，打草惊蛇。

不久，“八月十五杀鞑子”一语在军营传开来。

武汉的清朝军政要员闻之更惧，立刻提高了警备程度。他们屡屡派出密探，到处侦探消息，搜集情报。

湖广总督瑞澂宣布，10月6日（八月十五）当天，全城戒严，官兵皆不能离营外出。军中除值勤士兵可允许携带少量子弹以外，所有弹药一律集中收缴，统一保管。更严格的是，他还下令，即便是军营的中秋联欢会，也要提前一天举行。八月十五那天，严禁以各种名义“会餐”。

当时，与会的清朝文武官员很多，有人建议把守卫楚望台军械库的工程营士兵调离，遭到混成协协统黎元洪的反对。他认为，此举会更加激起士兵反感而引发军变。由此，提议未获瑞澂支持。

如果在楚望台调开了工程营，武昌起义的结局可能是另外一番景象。

起义总指挥部鉴于当时的情况，只得把起义时间往后推，约定在阴历八月二十那一天起义，即阳历的10月11日。

改期通知刚发出不久，乱中生乱，凭空生枝节。

10月9日那天，共进会领导人孙武所居的宝善里14号，轰然一声，出了大事。

忙中添乱的烟灰

孙武（1879—1939），原名葆仁，原本是很“传统”的一个中国名字。由于他坚定反清，就把表字改为“尧卿”（摇清），号梦飞、遥仙（孙文是逸仙）。

孙武是武汉柏泉孙湾人，据说祖父曾为太平天国战将（具体不详）。他从青年时代起，就具有特别强烈的反清精神。十八岁时，孙武考入湖北武备学堂，得遇“革命”同学吴禄贞。他们每每激谈天下事，意志昂扬。

1900 年唐才常自立军起义，孙武曾被封为“岳州司令”，但未及过瘾，就因为起义失败而被迫化名潜逃。

后来，孙武去过日本，加入了同盟会，在东京一度非常活跃。共进会成立后，孙武作为骨干归鄂，策划起义。

在东京时，孙武身边好友个个后来都大名鼎鼎——宋教仁、秋瑾、胡瑛……

回湖北后，孙武原本住在汉口的荣昌照相馆，天天忙着制宣传单，刻制印章，制造土炸弹。

10 月 4 日（八月十三）那天，他因怀疑有清廷暗探来查，就决定搬家。

有同志李自贞作铺保，孙武等人搬到了汉口俄租界的宝善里 14 号，并以此地为临时指挥总部。

而身为起义领导层的刘公，很快带着妻子李淑卿与弟弟刘同搬入此处居住。

10 月 9 日（八月十八）下午，孙武在屋子里全神贯注，忙不停地制作炸弹。他面前的案子上，摆满了黑铅、铁片、罐头盒、盐酸、硫黄等物。

孙武本人受过“专业”训练，加上起义时间紧迫，所以他专门负责制作土炸弹。

他效率不低，一日可作大概五十枚。

刘公的弟弟刘同，是个十六岁的少年。他本性好动，又有抽烟的习惯。这一天，他倚着大木案，边看孙武忙乎，边喷云吐雾。

烟头火忽明忽暗，阵阵香雾飘摇，孙武竟然想不到阻止这位小老弟抽烟。

其间，刘同站久乏累，潇洒一弹烟灰，转身欲离去。

他刚转身，桌案上的炸药“蓬”的一声腾起一团大火球，立时引燃了其他杂物。

浓烟升起，孙武的双手和脸被严重灼烧。值得庆幸的是，他双目依旧能视物。

手脸火辣辣地疼，孙武很坚强，他一边命令刘同赶紧离开，一面让当时在另外一间房子印制伪钞的李春萱向房子泼煤油。此举目的，是想在救火队来之前，把所有“证据”都销毁。

俄国巡捕行动快，蹬着大皮靴，很快朝着火地点赶来。

听警哨声凄厉，孙武等人只得逃走。

治病要紧，孙武被同志送往日本人开立的同仁医院。

别的同志纷纷走避于设在汉口的另外一处秘密地点——汉口法租界内的长清里18号。

宝善里14号爆炸起火的原因，事后诸多人回忆，有的说是孙武自己制弹不小心，有的讲是赵楚屏装药失误，有的说是刘同抽烟烟灰落下引爆，说法不一。

在场的十个人中，刘同本人被杀，孙武和别的人日后回忆中又从未谈及细节。

经过分析和对比，笔者比较认同“刘同烟灰引爆炸弹”一说。

刘公的弟弟刘同这个少爷，确实算得上是革命的“丧门星”。

宝善里爆炸时，刘公本人并不在场。从辛亥起义诸人的回忆中，似乎对他当时在何地没有提及。笔者所能设想的，刘公巨富出身，只把宝善里 14 号当落脚地之一，肯定在汉口、武昌还有其他住所，所以才有当时他弟弟刘同一会儿在宝善里，一会儿在别处的情形。

事情发生后，大家在长清里 18 号集合。刘公随后赶到。没说几句话，他忽然脸色大变——包括革命党人的花名册在内，共进会、文学社诸多的重要文件，均在宝善里 14 号！

内疚加愧疚，刘公捶胸自责，派弟弟刘同和妻子李淑卿往回踅返，试图取回花名册和文件。

出于侥幸心理，刘公希望俄租界巡捕粗疏，未及发现那些东西。事实恰恰相反，他们早已把文件、名册等物搜集齐全，转交给了清政府。

不仅如此，他们还在宝善里 14 号埋伏暗探，就等着有人上钩。

结果自不必言。李淑卿和她的小叔子刘同二人刚拿出钥匙想开门，就被潜伏已久的探子们围上，乖乖束手就擒。

被逮以后，李淑卿风尘女子出身，见多识广，革命意志坚定。她咬紧牙关不松口，没透露任何消息。刘同挨不过苦刑，把他能知道的一切尽数招供。于是，在汉口的革命党人，包括刘公、孙武等，内心惶急无限。

在如此情势下，别无选择，只得提前起义。

他们便派出邓玉麟，让他火速赶往武昌，向小朝街 85 号总指挥部报告发生的一切，立即组织起义。

由于刘同的招供，原为文学社总部的小朝街 85 号，已经暴露在清廷视野之中，恐怕也在劫难逃了。

黎明前最黑暗的时刻

位于武昌城南的小朝街85号，是文学社与共进会合并前的文学社机关所在地。其户主，乃陆军第八镇三十标排长张廷辅夫妇。与他们同住的，还有驻机关办公的刘复基。

刘复基（1883—1911），字尧澄，湖南武陵（常德）人。他二十岁时，就积极参与宋教仁等人策动的华兴会长沙起义。败走日本后，他加入了同盟会。归国后，他一直积极从事革命活动，并在1910年投湖北新军第二十混成协当兵。

从振武学社到文学社，都有刘复基坚实踏实的身影。后来，他被选为文学社的评议部长，从军队请长假，专门负责社务工作。

文学社与共进会的成功合并，刘复基在其中努力最多。他一直以反清革命大局为重，调和双方矛盾，苦口婆心，最终说服蒋翊武与共进会合作，一致对外，反抗清廷。

当邓玉麟急匆匆从汉口奔至武昌小朝街85号的时候，蒋翊武、刘复基、彭楚藩几个人都在场。仔细听取了邓玉麟的汇报，他们得知了孙武、刘公立即起义的要求。

在刘复基的催动下，大家一致同意提前起义。

由于刘公、孙武都不在场，总指挥部里面，只有蒋翊武职位最高，自然他就充当“临时总司令”。这个决定倒是歪打正着，因为他本人就是先前两个组织联合推举的“总指挥”。

最后，蒋翊武签署了起义命令，决定提前起义——当夜12点，以南湖炮队中的革命党人鸣炮为号，各军同志一齐起义。

如此匆匆，也是出于万般无奈——党人名册已落入清廷手中，如果不动手，只能坐以待毙。

于是，南湖炮队的炮声响不响，就成为当晚起义的关键。

几个人商量后，就派邓玉麟去南湖炮队宣布命令。杨洪胜、陈磊等人分头出发，通知各标营的同志，准备当天夜里动手。

为稳妥起见，他们还给邓玉麟配备了两个助手：徐万年和艾良臣。

众人想，三个人前去南湖炮队作通知起义的工作，总该万无一失吧。

邓、徐、艾三人离开小朝街，时为下午 4 点左右。他们在城内转了大圈，把该通知的同志都通知到了。直到晚上 10 点，他们才准备从文昌门出城去通知南湖炮队。

由于天色已晚，城门搜查甚严。三个人只得把身上携带的炸弹扔掉，空手出城。

当他们最后到达南湖炮队时，已经到了深夜时分。邓、徐、艾三个人翻墙而入，差点被在营内值勤的卫兵开枪打死。幸亏卫兵发现是自己同志，才帮助他们入得炮营。于是，几个人找来炮队的革命同志，到马棚商议起义计划。

那个时候，实际上当夜起义的计划已经流产——时间已经过了 12 点！

本身就是南湖炮队的营代表徐万年感到很为难。他认为，马上起义，时间太仓促，且兵营内的同志们均已熟睡，临时摸黑举事，混乱中成功的可能性极微。

仔细研究后，徐万年和几个炮队同志都认定当夜不能起义，就决定待到转天天亮，重新回到武昌小朝街总部，找蒋翊武等人仔细商议，重新议定起义时间。

这几个人，暂时待在炮队不动，紧张得一夜阖不上眼。他们生怕武昌方面会出什么事情。

凡事，似乎总会往最坏的方面发展。当炮队中几个人忧急如焚时，小朝街 85 号确实出事了。

邓玉麟等人走后，刘复基、蒋翊武、陈宏诰等人深感不妙。傍晚时分，彭楚藩再度返回，带来令人紧张的消息——连宪兵营内都开始出现紧张气氛：上面有命令，严禁任何人离营。

此情此景，似乎有风声走漏。

他们不知道的是，不仅仅是走漏风声那么简单——刘同已经挨不住酷刑，把他所知道的几处共进会、文学社的机关和活动地点，全部和盘供出。

清政府按图索骥，瑞澂等人派出大批军警，已经分别端掉了几个革命“窝点”。大批军警人马，正悄悄向小朝街方向开进。

几个人默不作声，都在默默企盼南湖炮队的炮声。只要炮声一响，同志们四下响应，一切都会明朗起来。过了午夜12点，外面没有任何动静。为了打破令人窒息的死寂，蒋翊武把留声机打开。这样，好歹有些声音，能给人以精神上的安慰。

时间一分一秒过去，仿佛过了一万年……

惶恐忧急间，门外忽然响起拍门声。刘复基、蒋翊武迅速起身，摸黑到二楼，向窗外望去。

外面黑漆漆的，什么也看不见，只听见雨点敲门窗棂的声响。

“什么人？”蒋翊武问。

“我啊……”

“干什么？……”

“我来找人……”

“你是谁？”

“……我来找你们当家的，先开门再说……”

至此，屋中几个人知道事情泄露，纷纷持枪找炸弹。

依照当时的情形，他们也只能乘黑一拼。

刘复基率先冲下楼，几个人紧随其后。

还没跑到院子里，军警们猛然砸开大门，直朝屋内扑来。

刘复基立刻扔出一颗炸弹。

军警们慌了，向后一齐闪避。

可惜，臭弹一颗，连火星都没冒。

军警认为是假弹，呼啦啦又往前涌。

刘复基站在楼梯中间，掏出另一颗炸弹，扔在自己脚下，准备与敌人同归于尽。

炸弹仍旧没爆——忙中出乱，这颗炸弹竟然没装上栓钉。

未容刘复基再反抗，军警们扑上，几个大汉把他按在当地。

刘复基看着周围清一色的大盖帽压大辫子，大声骂道："你们这群清狗子，很快就要灭亡！汉人兄弟们，大家想仔细，不要为清狗子卖命！革命党遍布国中，清朝完蛋的日子不远了！"

正因为刘复基的英勇抵抗，为他身后的同志赢得了时间。

蒋翊武几个人趁乱，立即退回二楼。他们关死房门后，从窗户攀至屋顶，跳入邻居院内，各自散去逃走。

军警们四下鸣枪，吹哨，叫嚷，周围乱成一锅粥。

中国人爱看热闹，不少人家开门提灯，走到街上看热闹。

陈宏诰运气最好，有个警察认识他，和他亲热打招呼："哟，这不是陈科长的公子吗，您来这儿干吗？也是抓人办案吗？"

"是啊，办案，办案。"陈宏诰一边打哈哈，一边从容脱身。

随他而出军警包围圈的，是彭楚藩。他身穿宪兵队的排长制服，气宇轩昂，背手昂胸，没人敢拦他。

蒋翊武运气也不错。他刚从岳州回武昌不久，身穿破旧的棉袍，看上去很像个乡下人。警察把他拦住后，他结结巴巴，解释说自己上街来看热闹。看他那傻乎乎的样子，军警不疑有诈，抬手给他一棍，一脚猛踢他屁股，让他快滚。

军警做梦也想不到，刚刚滚走的"乡巴佬"，正是湖北革命军的"总指挥"。

鬼使神差，已经安然脱险的彭楚藩自恃有宪兵队军装在身，不久又兜转回来，想趁机把刘复基或别的被捕同志救走。

这次再无好运气，他被一个军官拦住，问他到此何干。

“办案，我来这里办案。”彭楚藩大大咧咧。

如果他说路过，兴许军官就把他放过去。他说来办案，反而引起了那位警官的怀疑：“你宪兵营的人，办什么案呢？没人让你来参加今天的行动……”

不听彭楚藩解释，他一挥手，立刻过来几个持枪的士兵，把彭楚藩缴械，押他回了警察厅。

当夜，除了彭楚藩、刘复基，出外送信的杨洪胜也被清政府逮捕。

杨洪胜（1875—1911），湖北谷城人，是个参加文学社仅半年的普通士兵。为了更积极介入革命工作，他请假离营，以开杂货店为掩护，整日忙碌不停，把革命党人赶制的炸弹分批偷运入军营内。这种活儿，又琐碎又危险，还引起了他所租住房屋房主的注意（其房主是反动军官手下的勤务兵）。

恰恰在 10 月 9 日当天上午，反动房主把杨洪胜的事情报告给了警察局。

小朝街刘复基、蒋翊武等人决定起义后，杨洪胜作为送信人，及时把起义计划通知到了熊秉坤所在的工程第八营和驻扎在塘角的辎重营。然后，他没有任何停歇，开始了紧张的运送炸弹工作。

由于工程营中反动军官有所戒备，他没能把一挎篮的炸弹送到那里，只能急忙跑回杂货店。恰好，军警接到举报后，认定杨洪胜是党人，正派人赶去逮捕他。

候了快一天，终于把杨洪胜候个正着。手中有满满一篮炸弹，杨洪胜心不虚。他一边掉头跑，一边信手拈出一颗炸弹扔向追他的军警——栓钉未及装上，铁疙瘩着地后，没响。

吓得趴了一地的军警气急败坏，再起身追赶。杨洪胜装上一个栓钉，又一甩手，响了。

毕竟土制炸弹，砰然一声后，大爆竹一样，周围的军警只被吓个大激灵，根毛未损。

倒霉的是，杨洪胜本人却被炸弹的一块弹片击中腿部，仆倒在地。

军警们来了精神，个个奋勇争先，直朝杨洪胜扑来……最终，寡不敌众，杨洪胜被生擒。

10 月 9 日的大搜捕，折腾了大半宿，终于以刘复基、彭楚藩、杨洪胜三个“要犯”的被捕而结束。

此时，湖广总督瑞澂办事的“效率”尤其高，他立刻在制台衙门对三个人进行“公审”。

长久以来，对于谋逆大案，清廷一直施行“公审”。他们原本的用意，在于震慑大众。

时至清末，“公审”却每每变成革命者慷慨激昂的宣传演出。

半夜三更，听说有革命党人要被审讯，制台衙门的四面八方涌来无数民众，里三层外三层，乌压压站满，个个屏息细听。

害怕自己在审讯期间遭人刺杀，瑞澂派出手下爪牙、时任督练公所主办的铁忠和湖北布政司陈树屏在前庭当主审官，他藏于内院主持幕后。

由于彭楚藩身上穿着宪兵排长的制服，他自然首先被带上堂审讯。

高座的铁忠气势汹汹正要发问，见彭楚藩大踏步上堂，忽然一愣。

倒不是英雄的凛然无畏打动了铁忠，而是彭楚藩身上的宪兵军官制服让他心慌——宪兵营管带果清阿，是铁忠的妹夫。

所以，铁忠想，如果面前此人真是宪兵营的人，肯定会影响自己妹夫的仕途。

定定心神，铁忠有了主意，问：“你是宪兵营的人？”

“是”。

“姓甚名谁？”

“彭楚藩。”

“嗯，这帮草包，怎么把宪兵营的人也拿了来！肯定是他们抓错人了。”铁忠摇摇头，眼睛紧盯着彭楚藩，希望对方明白自己的用意。

如果彭楚藩想活命，只要随声附和，说正是军警抓错人，立马就可走人。

“他们没抓错，我正是革命党人！”

铁忠闻言，脸色大变。

沉默了片刻，铁忠一拍桌案：“你自己是宪兵营排长，竟然犯上作乱，难道受革命党指使，速速招来！”这句话，仍旧给彭楚藩一个下台的台阶。如果承认自己受党人诱惑造反，依然可以有“立功”机会。

彭楚藩高声抗言：“我加入革命党，完全自愿！满人卖国，奴我汉人，我们就是要推翻满洲政府。要杀要剐，随你们便！凡天下黄帝子孙，皆与我同党！我现入革命党，个人生死，早已置之度外，大丈夫死耳，早杀为盼！”

铁忠气急败坏。他支使衙役：“来人，让这厮跪下！”

衙役们涌上，几个人推搡按压。彭楚藩屡跪屡起，怒声叫骂：“我皇皇汉族，岂能跪你犬羊贱种！”

与铁忠同为审问官的湖北布政司陈树屏问：“彭楚藩，你是读书最聪明的人，深知道理，为什么做出这样大逆不道的事情来？”

彭楚藩：“我正因为深知大义，才不至于被尔等一帮满奴牢笼住而坐以待毙，才能心中存有雪我汉族祖先数百年大耻的决心。今日，想必胡运尚未告尽，我们做事不秘，致使行动泄漏。恭喜在场各位，你们这些奴才，又有升官发财的新路了。”

陈树屏：“你何苦要造反呢，难道不可惜自己的大好头颅吗？”

彭楚藩：“你真是糊涂至极！你也不想一想，什么叫革命？革命，就是要把我们自己的头颅作为代价！况且，抛掷我一人的头颅，能换取我四万万同胞的幸福，我又怎能爱惜自己的生命呢！”

铁忠气鼓鼓地问：“你知道你的身份是什么吗？”

彭楚藩笑道：“我是宪兵啊。”

“既然是宪兵，你肯定知道大清的法律。既然你领取国家的饷银，就应该为国家尽力，谁料到你竟然知法犯法，知道罪大吗？”铁忠来了精神。

彭楚藩：“我当宪兵的目的，不过是借此身份便于革命。你所说的饷银，乃我四万万同胞的膏脂，哪里是你们清朝犬羊的饷银！你说我何罪，我就是何罪，不必多言！”

铁忠无言。呆了半晌，他才说：“你有党羽多少？他们在哪里？军火炸弹到底藏在何处？我劝你还是都招供了。如果供得好，我们想法成全你！”

这些对话，使得幕后听审的张彪、瑞澂等人大怒。瑞澂提笔写下几个字：“彭楚藩谋逆大罪，枭首示众！”于是，衙役们推着彭楚藩往督署东辕门处，杀害了这位英雄。

一路走，一路骂，彭楚藩无任何怯懦迟疑。在场百姓，暗中叹息不已。如此高大磊落的鄂城男子汉，临死不惧，真属少见。

彭楚藩此时，年仅二十七岁。

杀了彭楚藩，铁忠提审刘复基。

“在小朝街85号，你竟敢向军警抛扔炸弹。你吃着我大清的皇粮，受着大清的恩惠，怎敢做出如此反逆之事？”铁忠怒喝。

刘复基外形似一文弱书生，却目光如炬，说起话来底气十足，声如洪钟：“自从鞑虏入关，扬州十日，嘉定三屠，剃发易服，杀我汉人千万，奴我汉人二百余年，犯下无数罪孽，清朝实与我汉人有血海冤仇，何德何惠于我！近年以来，满洲政府卖国割地，与洋为奴，天人共愤。我大汉子民，正是要推翻你们这些满狗，重振大汉国家，雪百年之耻，重振中华声威！……”

刘复基擅于言辞，口齿清晰，讲起话来滔滔不绝，在场民众，无不悚然动容。

铁忠更怒，吩咐衙役当庭用刑。棍棒交下，鲜血横流，刘复基四肢俱折，仍旧骂不止口。

在瑞澂授意下，铁忠用笔蘸墨，大写一个“斩”字。虎狼衙役们拖着刘复基往东辕门。临刑前，英雄用尽全力，三声高呼“中国万岁！共和万岁！革命万岁！”。

刘复基这样一个大英雄，还是一个孝子。他母亲住在湖北乡下，自三月以来，革命迫在眉睫，他最后看望了一次母亲，跪地洒泪道：“母亲大人，儿为国事奔忙，恐怕日后会有好长时间不能探望您，望您原谅孩儿的不孝！”英雄母亲，心中虽忧，口中励劝：“我儿但去无妨，国家事大，勿忧我。”

母子一别，阴阳永隔，思之令人鼻酸。

最后，庭下只剩下了一个看上去极其质朴憨厚的杨洪胜。

望着腿肚子上一个大血窟窿往外冒血的囚犯，铁忠很想留他一命，以示“大清”的仁德，给围观市民留个好印象。

“看你这样子，当过兵吧，肯定是个大老粗。你受那些读书人蛊惑，是上当受骗了吧？”铁忠言声放缓。

“呸！老子是自愿当革命党！”

铁忠闻此言，牙关紧咬：“你扔炸弹拒捕，炸弹从何处来？”

“当然是造的！”

“谁造的，从何人处获取？”

“不知道！”

“只要你能供出制弹人和藏匿地点，本官保证，饶你一死！”

“老子不怕死！杀便杀，死就死。除了旗人，天下皆是革命党！”

铁忠怒不可遏，愤然起身，大喝一声：“斩！”

刽子手们上来，拥搡杨洪胜而去。一路之上，仍留下英雄不绝的骂声。

三位大英雄，铁舌钢牙，无人透露出丝毫提前起义的消息。

杀掉彭、刘、杨三个人后，在统制张彪等人建议下，瑞澂从后堂发话，派人把已经被打得半死的十六岁少年刘同提出监狱，拉去辕门砍了头。

杀掉几个人之后，湖广总督瑞澂心中稍安，觉得自己已经立下大功一件，便顾不得休息，与师爷详议，电奏朝廷，洋洋洒洒，大讲自己如何“诸葛亮”，如何不动声色擒斩“贼党”……

邀功之后，他疲乏已极，倒卧床上，昏然睡去。

被谣言激促的革命

瑞澂杀了几个革命党人，给读者的印象似乎就是个杀人狂、凶恶屠夫。其实，不大尽然。

瑞澂，满洲正黄旗人，字莘儒。从中央到地方，他做官如芝麻开花，节节高，并不属于那种全凭关系往上爬的满洲权贵。他肚子里很有些才学和本事。当然，完全说他凭本事在官场混，也是谬赞——他爷爷是大学士琦善（挤兑林则徐的那位），爸爸是有将军衔头的恭镗。

权贵出身的瑞澂，官场作风比较好，清廉而不贪。如遇承平盛世，他很可能是个百姓跷大拇指的好官。乱离季世，这样懦懦无断之人，处于浪口风尖，就如小草，任凭疾风狂吹。

军警们从宝善里搜得一整套革命党人名册，瑞澂的师爷张梅生就劝他下狠手——立刻召集军将，按册抓人，大开杀戒，认为如此可防患于未然。

瑞澂缺乏果决的魅力，本人又信佛，总觉杀人太多有损阴德。就连铁忠勾决彭、刘、杨等人，他也在后堂犹豫许久，最终在张梅生等人催促下才最后拍板执行。

有人可能会问，张梅生一鼠须师爷，有那么大能耐吗？当然有。这些官府的高级幕僚，熟读中国古代历史，深谙权谋治乱之道，学问见识往往大大高于他们的雇主。书生没运气中举，只能把大好才华窝起来，去当幕宾。赫赫大名的左宗棠，就是刀笔幕吏出身。

奴才发起狠来，往往凶过主子。

事实证明，瑞澂的犹豫，完全是妇人之仁。如果他果决，马上按照名单抓人；如果他有大慈悲、大智慧，完全可以在搜获名册后召集新军中小级军官，当众宣布此事，然后把名册公开销毁，表示既往不咎。这样做，定可大大削弱新军内革命党人即时起义的危险。他果真销毁名册以示宽大，其实也符合清廷上谕的精神："如搜获逆党名册，立即销毁，毋得稍事牵连，致滋扰累！"（《宣统三年八月二十八日上谕》）

关键时刻的懦弱迟疑，换来的，无非是窝心一剑。

还有，辫子问题，本来已经是个小问题，却在当时成为激发革命谣言的一个关键点——"政府正在搜查，只要没有辫子，就会被抓起来处决"——这个谣言不胫而走，在新军中惹得人心惶惶。确实，遇难的彭、刘、杨三位烈士，都是剪辫之人。而且，10月10日早晨，被政府逮捕的张廷辅，本人也是剪辫的。而恰恰是这次杀人后唯一的逮捕行动，使得那个谣言的真实性得到了确认。后来，这个传言便演变成政府军准备派满兵逮捕新军中所有的汉人士兵，准备集体屠杀……

10月10日早晨，工程营的革命军代表熊秉坤被清脆嘹亮的起床号惊醒。连夜的策划、操劳过后，他刚眯了眯眼睡了一小觉。

当时，他并不知道——他本人，在那一天，即将成为中国数千年历史上一个石破天惊的大角色。

就在昨天，三棚的革命军士兵任正亮臂上捆着一块白绷带，混入排长室，想要偷子弹，被排长陶启胜发现。陶排长发现异样，马上喝问道："你臂上捆绷带，要干什么？"

"我胳膊受伤，以此扎缚。"任正亮回答。

"受伤？为什么把绷带捆在胳膊外面？"

任正亮无语，敷衍而去。

其实，胳膊上捆扎战斗绷带，是熊秉坤为了起事后让同志分清敌我的一种标志。当时约定，枪响后，为避免误伤同志，革命军左臂缠白绷带一条（选择左臂，也有当年汉朝军队“左袒”复大汉的意思）。

这个情况，陶启胜和队官们都商量过。但是没有确实证据，所以他们没有马上采取行动。

10月10日吃早餐的时候，从外面买菜回营的司务长面色凝重，说督府半夜刚刚杀了几个人，其中一个，还是常来工程营送东西的杨洪胜。

据司务长讲，那几个人被杀后，血淋淋的首级搭在两块砖头上，还被拍成照片，均贴在墙上示众。

不仅仅是杨洪胜，另外的刘复基、彭楚藩二人，均是熊秉坤的好友。得知此噩耗，他悲从中来。没时间咀嚼悲痛，熊秉坤作为革命军代表，立刻召集营中同志，商讨对策。

消息越来越明朗，军警昨晚和今天凌晨破坏了革命党数个机关办事地点，抓走数十人。革命军名册，已经落入清廷之手，危险迫在眉睫。彭刘杨三人被杀后砍头的照片被发送至每个军营中，越来越多的人看到了布告和照片。面对如此白色恐怖，革命军士兵人人自危，皆默然无声。

好在有个名叫徐兆宾的革命士兵有胆识，他站出队，高声说：“我们不怕死，朝廷奈何以死吓唬我们！”

趁此，熊秉坤激劝道：“早晚是个死字！我们的名单已经在瑞澂之手，与其等着他们按册点名杀头，不如今天拼死一搏，或能侥幸得生！革命而死，死得其所！大家听说过近日安徽徐锡麟和广州黄花岗的烈士吧？他们死后，报馆刊登他们的事迹，坊间流传他们的照片，多么荣耀的事情啊！如果我们合力进取，或许起事成功。即使失败，也对民族作大贡献，使后世铁血男儿以吾等为榜样，为革命蹈死不顾！何况，我们今夕举事，还不一定非死不可！”

针对当前严峻形势，熊秉坤对各队代表说出了立刻起义的想法。当时他倒不是在用“激将法”，他没那么多心计和脑筋。他所想，正是大家所想：“大丈夫能死个惊天动地，明明白白，虽死犹荣……”

众人纷纷附和，没有一个人犹豫。箭在弦上，不得不发。大家认为，如果不动手，彭、刘、杨的下场，定会等待着他们。工程营的同志取得一致意见。接着，熊秉坤亲自去邻近的二十九标，找到了驻营的革命代表蔡济民。

进屋时，他发现蔡济民躺在床上，蒙被大哭——他正在为牺牲的三位烈士而哭泣。

听熊秉坤说要今天起义，处于悲愤中的蔡济民顿时擦干眼泪，精神抖擞，马上唤来二十九标附近的三十标同志，共同约定起义计划。

本来，众人约定下午吹晚操号的时候起义。当天，清军统制张彪为了安全起见，取消了晚操。于是，熊秉坤等人把起义推迟到晚上7点，即点头道名和二道名中间的空隙。

工程营中，不缺枪，只缺子弹。

由于近日清廷戒备日急，所有士兵手中的子弹皆要上缴。幸好，昨日杨洪胜送来五十发子弹，加上10月10日当天一个士兵从长官那里偷来的两盒，约有一百发子弹。

好歹，工程营有一百五十发子弹可用。

世上没有不透风的墙。新军内部要暴动的消息，早已在中下级军官中风传。10月10日这一天军营中异样的气氛，让几个小头目们也焦虑不安。

天刚擦黑，卫兵长方定国首先来见熊秉坤。他开门见山地说：“兄弟，我知道你们今晚要干大事，我绝不阻拦，也不上告。只求你们别对我下手。我从前有对不住兄弟的地方，多多包涵。”

熊秉坤以直报直：“我们都是汉人，绝不自相残杀。”

方定国刚走，队官罗子清后脚进门，很惶恐地问：“今晚起事，是不是排满杀官？”

“排满是一定的，杀官为了夺权，管带以上，估计都要被干掉！”熊秉坤语气坚定，“先前安徽、湖南军队起事失败，是因为有我们湖北第八镇在。我们八镇起事，各省一定会当作榜样，肯定成功！只要有人敢反对，必死无疑！”

罗子清半晌默不作声。最后，他清清嗓子，说：“好吧，今晚我外出，有事你们多多担待。”

从新军内部的官职上看，熊秉坤只是棚的“正目”，如此小小班长，刚才来和他讲话的方定国、罗子清，都是他的上司。他们如此屈尊俯就过来“唠嗑”，无非是慑于军营中的革命势力。

在新军各标各营中，类似这二人心态的中、低军官非常多。以至于事起之后，这些人大多临场逃散，没多少人出来主持局面与革命军对抗。

晚7点，头道名点毕，工程八营的革命士兵开始摩拳擦掌。各个拿出枪支，拭擦调校。

行动前，熊秉坤出于好心，找到他在军内的一个拜把兄弟陶启元，对他说：“你哥哥陶启胜，一向性格孤僻不合群，得罪人不少。他又是个排长，大事一起，很可能被杀掉。你我兄弟一场，同为革命党人，我不忍见你家庭内兄弟离散。不如这样，你先去劝劝你哥哥，让他起事之际万勿出头。”

陶启元感动，马上找到哥哥，说明缘由。岂料，身为新军排长，陶启胜不仅不听弟弟的劝告，反而大叫而起，立刻叫上两个护兵，直奔他所辖的排，深入各棚去查验，准备核实后到上司那里告变。

熊秉坤一番善意，差点酿成大祸。眼见哥哥跑出门，陶启元暗暗叫苦，飞速回转去找熊秉坤。

陶启胜上了楼。进入一排三棚宿舍，果然发现士兵金兆龙正在仔细地用油布擦枪。在场的其余几个人，也全副武装，十分异常。

“今晚又不是你值班，为什么擦枪？”陶启胜问。

“没什么别的意思，防备万一嘛。”金兆龙漫应道。

“防备个屁！我看你是想造反！”说着话，陶启胜对身后两个跟自己一起来的护兵说，“缴他械！”

“老子就要造反，关你屁事！”金兆龙横眉竖目。

两个护兵没敢动。宿舍内的士兵人数不少，情形大异。

陶启胜恼羞成怒，自己扑上前，扭住金兆龙手中枪，亲自抢夺。二人扭打在一处。陶启胜身体魁梧，没几下就把金兆龙摔压在身下。

事起仓促，屋内的士兵面面相觑。

“弟兄们，愣着干啥，动手啊！”一句话，提醒了革命士兵，使他们从懵懂状态下清醒过来。

首先，是程正瀛高举枪托，朝着陶启胜脑袋猛砸。力大枪沉，陶启胜脑袋登时被砸开了瓢，血花飞溅。他身边两个护兵见势不妙，先扭身往屋外跑。

陶启胜这时候才忽然知道害怕。他想起了那句“好汉不吃眼前亏”的古语，捂着自己血糊糊的脑袋，大叫着跑出宿舍。

三步并成一步，陶启胜往楼梯下面窜。情急之下，程正瀛急了。正好他枪里有子弹，一抬手，就给了陶启胜一枪，正中其腰肋。知道上面的士兵想要自己性命，陶排长忍住剧痛，一手捂头，一手把腰，趔趔趄趄地接着跑……

程正瀛的这一枪，正是武昌首义第一枪。

程正瀛（1885—1916），鄂州人，字定国，属于共进会组织。他在新军中，只是个普通士兵，但同时也是私下任命的工程营革命军第二队第五支队队长。

谈论辛亥革命，现在大多把首义第一枪归功于熊秉坤，这其实是一种误解。因为据熊秉坤本人的回忆录，也说是程正瀛开枪打中陶启胜腰部，“此即首义第一声也！”。

后人之所以纷纷把“第一枪”功归于熊秉坤，实是受了“大人物”的误导。1914年，孙中山与熊秉坤一起在日本，孙中山当众夸赞介绍说：“这位就是武昌首义第一枪的熊同志。”1919年，孙中山写国庆社论的时候，又把“第一枪”之功给了熊秉坤。国父如此说，大家自然跟风全信。

当然，从政治领导意义上的“第一枪”讲，非熊秉坤莫属。但要说真正放的辛亥武昌“第一枪”，确是程正瀛所为。

这一枪，真是发令枪。枪声过后，工程八营内的革命士兵，登时大噪，大多数人抓起武器，从宿舍中冲出。混乱中为了壮胆，士兵们纷纷向天放枪。

工程营管带阮荣发听见枪声响成一片，心内大惊，立即带着右队队官黄坤荣、司务长张文涛，急匆匆赶往士兵宿舍。他们各提手枪，准备前去弹压。

恰巧，三个人迎面碰上一队士兵，大概几十人，黑压压正朝这面飞奔。为首一人，扭腰摆首，似乎正带队前来攻打的样子。

阮荣发有神枪手之称。他确定带头奔向自己的就是造反首犯。于是，他想都不想，抬手就是一枪，正中来人的前胸。

中枪的不是别人，正是陶启胜。他本人被程正瀛击中后，带伤往外狂逃，后面一堆士兵猛追。这种场景，给阮荣发造成了他是领头人的错误印象。

结果，陶启胜挨上了最致命的一颗子弹，终于不支，摔倒在地……陶启胜当场被射倒，管带阮荣发一副凶神恶煞状。众革命士兵出于平时军队服从的惯性，都霎时间站住脚步，愣愣地等着阮管带下一步举措。

阮荣发自以为轰然一枪已经收取杀一儆百之效，顿时胆量陡增，大声喊道：“弟兄们，首恶已被我击毙，大家不要乱，造反是灭九族的大罪，你们赶紧放下武器，各回各棚待命……”

这时候，熊秉坤等人正在二楼观望。看到士兵们与阮荣发僵持，知道这样拖下去肯定会坏事。于是，他便带头操起一个花盆，猛往楼下砸。旁边士兵见状，纷纷操家伙，手边有什么是什么，脸盆、痰盆、桌椅板凳，一顿乱砸。

阮荣发自以为是工程营“一把手”，刚刚又杀了一个带头“造反”的“叛逆”，气势汹汹，手中枪挥个不停，口沫乱溅，企图震吓士兵。

楼上一位名叫吕中秋的革命士兵，恰好手中长枪里面有颗子弹，于是手一抬，朝着阮荣发就开了一枪，擦着这位管带的肚皮飞过。

三个长官一见士兵真开枪，立刻着慌。他们边开枪还击，边往后跑。

混乱中，阮荣发射杀了追他最近的一名革命士兵。

士兵徐少斌步子快，为弟兄报仇心切。他三步两步追上阮荣发，顶着他戴着大檐帽的后脑就开了一枪。这位营长（管带）被立刻击毙在地。

连管带都干掉了，士兵们胆气益壮。随同阮荣发一起前来弹压的黄坤荣和张文涛也没走远，程正瀛枪法好，两枪撂倒了这二人。革命士兵们纷沓而至，拥上去乱枪齐发，把两个人打得浑身血窟窿。

熊秉坤带领大家冲出营门，士兵们边跑边大叫：“暴动者生！留营者死！”

他们下一个目标，就是囤积军械弹药的楚望台。

那个可恨又可怜的陶启胜，中了数枪，还在喘气，被革命军士兵交给其弟陶启元看护，转天早晨才咽气。被“敌人”和自己人正反面当成靶子打，陶启胜倒霉到极点。

在工程第八营枪声的呼唤下，隔邻的二十九标、三十标新军革命军士兵纷起响应，呐喊冲锋，冒着小雨冲向楚望台。

与此同时，陆军测绘学堂的全部学生皆冲出教室。他们推开拦阻的教官，撕烂窗帘和被单，在臂上捆扎白布条为标记，赤手空拳，奔向楚望台。

行文至此，笔者要旁开枝节加以释疑的就是，如果单从时间上算，武昌首义真正最早发难的，其实不是工程第八营，而是位于城外的塘角辎重队。

清军第二十一混成协所辖的第十一营，其下有工程队、辎重队，他们驻扎在武胜门外的塘角旧恺字营。本来，革命军士兵相约晚上放火为号发难。但当晚6点左右，恰值队官以上的军官都被召集开会，辎重队的革命同志认为机会大好，就决定提前起义。

一名叫李鹏升的士兵进入马棚，点燃了马草库。大火一起，李鹏升等人即率辎重队同志起义。

炮营管带张正基听见人声嘈杂，枪声不断，心里发虚。他不敢贸然率人镇压，就带着正在开会的军官们一起逃往青山躲避，在山上观察形势。

辎重队发难后，相邻的炮营工程队，在不到一个小时内，也把营房点燃，乘乱起义。其中有一部分人加入辎重队行列，有一部分人从武胜门进入武昌，攻占了凤凰山炮台。

李鹏升等革命军士兵途经彭杨公祠时，遇到一伙警察武装在那里发枪阻截。士兵们猛攻，战斗力毕竟远远超出那些未受正规军事训练的警察们。他们很快就把警察打散，最终与赶来的炮队起义士兵在中和门（今起义门）会合，往楚望台方向杀去。

所以，如果从时间上看，炮营辎重队的发难时间，确实早于熊秉坤、程正瀛等人，大约提前一个小时。不过，他们不是"第一枪"，是"第一把火"。

辛亥革命胜利后，瑞澂给清廷的奏折中，首称是工程第八营率先造反，但黎元洪本人曾亲自说过，他当时接到的电话，首先是炮营管带张正基告知辎重队有乱，而后才得到张彪的电话，讲工程营暴动。黎元洪死后，章太炎为其所作墓志铭初稿中，也写明武昌首义最早由塘角驻军发动。章太炎是严谨的大学问家、辛亥革命老人，跟当事人谁都不陌

武昌起义中的炮兵

生，想必写之有据。

但是，从真正的“第一枪”意义上讲，塘角辎重队虽然起事较早，但毕竟在城外，他们放火、整队、绕路，最终到武昌时，城内已经大势得成。所以，如推首功，非工程营革命士兵莫属。

摧枯拉朽树大旗

各部起义士兵争先恐后，不约而同，目标只有一个——楚望台。此行不为别的，就是为了去那里取枪抢弹药。革命军士兵手上枪支不是很缺，却极缺弹药。

作为武昌一带最重要的军械库，楚望台有日本步枪一万五千支，德国毛瑟双筒枪一万多支，汉阳造单筒长枪数万支，子弹不计其数。

在总指挥部早先制订的作战计划中，收取楚望台是营中起义实施后最重要的一步。各标各队的革命代表均十分清楚这一点。

革命军士兵知道楚望台的重要性，瑞澂等人当然也知道。自从得知新军要起事的消息后，瑞澂、张彪一直陆陆续续地撤换驻督署、藩属等重要部门的新军，换上他们自己认为最可靠的部队和军官。

本来，铁忠就认为把守楚望台的工程营不可靠。但九镇统制张彪认为工程营是自己嫡系部队，坚决反对撤换工程营。

即便如此，张彪还是听取了铁忠的某些建议，在军械库前重筑一道新的防御工事（10月10日那天，工程仍在建构中），并派铁忠的副手、督练公所的课长李克果担当楚望台监督官。

李克果本人当过工程营管带，按理会熟知军情。如此人事安排，不能说不稳妥。出于对军械库的高度重视，李克果本人一直吃住在那里。

负责楚望台守卫任务的，是工程八营左队。在这里，革命党人的正队长叫罗炳顺，副队长叫马荣。事前，熊秉坤已经通知他们：枪声响后，立刻抢占楚望台。

自不必言，工程营熊秉坤等人的枪声一响，就惊动了正在楚望台值班的李克果。他立刻率身边亲随数人，跑到制高点处瞭望，让人火速把左队队官（连长）吴兆麟找来，命令道："你立刻集合队伍，严加保护军械库，不得有失！有接近楚望台者，格杀勿论！"

吴兆麟很听话，马上集结左队全体士兵，并由李克果战前训话。当时，这位监督官话并不多，只要求大家不要惊慌，仔细安排布防，保持高度警戒。他有所不知的是，把守军械库的左队士兵，十之六七都是革命党人。

罗炳顺、马荣等人听到枪响后十分激动，表面上却强装镇静。听李克果训话后，马荣首先发问："我们士兵手里一粒子弹也没有，乱党有枪弹，冲杀过来，我们怎么挡得住？"

原来，为了防备新军士兵暴动，瑞澂一直特别警惕，曾下令收缴所有实弹，就连把守军械库的官兵的子弹，也在收缴之列。

"监督官，总不能让弟兄们以血肉之躯去挡子弹吧。"听着日益频密、越来越近的枪声，吴兆麟对李克果说。

"当然要发子弹！去把仓库主任找来，开库，发子弹！"李克果命令道。"没有总督命令，我不能发子弹，担不起这个责任。"仓库主任是个顽固派。

"都他妈什么时候了，我负责，马上发，耽误事我毙了你！"李克果掏出手枪。仓库主任没办法，只能拿钥匙开门。

士兵们挺有秩序，排队去弹药库领子弹，行动迅速。见最后一名士兵也领到了子弹，革命党人马荣马上举枪，朝空中发了一弹。

"弟兄们，反了！反了！"

毕竟已经听见外面起事的动静，左队士兵抑制不住内心的兴奋，纷纷朝天放枪。站在高台的李克果惊呆了。愣怔片刻，他本想充英雄以口舌说服起义士兵，但现场大乱。

士兵四下奔跑，砰砰放枪，李克果根本没有说话的机会。吴兆麟见势不妙，小声说："趁这些人还没朝您开枪，还是躲躲吧。"

"躲躲吧。"身边人都劝。"躲吧……"李克果长吁一口气，在随从掩护下跑了。

吴兆麟也消失在暗影之中。

如此守卫森然、弹药无数的楚望台军械库，不费吹灰之力，已经落入革命军士兵之手。历史，有时候显得那么富有故事性，近乎荒谬。

待熊秉坤等人来到后，工程营二十九标、三十标等其余革命党人陆续赶来，最终大家合计人数，总共有四百多人。而先前率本部往楚望台方向行进的熊秉坤，当时手下仅四五十人。

一个小小的班长（棚的正目）领导了震惊世界的革命，真真不可思议！

作为工程营革命士兵总代表，熊秉坤不敢怠慢，立刻站在刚才李克果训话的地方，宣布以下命令：

1. 本军冠革命军三字，称"湖北革命军"。

2. 本军今晚作战以破坏湖北行政机关，以完成武昌独立为原则。

3. 作战目标为督署，敌于大小都司巷、吴家巷、望山门、水陆街、豹头堤布防。

4. 敌兵力为教练二队，辎八营，机关枪一队，水机关四挺，警卫一队，宪兵一营，消防救火一百人，约一千五百人。

5. 本军以楚望台、蛇山为炮兵阵地，自阅马厂、大朝巷向南至保安门正街为步兵防守线，暂以楚望台为临时大本营。

6. 金兆龙率工八营后队二排及右队一、二排出中和门经十字街往南湖，威胁炮八标响应，并掩护进城。

7. 徐少斌率工八营前队三排占领楚望台、中和门高地，沿津水闸布防。

8. 林振邦率工八营左队三排占领千家街，向十五协、铁佛寺、伏龙寺方面警戒。

9. 余作总预备队。

10. 今晚口号："同心协力。"

忖度仔细，计划缜密，富有军事远见。可见，熊秉坤确实是个人才。但是，在他高声讲话的时候，下面的士兵大多数人都没在听，根本没有刚才李克果训话时的立正肃立倾听之态。

工程营的革命士兵虽然不少，但平时分属共进会、文学社两个系统。此时，平素熟络的士兵三五相聚，纷纷形成了两派。

当然，当时他们没有火并的念头，只是凭平时的亲近感觉扎堆儿。

不仅好多人不听熊秉坤讲话，有些人还不服气，低声嘀咕："这个熊秉坤，不过是个后队三棚的正目，他凭啥指挥我们，别听他瞎咋呼……"

望着嘈杂混乱的士兵们，熊秉坤、马荣等人心内焦急——仅仅取得第一步胜利，督府内的瑞澂还在，统制张彪还未发威。如此延搁下去，天一大亮，余部清军聚结，胜负难判。

束手无策间，有巡哨士兵押来一人。熊秉坤一见，如获至宝。

被士兵用枪押来的愁眉苦脸的这个人，正是负责把守楚望台的左队队官吴兆麟。

吴兆麟（1882—1942），湖北鄂城人，出身贫寒，十六岁就入伍当兵，学习操练刻苦，先后考入军内讲习所及湖北参谋学堂，编著过军事作战小册子。1909 年，他以参谋学堂最优等生的身份，回到工程八营担任左队队官。其实，他本人也有"革命"经历，曾在 1905 年加入过日知会。这个组织被清政府查抄后，他就逐渐脱离了军中革命组织。

不知是故意还是有意，李克果逃走后，吴兆麟并没有立刻跟着跑，而是一直在军械库附近转悠。

他之所以没有立刻出现，主要是心中有顾虑，怕首先当了被宰之鸡，被起义之先抱有“排满杀官”心理的革命军杀掉。

在军队，最重官衔、资望。毕竟熊秉坤只是一个小小正目，革命发起后，他还真没有足够的号召力统领越来越多的士兵。

如果任凭军心涣散下去，革命不成，失败的可能极大。

看到了灰头灰脑的吴兆麟，熊秉坤眼前一亮。他和蔡济民等人商量后，达成了共识，推举这位队官当临时总指挥。

“吴队官，你刚才去了哪里？”熊秉坤问。

“我躲起来了……怕遭到弟兄们的杀害。”

“大家都是汉人，不会为难你。现在，我们准备拥你为临时总指挥。”

“不，不。”吴兆麟赶忙摆手，“弟兄们不杀我，吴某已经感恩不尽，哪敢担任总指挥。”

“我们都读过你写的教材，你又是日知会的成员，道德文章素为我等所仰，今日之事，非你不可！”

不仅熊秉坤、蔡济民、马荣等人如此说，过来围观的士兵，也大多赞同、附和。吴兆麟仍旧推辞、谦让。

最早与陶启胜在宿舍中扭打引发“第一枪”的金兆龙见状着急，他挺着刺刀上去，苦劝道：“现在不要婆婆妈妈了，让你干，你就干。等清狗子们组织好了来杀我们，我们一群人哪个也甭想活！”

其余士兵闻此言，纷纷感动，异口同声苦求，甚至有的人掉下了眼泪。机会总是留给有准备的人。吴兆麟读过书，有治军之法，先前又有日知会的经历。最终，他下定决心，答应了这个可能会招致诛九族的挑头差事。

他抖擞精神，站在高台上，高声问众人：“你们推举我为总指挥，都愿意吗？”

“愿意！”几百人同声。

“既如此，大家一定要服从统一指挥。”

“同意！”

“违军令者，斩！”

“同意！”

三言两语，已经明白无误地显露出吴兆麟的指挥能力和组织能力。

站在一旁的熊秉坤等人，见此大感欣慰。

所谓“时势造英雄”，讲的就是吴兆麟的境遇。如今，人民英雄纪念碑上“辛亥革命”那块浮雕上面，手举驳壳枪带领士兵冲锋的人，正是以吴兆麟为原型的。

当时，共进会、文学社的所有重要领导人，没一个在起义现场。刘复基死，孙武伤，刘公“病”，蒋翊武在逃。千百士兵的自觉革命，促成了熊秉坤、吴兆麟这种小人物大英雄的产生。

看看表，已是晚上10点半。吴兆麟思虑片刻，下令士兵皆往楚望台西南处集合，整械后，立刻进攻瑞澂所在的总督府。

进攻部队，分为三路：第一路由邝杰指挥，从紫阳桥向王府口前行，经长街直攻督府正面。第二路由马荣指挥，经水陆街攻击督署后面的第八镇司令部，包抄督府后门。第三路由熊秉坤率领，从津水闸向保安街挺进，直杀督署大门。

武昌老城，周长三千四百三十丈，东西五里，南北六里。瑞澂所在的督署，在城西南角。

首义开始后，新军将士约四千人参与其中。顽固反抗者，以单位计算，大概只有都督署卫队、教练队、宪兵营、辎重八营、三十标的旗兵营以及城内外的千余名警察和巡防军，加起来，大概也有五千的人数。

枪声响起后，瑞澂文人总督，不晓战事。在军事方面，他肯定要依赖清廷在湖北的最高指挥官、湖北提督兼第八旗统制张彪。

张彪此人，山西大汉，膀大腰圆，外表看上去威风凛凛——但是此人智商情商都低，依靠张之洞和其母其妻，他才一步一步蹿升，最后做到坐镇一方的军中大吏。

如果张彪为人厚道，还不至于导致大乱。没有大将的才，他却有大将的谱儿，更有大将的杀人胆。这个人心粗胆大，粗暴治军，虐兵骂将，很招人嫌。而他手下两个得力协统王得胜和刘温玉，和他一样，都是凶恶骄虐、大字不识的草包。

瑞澂一直担心新军造反，张彪却夸下海口，说他所辖的第八镇士兵大多心忠朝廷，结果他属下造反的士兵很多。

无论怎么说，虽然是大草包一个，但张彪并不是那种听到枪声就尿裤子的军将，他立刻下令死扛。

革命军首攻不利，第一路邝杰部先败下阵来。急恼之下，吴兆麟差点把他杀头示众。幸亏蔡济民苦劝，邝杰才有机会重整部伍，戴罪立功。

警署一带，清军重兵云集。革命士兵纵然前赴后继，仍旧在密集的枪炮声中倒地，牺牲惨重。

关键时刻，南湖炮队的革命士兵，从天而降。

南湖炮队，即炮队第八标，革命军总代表是徐万年。他得到邓玉麟送来的起义通知后，马上抓紧准备。

据赵楚屏回忆，当时炮营起义，先是被这样的流言所激：

> 瑞澂已经下令，旧历八月二十日前，要把炮八标的士兵全部装船，以调往湖南“打匪”为名，走到洞庭湖时，点炸药，把人全部炸死沉尸。

这一谣言，激使炮营革命士兵不得不奋死一搏。

南湖炮队晚上吹号点过头道名，操场上应号的士兵非常少，情况大异。管带姜明经召集营内军官开会，表示说可能有事发生。于是，军官多领实弹，回队后把炮内教练撞针拆下，换为正规的簧件，准备应付可能发生的事变。

到了9点钟，听到城内枪声越来越密，炮队革命士兵忍耐不住。

三营孟华臣当仁不让，首先冲入哨棚，一枪干掉了正兢兢业业值班的排长刘步云。这个刘排长，正是先前干涉士兵们喝酒送别战友的那位。在军中，官长和士兵有矛盾，往往一有事就得死人。

枪声一响，登时炸营。早就枕戈难耐的革命士兵从营房中跑出来，备马，拖炮，装弹。

人在炮营的送信人邓玉麟也来了精神，他拔刀大喊："炮队同志，今日之举，有进死，无退生！希望我们团结一心，尽力进攻！"士兵举枪呐喊助威。这些人不仅放枪，而且还实弹发射大炮。

三声巨响，天摇地动。

炮是兵之胆。大炮一响，士兵们热血沸腾。炮队内的军官大多乘乱逃走。

大家集合后，在臂上扎白布条，杀了一只鸡，饮血酒进行集体宣誓："痛饮黄龙酒，今朝起义师。推倒清朝廷，灭绝满胡夷！"

于是，兵士们把大炮推出营房，奔往武昌城内的督署方向。

途经巡司河的长虹桥，炮队忽然遭到张彪派来的三十二标一支人马阻击，一时难以通过。相持之间，早先由熊秉坤派出的金兆龙一支三个排的部队，从清军背后杀来。清军溃败，炮队终于顺利入城。

吴兆麟见到大炮，大喜过望，马上让孟华臣等人携两门炮占领保安门，徐万年携炮四门占据楚望台，剩下的大炮，均由张文鼎负责，尽数运往蛇山制高点。

督署附近，统制张彪豁出命，亲自督战。清兵排枪齐发，与将要攻入大门的革命军士兵展开激烈战斗，双方均死伤不少，呈胶着状态。

由于当时天黑，炮队看不清具体方位，白白占据几个制高点，一时间帮不上忙。

蔡济民急中生智，派人先在王府口乾记衣庄放了把火，然后下令革命军在与敌人相斗最激烈的地方皆放火，以为炮队作照明之用。

新军炮队个个经历过专业训练。他们利用大火的火光，把督署旗杆作为标准点，发炮猛轰。

排炮声声，震动大地。

一轮过后，督署的大堂、签押房以及第八镇司令部马房，皆被夷成平地。革命军刚进攻督署，瑞澂的师爷张梅生建议死守。张彪人草包，胆子不小，也表示拼死一战。

瑞澂和楚豫轮管带陈德龙却不这么想。尤其是陈德龙，力劝瑞澂“留得青山在”，鼓动他跟着自己一起遁往停泊在江上的铁甲兵轮上，并说去到那里，瑞澂仍可坐镇指挥。

瑞澂文人，自然惜命，而且家眷尽在，趁着天黑，他让手下戈什哈把后墙凿破，与陈德龙等人携家眷逃上了兵轮。

他逃跑的那个时候，革命军第一轮进攻其实刚刚受阻，清军战斗力仍强。

瑞澂一逃，清军失去心理依恃，只能越打越气弱。

最后，革命军组织十人敢死队火烧督署，冒死冲入，在付出高昂代价后，占领了这一象征性建筑物。

张彪见势不妙，忙跑回自己在文昌门附近的住宅。张彪刚喘口气，就听说有马队士兵和辎重第八营的一些人跑过来找他，本以为来人是来要他的命，不料想，这些人却是前来保护他的。

张彪本人此前曾在会议上说：“新军中最可靠的是工程营，最不可靠的是辎重营。”实际结果，恰恰相反。好不容易到了辎重营在平湖门外的营盘内，张彪仍旧心惊，赶忙拉着残部，退往刘家庙一带。

在此地，张彪从前延请的日本顾问寺西秀武赶到。他给张彪出主意，希望他亲自率领残军，渡江到青山，潜行至大东门，佯称是要向革命军投降。然后，可以借机把谘议局以及革命党人高层骗入杀掉，一举消灭起义的指挥中心。此行如果得胜，自可奏皇上，将功抵过，并把失职之罪推到黎元洪一人身上；即便失败，不过一死而已。将军死在战场上，死得其所矣！

张彪当然不同意这个“武士道”的准自杀谋划，摇头不从。

至此，凡在武昌的清军官员、武将，逃的逃，散的散，望风披靡。

武昌，完全落入革命军手中。

这时候，距程正瀛第一声枪响，仅仅过去了十二个小时。

铁血十八星旗，高高飘扬在督署的大旗杆上。

仅隔两天，与武昌隔江相望的汉阳、汉口，在当地驻军起义下，也相继光复。

特别是汉阳，是当时中国最大的兵工厂所在地。汉阳一得，枪炮子弹无数，仅过山炮，就有近六十尊，钢炮一百多尊，炮弹数万发，快枪十多万支，子弹二百多万发。这些装备，不仅加强了武汉死守的力量，又可供应日后邻近各省起义军的军火。稍后的阳夏之战及供应赣、湘、川地义军的军需，无不取自于此……

精彩绝伦十二个小时过后，在继续下笔描绘辛亥革命大画卷前，笔者先简述一下武昌辛亥革命参与诸人的结局：

程正瀛，民国成立后，授一等功。其后，他归心于北洋政府。在第二次北伐战争中，他被先前同为同志的北伐军抓住，五花大绑，抛入江中淹死。直到 2006 年，有关部门才在鄂州重建其故居，为其塑像。由于他有一段为袁世凯卖命的经历，新中国成立后，他的“第一枪”功勋，几乎被遗忘。

熊秉坤，民国后曾被授予陆军少将衔，后参加反袁斗争，失败后远避日本。1930 年，他当过武昌市长（以湖北省政府委员会的身份兼任）。1931 年，被升为南京国民政府军事参议院中将参议。他退役很是时候，时为 1946 年。所以，新中国成立后，熊秉坤一直参与政协工作，是全国政协委员，广泛参与辛亥革命的研究和撰写。他白话文的回忆文章，遗漏了好多史实，特别是有关“第一枪”和他通知陶启元告诉他哥哥躲祸的事实。熊秉坤于1969年病逝。

金兆龙，正是他一句话引发程正瀛发威。他民国后受勋，甘心投附北洋政权，得授“湖北税务缉私队队长”的肥缺。北伐军攻克武昌后被免职，日后一直默默无闻，1933年病死。

蔡济民，湖北黄陂人，民国后得授中将衔。在讨袁战争中被靖国联军授鄂第一路第一纵队司令，后被四川军官方化南谋害。

吴兆麟，民国成立后被授予陆军上将衔，曾任北京将军府将军。后见世事纷纭，他退出政坛，一直致力于社会慈善事业。晚年信佛，皈依佛门。武汉沦陷于日本人之手后，拒绝出任伪职，遭日军软禁。1942年含恨而死。

邓玉麟，武昌起义重要的通信人，没有他的四处辛苦辗转，南湖炮队不可能顺利起义入城助战。民国成立后，他被授陆军中将衔，后参加讨袁、护法战争，还参加过1926年的北伐战争。此后，他寓居上海。抗战爆发后，他坚拒日本人的收买，回到老家湖北巴东，兴学办实业。蒋介石临去台湾，派人招他去，被他拒绝。如此堂堂辛亥大人物，竟然在1951年的镇反运动中被捕，很快遭受枪决，罪名是“反革命罪”。1982年，湖北高等法院宣布为他平反，他又变为“辛亥革命人士”。

再讲讲清方的人物。

瑞澂，疆臣弃城，依清朝律法应该斩首。但他与皇室贵胄载泽是儿女亲家。加上摄政王载沣的回护，仅被撤职而已，清廷要他“戴罪立功”。他所乘的楚豫舰，后来转移到德租界码头，想傍洋人图安全，但仍遭民军炮击，于是仓皇逃往九江。没喘几口气，九江起义，他又跑到上海。对他这种“偷生丧耻”的怯懦，隆裕太后以小皇帝名义发谕严斥，表示极其痛恨。清廷派人逮捕他，他躲入租界不出。北京不少清朝少壮派对他更是恨得咬牙切齿，拟组织暗杀团到上海去砍下他的人头。未几，清王朝灭亡，暗杀未遂。辛亥革命后，民国没收了他许多家财。1912年7月，在上海当寓公的瑞澂病死。在《清史稿》中，他与有“误国首恶”的盛宣怀并列一传，是清末革命封疆大吏带头逃跑第一人。

张彪，此人要多费些笔墨。武昌起义成功后，冯国璋率军而来，让他任“后路总粮台”，实际上把他削了军权去搞后勤。见势不妙，张彪辞职，以养病为由，在日本长崎躲了八个多月。1912 年，他到天津日租界当起了寓公，在鞍山道 59 号（当时名为“宫岛街”）起了一座“露香园”，时人称之为“张园”。张彪打仗不在行，做生意很有头脑。他参与天津各项实业投资，就连张园的部分场所也出租当游乐场获利。1924 年孙中山到天津，张彪租出此园，任这位清朝“大寇”下榻。在这里，孙中山大约住了一个月。1925 年，被冯玉祥赶出宫的溥仪来天津后，也租住张园。张彪本人大献殷勤，亲自收拾花园，对昔日帝君竭尽热情，可见，这位旧头脑的武人还是有些心肝（但每年五万银圆的租金还是照收不误）。虽存旧道德，却可发感叹。在张园，溥仪一直住了四年多，直到 1929 年夏天才迁至“乾园”（今鞍山道 70 号，前往前驻日公使陆宗舆私宅）。1927 年初，张彪得罹癌症，溥仪闻讯，不仅派出“御医”来诊治，更亲自看望这位老臣。张彪死后，得谥“忠恪”。虽得癌症恶疾，张彪算得上善终，时年六十七岁。至于他的葬礼，更是风光一时——当时无数名流来吊，以二十四座三十二人抬明黄大彩亭出殡。而且，前清皇帝溥仪、民国前大总统黎元洪，均亲临致奠。如此奇观，在数千年中国历史中，罕有匹及。

多米诺骨牌这样倒塌

辛亥革命长镜头

武昌，已经在革命党人手中。

熊秉坤、蔡济民、吴兆麟，一个接一个，圆满完成了各自的“历史”任务。

热情和勇气稍一冷却，无论是党人代表还是普通士兵，都在短暂的怔忡中，忽然于内心中发问：

下一步，该怎么办?

吴兆麟非常有自知之明——一个队官（连长），该干的已经干了。自己在楚望台上能指挥人马攻克总督府，已经超出了本身的实际指挥能力。下一步的进伐，绝非他个人所能镇威得住。

文学社、共进会的领导人，死的死，病的病，没有一个能在关键时刻出现在他们应该的位置上。名头更大的黄兴、居正、谭人凤、宋教仁，均远在香港或上海，鞭长莫及。

驾驭“革命”这条船乘风破浪，如果没有一个主心骨镇得住，随时可能倾覆。所以，对于大家拥戴自己做“大都督”，吴兆麟死命推却。

他不是虚伪地“半推半就”，而是十二万分认真地摆手说不行。

在这些士兵阶层的革命者当中，蔡济民是最有政治远见的一个人。

他简单分析当前形势后，说：“起义初告捷，应该马上组织一个像样的领导机构。否则，群龙无首，革命军可能很快就陷入内乱。当务之急，我们要马上通告全国，希望各地响应武昌起义。现在，我们推出一个带头人，是极其关键的事情。如果不能找到令人信服的人来挑头作领导，任凭我们这些军中无名之辈折腾，其他省份可能均会把我们的起义想象成普通士兵的‘兵变’，那样的话，我们在道义上就站不住脚。”

大家想来想去，真能符合“深孚众望”四字的，武昌只有两个人，武有黎元洪，文有汤化龙。

大乱甫定，大家很怕士兵们杀红了眼，手滑之时，说不定就把这二位也给办了。大家好一阵紧张，赶忙分头派人去找。

纸人傀儡高高挂

作为“幌子”的黎元洪

革命党人集合开会的地点，就在蛇山下的谘议局。不久，谘议局局长汤化龙熟门熟路，首先被“请来”。陆陆续续又来了不少议员。

相比多数老态龙钟、白髯大腹的议员士绅，时年仅三十七岁的汤化龙给人的印象非常好。他干练、老到，身着时髦西服，文雅中透出股精明之气。

汤化龙（1874—1918），湖北浠水人，出身富商家庭。这个人不仅聪明，运气又好，在清朝科举顺利，由举人而进士，再去日本进入政法大学研习法律，是个典型洋派新人物。

1909年，汤化龙回国，恰好赶上清廷在各地举办谘议局。以他的学问和背景，很快就被推为议长。1910年，他入京参加各省谘议局联合会议，被推拥为会议主席。此后，他数次参加立宪派的请愿活动，强烈抵制“皇族内阁”，组织“宪友会”，对清廷进行正当抗争。

这样一个人物，显然是革命党人要争取的人选。

看着谘议局大铁栅栏两边高高悬挂的铁血十八星旗，以及来去匆匆、面孔严肃的军人，汤化龙等人表面镇静，心内暗中打鼓。

乱世之中，兵爷最不好惹。他们手中的枪都是真家伙，刚刚经历过厮杀战阵，血腥气往往使人冲动，极易失去理智。

入得会场后，见到蔡济民、熊秉坤等人言语温和，彬彬有礼，汤化龙总算稍稍放下一颗心。

大家团团就座，开始商讨都督的人选。

汤化龙本人到来，自然有人表示要推他做都督。

汤化龙立刻起立，摇手表示不同意："对革命事业，兄弟一向真心拥护。但瑞澂逃走，肯定会电告朝廷，派大军来攻打我们。兄弟一介书生，不晓军事，哪里能打得仗。都督一职，万万不可。"

他这一表态，当然是反复权衡风险系数后的托词。造反革命，不仅本人要掉脑袋，家族都要玩完。时势如此不明，谘议局、立宪派先前再对清廷有怨恨，现在动真格地要革皇帝的命，首先还真要想想自己和三宗九族的命。

不过，汤化龙的话确实有道理。秀才去领兵，一定拎不清。

党人们议论纷纷，有的推刘公，有的推蒋翊武。可是，刘公这个人，给人印象总是幕后推手那种人，无法服众；蒋翊武呢，关键时刻找不到人，很有临阵脱逃的嫌疑。

二人都不是合适人选。

最后，还是吴兆麟一句话定了调子："军队起来革命，汤议长不好领导。如果在军中寻找有声望的人，我觉得，黎元洪最合适。"

听这话一说，谘议局议员刘赓藻马上附和："很合适，很合适。黎协统现在还在武昌城中。如果大家同意推他做都督，我可以带人去找他。"

在座几个议员纷纷点头。

看见"民意代表"如此，蔡济民首先表态，同意迎拥黎元洪。

大家对此很快达成一致意见，以谘议局名义，派出刘赓藻、蔡济民前往黎元洪家中，催熟那个要出炉的“大都督”。

缘何刘、蔡二人这么热心呢？中国人的乡籍意识，每每萦绕不去。他们两个人，与黎元洪均是黄陂老乡，自然感情上倾向于他。

其实，早在辛亥年三月间，蒋翊武在文学社一次会议上，已经讲明起义后要拥黎元洪为都督。当时的想法，不仅仅是造反要拉一个官大的顶锅，最主要还是怕起义后其余各省不明真相，以为武昌是乱兵哗变或土匪搞事。如果起事后各地不支持，武昌肯定孤掌难鸣。当然，彼时的“推举”，也仅仅是文学社、共进会上层的少数领导人知道，大部分革命士兵对此并不知情。黎元洪本人，当时自然更不知道他自己已经被人“委任”为“未来”的革命大都督。

蒋翊武当时提出此议的一个理由，还有一点很重要——湖北都督，应该由湖北人做，特别要找一位压得住阵脚的“大人物”来做。

看似公允，其实也蕴含某些私心：文学社与共进会一直明争暗斗，双方谁出来当头，另一方都不会心服口服。所以，不如找个“第三方”，谁都不好再争辩。

中国人的折中“调和”政治，向来如此。

所以，天上如此大的一块馅饼，最终竟然会砸在从来没有想到要革命的黎元洪的胖脸上。

1911 年 10 月 10 日夜至 10 月 11 日上午这个时间段内，黎元洪在干什么呢？

依据几十年辛亥革命史对这位“篡夺”了革命胜利果实的“坏人”的描述，似乎黎元洪是这样一种形象：粗蛮的光头胖子，胆小怯懦躲在床底下的愚夫，革命后翻脸不认人、杀人不眨眼的变脸恶魔。

果真如此吗？

不尽然。

黎元洪（1864—1928），字守卿，湖北黄陂人（原籍安徽巢湖）。1883 年，他考入天津北洋水师学堂。毕业后，被派往广东水师服役，充当“二管轮”。甲午战争爆发，他本人随舰队北援参战，充当广甲舰主驾驶。

大东沟一役，日军偷袭，管带吴敬荣贪生怕死，下令船只脱离战场。此船逃到大连湾三山岛附近，因沙多搁浅。发觉有日舰追来，管带吴敬荣率先再逃。黎元洪等人也与其余十多名官兵坐一小艇，跟着管带往岸上逃。其间，大浪击翻小艇，淹毙数人。黎元洪本人不谙水性，幸亏他身上有件救生衣，捡得一命。

挣扎游上岸后，他被当地渔民救起。休息一宿，即跑往旅顺归队。后来，他赶往天津待查。北洋水师被连锅端，黎元洪如丧家犬一样，也被清廷追实责任，最终还被拘押数月。

无奈，英雄路短，黎元洪只得投往两江总督张之洞处。这一来，他永远告别了海军生涯。

张香帅当时正兴办自强军（南洋军），急缺人手。黎元洪本人军事能力强，科班出身，精通外语（史料未详载他精通哪一国外语，应该是在学堂学的英语），很快被张之洞看中，并短时间内保送他去日本深造。

回国后，黎元洪步步稳升。当湖北武备军被改编为两镇时，他任湖北第二镇统制官（即陆军第十一镇）。后来十一镇缩编，改番号为第二十一混成协（独立旅），他得任协统。

所以，在湖北军界，张彪第一，黎元洪第二。

黎元洪这个人，不仅仅是军中“知识分子”，人缘也很好。别的军官中饱私囊，克扣军饷，黎元洪从来不干这种事，且常常与士兵共苦乐，很会带兵。这种小恩小惠、与兵同乐，看似简单，关键时刻却能救人一命。

给人印象更深的，还是黎元洪的“开明”态度。革命前，四十一标有位名叫李佐清的学生兵自己剪辫，为军法官所告。如此“大逆不道”之举，当着一帮军官的面，黎元洪打个哈哈，一笑了事：“剪辫之举，大可免受猪尾之讪笑，倡文明之先机。”

黎元洪

本来能杀头的罪过，黎元洪轻轻带过。

1906 年，他奉命督师，率兵前往镇压萍浏醴起义。进入战区前，他召集属下军官们，说：“我们打仗，一定要预先辨明暴徒的性质。如果对方是具有政治意味的党人武装，不要与他们死战，应该设法劝说他们，让党人自动解除武装，遣散人众；如果对方是抢掠杀戮为目的的土匪，就一定要坚决予以消灭，以绝根株！”

可见，黎元洪确实具有比较开明的政治眼光。

保路运动高潮时，他加入立宪派阵营，作为军界代表加入铁路协会，给时人印象极佳。

靠拍荣禄马屁做成高官的陈夔龙任署理湖北总督时，由于他老婆是庆亲王奕劻的干女儿，湖北大小官员皆曲意奉承。陈夔龙小女儿病死，办丧事敛财，张彪等人追悼金一送就是十万银圆，巴结孝敬，无所不为。反观黎元洪，仅送数元作吊仪，很显“吝啬”。不久，汉口慈善机构筹善款，他反而出手就是三千元。为此，时人对黎元洪交口赞誉。

陈夔龙经张彪阴激，深恨黎元洪，很想找借口罢掉他。无奈黎元洪在军中人缘、口碑太好，投鼠忌器，陈夔龙最终奈何不了他。

由于本人出身贫寒，黎元洪生活节俭，与结发妻始终关爱。他对下属对士卒，无论生活还是学习，皆关慰有加。连小兵家里有丧事，他都会亲自慰问并送奠仪。

所有一切，使得他在士兵中的口碑非常不错，广得军心。

这么一渲染，似乎黎元洪是个同情革命的“进步”武人。

当然不是！

日后渲染黎元洪多么多么“反革命”，都举他在武昌起义当夜手刃革命士兵的例子。10 月 10 日晚上 9 点，黎元洪本人在黄陂司令部。他接到督府方面的电话，告知他所统二十一混成协的工程营二十队、辎重二十一标发生兵变。

当时，他十分着急，马上指示邻近的炮队第二十一营去镇压。但是，炮营很快反正。过了仅仅半个小时，消息传来，隶属第八镇的南湖炮队已经入城，在楚望台上架设大炮，猛轰督署。当晚10点刚过，瑞澂本人逃往楚豫舰。

大概在11点半的时候，有一士兵突然在营墙上出现，高声大呼："革命成功，汉人同胞速来支援，一起攻打督署！"

司令部卫兵一拥而上，立刻把那个人擒入司令部。

惶急失措的黎元洪拔出佩剑，当腹就把被擒之人一下捅穿。那个人意志勃勃，未能即死，仍大呼革命不已。护兵乱刃交下，把革命士兵剁成数段。

事后得知，爬墙高呼士兵起义的被杀者，乃革命临时总指挥部所派出联系各营的周荣棠。

这位英雄冤甚！他是安徽宣城人，时为工程营的喂马士兵。事后，黎元洪成为革命"大都督"，他这个革命"小士兵"，自然无人愿意再提起。

这段经历，是1913年黎元洪本人对居正亲自道出，想必没有遮掩。

大局未明朗之时，当时的黎元洪不可能容忍一个小兵突入司令部一声高呼，激使得周围的人要了自己的性命。

手刃杀人，只说明他是不革命，不能说他是反革命。

武昌城内驻军，分为右旗和左旗两大块。左旗为第三十一标和第四十一标，右旗是第二十九标和第三十标。左旗的第三十一标归张彪第八镇管辖，而第四十一标都归黎元洪的第二十一协。

如此"混乱"的安排，最终造成了清军指挥混乱，不相统属，临阵号令不一。

其实，这种"混乱"的军事布置，一直是清朝入关以来的精心设计。看似犬牙交错，实乃有条不紊，以汉制汉，以满制汉。当初的主要目的，就是满洲贵族对汉军不放心，原意是让这些军队彼此互相牵制。但是，如此巧妙的"设置"，到了末世运尽之时，反而成为混乱的渊薮。

午夜时，革命军已经在蛇山架炮，猛轰黎元洪所在的司令部。

城外军队已经起义，城内除已经被调往外地的部队外，他能真正调动的军队，只有第四十一标第三营五六百人。

参谋副官诸人见大势已去，纷纷想逃命，都力劝黎元洪“暂避”一下。无奈何，黎元洪点头同意。他先到参谋刘文吉家换了身便衣，然后去附近的四十一标第三营管带谢国超家躲避。

他与军官们逃走后，四十标的革命士兵王世龙等人在操场集结大兵，整队起义，参加了进攻督署的战斗。

所以，由于黎元洪的“阻挠”，这一标人马的起义时间比别人晚了许多。

天亮时，工程营的程正瀛、马荣带一排革命军士兵，终于在谢国超家找到了黎元洪。至于他的行踪如何被查到，说法多多。熊秉坤回忆是讲黎元洪派伙夫回家抢救细软被抓，从而得知他藏身所在。而《辛壬见闻录》(作者逸民)又记述另外一种情况：黎元洪私养一美妾，被他老乡刘赓藻知道地址，就引人去找……

黎元洪藏身之地，应该就是管带谢国超家。至于后来革命党人津津乐道的黎元洪钻入床下躲避革命军抓捕的“情节”，几近小说。以他如此肥大身坯，躲入清末那种老床底下，几乎不可能。

见一排的兵士手端长枪，刺刀明晃晃，黎元洪心慌：“我平时待兄弟们不薄，奈何杀我？”

马荣说：“不是杀你，是要你出来主持大局。”

黎元洪：“革命党人有德有才之人甚多，我算什么？”

马荣：“吴兆麟总指挥在楚望台，他要见你。”

“哦，吴兆麟是老军官，他自可做主，我就不去了。”

程正瀛见黎元洪磨磨蹭蹭，一时火起。他把刺刀往黎元洪肚子上一比画：“如果不去，现在就死！”

好汉不吃眼前亏。黎元洪只得跟着走。

到了楚望台，革命士兵整整齐齐地横排一字队，忽然鸣号举枪，向黎元洪行礼。

黎元洪吓了一大跳，还以为是专门为他准备的高规格的行刑队。

吴兆麟闪出，握手寒暄。

看见这位老部下，黎元洪心中稍安，埋怨说："你学问好，资格深，为什么要革命？一旦失败，九族诛夷！"

马荣在一旁闻言暴怒，拔刀作欲砍状，大骂："你不要不识抬举！先前你杀掉我们报信的同志，此账未算。如今敬酒不吃吃罚酒，不革命即汉奸，杀你有名了。"

吴兆麟赶忙阻挠，喝退马荣。充当"白脸"后，他耐心劝说黎元洪："协统大人不要生气，士兵皆粗人，昨夜厮杀戾气重，弄不好就要杀人。现在武昌群龙无首，主持大计，非您莫属！"

黎元洪低头，思之良久，叹息一声："此乃天意，劫数难逃……事已至此，下一步如何？"

见黎元洪有所松动，吴兆麟立刻回答："一切由协统您做主！"

"武昌一孤城，朝廷很快大军四集，如何抵抗？"

"协统不必忧虑。孙文携带亿万军饷，黄兴率大批军舰，一时来赴，武昌一切皆在掌握之中。"反正吹牛不上税，任吴兆麟随便说。

细问了武昌藩银、粮食、兵马等详情后，黎元洪很实际。"张彪等人就在附近，一旦率军反攻，事有不虞，该当如何？"

"可以退守湖南。"吴兆麟自己也没了底气，"据说湖南方面很快要响应武昌，进行起义。"

被裹挟至此，万事不由己。黎元洪长叹一声，骑上士兵牵过的一匹马，十二分不情愿地前往谘议局。边走，他边对旁边的吴兆麟叹言："我这条性命，被你们玩弄于股掌之间了。"

到了谘议局，会场已经坐满了人，议长汤化龙、秘书长石山俨以及许多重要议员皆在场，围坐团团。

作为“主席”的汤化龙，待黎元洪坐定后，抱拳拱手，起立寒暄。他首先表示自己全心赞成革命，然后话锋一转：“兄弟我不是军人，不懂用兵。其余诸事，兄弟尽全力帮忙。”

皮球一踢，在场之人均心领神会，纷纷把目光落在黎元洪身上。众口一词，都推他当都督。

据当时见过黎元洪的刘莘园回忆（时为陆军第三中学学生），当时的黎元洪，模样衰到极点，头戴一顶南瓜小帽，脑袋后面拖根辫子，两眼污浊无神，连唇上两撇日本式的胡子也无精打采地往下耷拉，愁眉苦脸坐在那里。

听说推拥自己当大都督，黎元洪把头摇得赛过拨浪鼓：“别害我，别害我……”

大家你一言我一语，再三劝说，黎元洪始终不从。

蔡济民生气了。他拔枪在手，厉声道：“事已至此，如箭离弦。黎公再不应允，我只有当场自杀，以谢武昌同志及殉难先烈！”

后来的不少电视剧、电影以及小说，均把蔡济民要自杀写成拔枪逼黎元洪，其实是不能尽然理解当时的情景。

以蔡济民当时的身份，他不可能拔枪对着黎元洪吓唬。否则，苦肉计就变成霸王硬上弓了。

见黎元洪推三阻四很坚决，在场人士无不呈激愤之态。特别是大厅外数位聆听的士兵，好几个操枪在手，嚷嚷要进去杀掉黎元洪（不排除党人提前布置“演出”的可能性）。

乱哄哄之际，吴兆麟一脸关切状，低声附在黎元洪耳边说：“如果再推辞，士兵生乱，我们也无法保证您的安全。”

这句话管用，黎元洪脑袋一耷拉，不再言语。

无声就是默许。

大家一致推举黎元洪为湖北军政府临时大都督，汤化龙为民政总长。

最后，革命党人摊开临时拟好的军政府布告，让黎元洪亲自签署。

黎元洪开始猛摇其头。

革命党人李翊东（李西屏）一拍桌案，拔出手枪：“黎元洪，你如此难缠，再与我们作对，就让你吃子弹！”

马上有人上前假意阻拦。

李翊东本人，时为军事测绘学堂学生，共进会会员。那张布告，就是由他起草的。见到黎元洪推推搡搡，他自己捻笔在手，在文告上替黎元洪“代签”了事。

“哼，木已成舟，你还抵赖不成！”

在座的人纷纷打哈哈，当天的事情，基本圆满解决。

也就是说，虽然被逼封为“大都督”，黎元洪仍旧留着后手。如果哪天朝廷军队重入武昌，他可以有喊冤叫屈的借口——布告上的字不是我写的，大都督也是被迫干的。

连他自己都想不到的是，上面署有“都督黎”字样的文告，在武昌起义成功后，起到了非同一般的作用。

特别是在武昌街头，万头攒动。老百姓们听说黎协统都革命了，顿感心中释然，一下子对胜利充满了信心。

有“都督黎”大字的一纸公告，极大地镇抚了大混乱过后的武昌城内的军心、民心，稳住了革命军的阵脚，为武昌起义后的革命之火大燎原，赢得了宝贵的时间。

虽然是个幌子，黎元洪的历史作用，确实不比寻常！

这张贴满全城的《中华民国军政府鄂军都督黎布告》，全文皆用俗俚体，六字一句，朗朗上口，言简意深，大义凛然：

今奉军政府命　告我国民知之

凡我义军到处　尔等勿用猜疑

我为救民而起　并非贪功自私

救尔等于水火　拯尔等之疮夷
尔等前受此虐　甚于苦海沉迷
只因异族专制　故此弃尔如遗
须知今满政府　并非我汉家儿
纵有冲天义愤　报复竟无所施
我今为此不忍　赫然首举义旗
第一为民除害　与众戮力驱驰
所有汉奸民贼　不许残息久支
贼昔食我之肉　我今寝贼之皮
有人急于大义　宜速执鞭来兹
共图光复事业　汉家中人立期
建立中华民国　同胞无所差池
上民工商尔众　定必同逐胡儿
军行素有纪律　公平相待不欺
愿我亲爱同胞　一例敬听我词

针对武昌起义后城内少数士兵出于民族义愤杀害扎、宝、铁、卜四大旗人家族的事情（中和门一带旗人聚居区死人最多，详见周武彝回忆录），军政府极其重视，马上颁布刑赏令十六条，严禁滥杀旗人，约束纪律。

班子虽草亦搭台

湖北军政府的新气象

傀儡主角选定，蔡济民等人商议，派人把黎元洪送到谘议局二楼的一个小房间内严加“保护”起来，并为他专设了“警卫司令”一职，专门负责对他的软禁监视工作。

庙里的菩萨，待在座上就行，乱说乱动不行。

然后，与会人员集中商议了几个重大议题。第一，成立由蔡济民、邓玉麟、吴兆麟等十六人组成的“谋略处”，负责军事指挥、参谋、政务、外交；第二，推汤化龙为“总参议”，确认这次起义要成为全国性活动，以同盟会为号召；第三，废清朝宣统年号，定当年为黄帝纪年4609年；第四，凡一地起义成功，立刻成立中华民国军政府某省都督府；第五，以共进会的旗帜为标志性旗帜，红地黑星，星间连以虚线，代表十八省联合。

会议开了好久，至晚才散去。

晚上10点多，谘议局附近忽然枪声大起。原来，武昌城内未被缴械的数百旗兵忽然叛乱，想趁机劫走黎元洪。事起仓促，谘议局内并无多少士兵护卫，就临时调来八十多名测绘学堂的学生兵，扛枪阻击。

惊慌之余，吴兆麟、张振武二人匆忙换上了清军服装（清军是黄色军服，革命党人在起义第二天全部易为青色军服），准备趁乱逃命。此景，正好为起草文告的学生军士兵李翊东撞见，他举枪怒喝：“你们怎么换上了满狗的服装？想跑吗？敢跑，我就打死你们！”

二人脸红，悻悻返身。还好，旗兵劫人未果。而后，陆军中学数百学生兵赶来，旗兵被击退。

经此一吓，革命军内部有人觉得黎元洪是个累赘，张振武更激进，建议把他斩首了事。但吴兆麟、蔡济民坚执不可，认为既然已经打了黎元洪的旗号，就应该留他一命。

稀里糊涂之间，黎元洪自己不知道，他已经“死”过好几次。

10月12日，为了使黎元洪“造反”成为不可改易的“事实”，蔡济民、蒋翊武（此时返回武昌）一起“劝”他剪辫。事已至此，黎元洪只得乖乖坐着，老老实实挨“剪”。

剪辫之后，自认男不男女不女，黎元洪索性要求给自己剃了个光头。

望着乖乖坐的黎元洪，蔡济民觉得滑稽，他摸着黎元洪的大圆脑袋，哈哈笑着说：“都督这脑袋，真似罗汉一般。”

黎元洪照镜，忍不住自己笑出声来：“我看像弥勒佛。”

革命士兵们都觉高兴，在谘议局噼里啪啦放了一大挂鞭炮。

当天，汉口、汉阳光复，武汉三镇皆落入革命军手中。

特别令人高兴的是，10 月 13 日，朝廷派来剿平武昌起义的湖南、河南两只巡防营部队，皆被革命军气势所压，竟然集体缴械投降。

就这样，一直到 10 月 14 日，黎元洪本人基本处于严密的软禁状态中。他一举一动皆被监视，连上厕所都有士兵“保护”。

其间，汤化龙等人暗中偏向他，悉心搞出一个《武昌军政府组织条例》，其中主要的内容，就是把谋略处职权归于都督。从汤化龙等谘议局议员内心深处，他们根本不放心革命军士兵。保不住革命党哪天兵败，势必引起兵变。稍有乱起，士绅们的脑袋就可能从脖子上搬家。所以，黎元洪才是汤化龙等人心目中最佳的都督府领导人选。

都督府谋略处的革命党人也不是吃素的，他们对这个《条例》的处置很简单——抛入废纸篓了事。

10 月 14 日这天，继跑到新沟的蒋翊武回到武昌后，在汉口藏身的刘公也来到武昌。

众人商议后，让蒋翊武主持军务部，刘公主持谋略处。但蒋翊武本人由于在武昌起义中没啥份儿，意不在此，他总想插手汉口军政分府的事情和改编汉川和京山的义军，故只担任顾问一职。刘公本来就无真正的谋略，很快就转任监察处总监察的虚职。

坐困穷愁之际，一生总撞大运的黎元洪又迎来了一个“贵人”——同盟会的居正。此时，他来到了武昌。

居正与汤化龙派去起草《条例》的谘议局人员黄中垲是日本的老相识。二人见面十分高兴，就一起去到江汉书院进行长谈。

居正（1876—1951），字觉生，湖北广济人。1905年，他在友人资助下留学日本。后加入同盟会。1909年，他曾在武汉活动，为武昌起义最早的策划人之一。1911年，中部同盟会在上海成立，他成为湖北分会负责人。听闻武昌起义成功，居正与谭人凤两人赶忙乘船自上海抵达武昌。

经黄中垲一谈，居正对汤化龙授意搞的《武昌军政府组织条例》很认同。他逐条过目后，赞赏不已。于是，他召集武昌的党人开会。

以居正在同盟会的身份，大家都非常尊崇他。居正扯虎皮作大旗，手拿那份黄中垲起草的条例，上来就讲条例是孙中山制定的："先生在海外，一直致力革命研究，万事皆有预谋，早就写好条例。今闻武昌同志起义，派我持此条例相送，希望大家遵守。"

与会的人一听，心服口服，再无一人表示反对。

看见大家手掌拍红，居正自己心中也感诧异："中山先生这块牌子怎么这么好使呢？"于是，趁热打铁，他详细宣读了条例内容，与会者均无异议，由此条例得以顺利通过。

这份《武昌军政府组织条例》的通过，终使黎元洪逐渐由纸幌子而变为肉傀儡，再由肉傀儡变成真"大王"。

很快，黎元洪大权独揽，起义各省竞相仿效，为日后军人专政埋下伏笔，为祸不可谓不大。

现在细读文件，我们还可发现，《条例》冠以"中华民国军政府"，即把湖北军政府升格成中央政府，暴露出汤化龙等人的勃勃野心。

根据这个《条例》，除军事归大都督一人独揽外，政事完全独立，尽归汤化龙。如此军民分治，大饼一人一半，汤议长可谓费尽心机。10月25日，孙武到位。大家合议后发觉上当，另拟了一个《中华民国鄂军政府改订暂行条例》，从中扩大了党人事权，但已经不能动摇黎元洪的地位。

截止到11月16日，湖北军政府以鄂督黎元洪的名义发出的电文不少：《传檄全国电》《致海内士电》《檄各督抚电》《宣布满洲罪状檄》《致清朝政府电》《告汉族同胞之为满洲将士者电》……同时，都督府派人持照会遍送武汉各外国领馆，表示不会损害各国在华利益。

以黎元洪名义发布的这些通电，起到了极大的宣传作用。特别是《告汉族同胞之为满洲将士者电》，揭露了清政府一直以来以汉杀汉的阴险伎俩，揭示汉人兵将在清军中的低贱地位："以满人为统御，以汉人供驱役。一旦有事，则披坚执锐，冒矢石，当前敌，断头流血者，皆汉人；而受殊勋、受上赏者，则满人也！"对那些误以为为清朝效力等同于报效祖国的汉人将士，给予了鲜明的告诫。

《致满清政府电》则更旗帜鲜明，畅快淋漓地正告清政府应该认清大势，"急以保种为心，毋贪中原富厚之利"，敦促北京的小皇帝为避免招致灭族之惨祸，应该"消号归藩，称臣纳币"。

为了从内容和形式两方面把《武昌军政府条例》变为现实，在汤化龙等立宪派紧锣密鼓的活动下，他们导演了"祭天大典"，以昭示"光复大义"。

中国人特别喜欢形式上的东西，在那个暮气沉沉的时代，这出大戏是必要的，可以给人们这样一种印象：黎元洪本人的就位以及军政府的成立，乃"应天顺人"的结果。

1911年10月17日，祭天誓师大典在军政府前的阅马场举行。筑坛，设燎火，具太牢之仪，坛上摆轩辕黄帝牌位，香案供玄酒，祭旗迎风，钟鼓齐鸣，可谓全套仪礼具足矣。

黎元洪一身蓝呢戎装，汤化龙为导，谭人凤授旗剑，居正宣讲革命初衷，最后，由大戏主角黎元洪跪谈祝文：

> ……义声一动，万众同心，兵不血刃，克复武昌，我天地、山川、河海、祖宗之灵，实凭临之！（我）元洪投袂而起，以承天庥，以数十年群策群力呼号流血所不得者，得于

一旦，此岂人力所能及哉！日来搜集整备，即当传檄四方，长驱漠北，吊我汉族，歼彼满夷，以我五洲各国立于同等，用顺天心，建设共和大业！凡我汉族，一德一心，今当誓师命众……

视文内容慷慨激昂，文采飞扬，显然不再是李翊东那种学生兵能为，而是谘议局士绅们的手笔。

特别是黎元洪读到“元洪投袂而起，以承天庥”的那一句时，已经完全入戏，大有“一代伟人”的风采。

而后，礼官朗读誓师词，三军举枪鸣放，三呼万岁。

临观军民，无不意志昂扬，热泪盈眶。

黎元洪的这一次正式登坛亮相，也表示他本人铁下一条心。到这份儿上，他也只能死心塌地“革命”了。其间，汤化龙等立宪派人士三番五次地“婉劝”，对他起到了非常重要的作用。

黎元洪本人原本就不是一个草包。主演祭天“大戏”后，湖北军政府的实权，渐渐为黎元洪所掌握。

锦上添花。祭天大典的第二天，11 月 19 日，革命军三路劲旅直杀刘家庙，把盘踞在那里的清军打得大败而逃。当地百姓纷纷手持农具参战，军民情绪高昂无限。

当时的对阵形势，一直是革命军占上风。革命军的前身，皆是湖北新军，枪械、粮食、子弹充足，特别是拥有一批德国克虏伯公司所造的新式大炮。而且，炮兵们皆为学堂科班出身，专业炮手持最新大炮，打得往往有炮无弹的清军弃械而遁。

大胜之后，革命军凯旋。武汉三镇布店中的红布红绸被购买一空，全被制成大花英雄结。官兵们胸前一人挂一个，列队游行，军民同庆。

此情此景，大部分党人和军民，皆相信清军不堪一击。但是，身为大都督的黎元洪，沙场宿将，反而心中保有难得的冷静和清醒。

他知道，张彪残部和各地巡防营不可怕，陆续南下的没有领头羊的清军也不算太强。而真正要人命的近畿陆军（袁世凯北洋系军队）一直没大动静，那才是最可怕的敌手。

“诸位同志，大家不要只顾着庆祝，还要防止敌人的大举反攻啊……”

军政府内喜气洋洋，上下欢天喜地，没什么人拿他的话当真。

黎元洪起义以来一直被党人当作“摆设”，但他本人实际是一位在军界经验丰富的将领，知兵善驭，专业知识极强。

黎元洪水师学堂科班出身，参加过实战，平素手不释卷，基本功扎实。1899年，法国军官罗勃尔利到湖北参观，张彪摆宴款待。席间，法国佬问张彪几个军事问题，老张一个都答不出，倒是一旁陪坐的黎元洪娓娓道来，语惊四座。为此，罗勃尔利离鄂前，向张之洞盛赞黎元洪知兵晓战。

在清廷1905年、1906年举办的两次秋季军事演习（秋操）中，黎元洪更是大出风头。特别是1906年在河南彰德的演习，清廷组成假想的“南军”“北军”演习。黎元洪任“南军”统制官，不仅在对抗演习中数战数胜，在射击、军容、战法等操演科目中，均拔得头筹。为此，他受清廷嘉奖，获赏顶戴花翎（秋操的“总统官”段祺瑞，后来在民国时反而“屈居”黎元洪大总统之下，做他的“总理”）。

也正是在秋操中，黎元洪见识过北洋军健锐的士气和强大的武装能力。所以，他才对未来的战事大感忧虑……

辛亥革命长镜头

风起云涌独立潮

武昌首义，枪响过后，立传回音——仅仅十二天后，湖南、陕西就发生了起义，宣布脱离清朝独立。一个多月的时间内，江西、山西、云南、贵州、浙江、江苏、安徽、广西、福建、广东、四川、上海、新疆，皆宣布独立。

特别是湖南省的革命将士，独立后立刻派军队前往湖北，真枪实弹地支持革命主战场的革命军弟兄，表现卓越。

而后，在武汉战局险恶的不利情势下，江浙革命党人纵马横枪，一举攻克南京，使得岌岌可危的湖北革命局势大为改观，带来了崭新的转机。

从某种意义上说，武昌起义绝对不是地域性的、局部的革命，而是一次影响深远的、在历史中引发核爆的全国性革命运动。

数千年的封建专制，随着武昌革命的枪声而落下帷幕。共和民主的新观念，飓风一样，吹进古老的中国。

自此而后，凡想以独夫皇帝面目出现的人，无不以失败而告终。

在此，笔者稍蘸笔墨，简单叙述一下几个重要省份独立的经过。

它们分别是湖南、陕西、江西（九江）、山西、云南。

八日都督说焦、陈

湖南起义

湖南，是个久富革命传统的省份。

自 1894 年孙中山成立兴中会后，黄兴作为继起者，在 1903 年创建华兴会并成为后来同盟会中第二号人物。湖南、湖北两省毗邻，在革命家眼中，两省一直是一个区域整体。

戊戌变法，自立军起义，湖南人谭嗣同、唐才常都是担纲人物。他们的流血牺牲，激鼓了黄兴等人的革命斗志。

1903 年黄兴组织成立华兴会，曾策划过长沙起义。虽然此次起义事泄失败，但时人多壮之，影响很大。1905 年 7 月 30 日，兴中会、华中会携手，在日本成立了同盟会。负责章程起草的八个人中，三人是湖南人——黄兴、陈天华、宋教仁。而同盟会最初两年的近一千人会员中，湖南籍人士约占 20%，人数仅次于广东省籍。

1905 年，陈天华为抗议日本政府《取缔清朝学生规则》，于东京大森湾跳海自杀。1906 年，姚洪兴因在上海入学受阻，愤而自沉黄浦江。这两位湖南籍同盟会骨干的死，唤起了无数湘籍青年的革命热情。万人会葬，全城缟素，形成了空前的政治大示威，影响深远。

1906 年秋，萍浏醴大起义坚持近一个月，近万人被杀。起义义士第一次在中国高举“中华民国”旗帜。而后，长沙抢米风潮、争路权运动，皆使湖南一直处于革命前的亢奋状态之中。

1911 年夏，宋教仁、陈其美、谭人凤等三十多人，在上海成立同盟会中部总会，策划长江流域起义，曾计划以两湖为发难地，鄂起湘应，湘起鄂应。

在湖南起义中，焦达峰、陈作新贡献最大。

焦达峰（1887—1911），浏阳人，在日本入同盟会，又是共进会创始人；陈作新（1870—1911），安徽青阳人，出生于浏阳，在湖南弁目学堂读书时加入同盟会，后入新军四十九标任排长。

10 月 21 日，焦达峰发布十六道“特别命令”，宣布 10 月 22 日起义。按照命令，革命党人彭友胜等人率四十九标、五十标党人士兵在 22 日上午 8 点开始进攻，到下午 3 点已经攻占军装局、谘议局，直杀抚署。由于清朝巡抚余诚格识时务，在大堂高悬“汉”字白旗，抚署顺利拿下（余诚格本人后乘乱潜逃）。

10 月 23 日，中华民国湖南都督府成立，焦达峰为都督，陈作新为副都督。

湖南光复后，出于大义，焦、陈马上派出军队支援武汉主战场，总兵力达十六个营以上。后来在中日战争中丢弃南京而逃的千古罪人唐生智，当时也在那一批新募军人中。

由于首义部队主力皆派往长沙，焦、陈二人身边空虚。在立宪派人士谭延闿等人的策划下，以梅馨（清军管带）为首的留日士官生小圈子军官发动政变，先设计诱杀了陈作新，再冲入督府，杀害了焦达峰（是谭延闿指使梅馨杀人，还是梅馨杀人后拥举谭延闿，也是一笔历史糊涂账）。

焦、陈二都督，仅仅任职八天，就同日殉难。

特别是陈作新，相貌清秀，极富艺术天才，诗文俱佳。这个人还擅丹青篆刻，喜酒大言，很有大诗人风采。

陈作新单人独骑进入叛兵埋伏圈后，一魁梧大汉忽然对他劈头一刀，削去他左额上一块皮肉。剧痛之下，陈作新飞身下马，由于拔枪不及，他跑入街旁一成衣房。而后，他忍住剧痛，操起一条板凳，把紧追他而入的大汉用凳砸趴在地，接着，他猛力挥凳，把刺客的脑袋砸个稀烂。叛兵在店外齐齐开枪，陈作新不支倒地……

这位自号“梦天”的大才子军人，确是个狂人，曾作过这样的狂诗：

> 平生何事最关情，只此区区色与名。
> 若就两端分缓急，肯将铜像易倾城。

可惜，他最后不是死在“色”上，而是死于“名”。

谭延闿任湖南都督后，军权在握，不再出兵援鄂，而是在当地坐观湖北成败。

五千旗卒尽被戕

西安起义

1911 年 10 月 22 日，武昌起义爆发仅仅十二天后，陕西革命党人与哥老会联手，发动西安起义。

陕西一动，势连甘、豫、鲁，波延新、青、宁，影响甚巨。

当初八国联军入侵，慈禧、光绪“西狩”到陕西，沿途搜刮，横征暴敛。为了填饱“老佛爷”的肚子，陕西地方官只得拼命压榨陕西人民，千捐万税，巧取豪夺。彼时，洋人们也不消停，在抢夺西潼铁路路权的同时，垂涎石油等矿产，加紧经济入侵和宗教渗透。

局势危急之下，以朱光照（佛兴）为首的知识分子首萌民族意识，又有于右任等革命士子慷慨激昂、鼓吹革命。哥老会等民间会党组织不断在各地掀起抗捐抗税活动乃至武装起义。

1908 年，同盟会陕西分会成立后，深入新军、会党、刀客组织内部，扩大联合阵线。特别是在新军中，不仅党人打入基层，从日本士官学校毕业的同盟会员也进入新军充任中级官校。

在革命气氛影响下，西安街上民谣四传：“不用掐，不用算，宣统不过二年半。”

与武昌起义前的态势一样，在西安，“八月十五杀鞑子”的流言，遍布坊间。

为此，清政府惊惶异常，一边四处调旗兵增强西安城内满城的军力，一边抓紧加固防御工事。

10 月 22 日，同盟会、新军、会党首领三十多人，聚合于西安城南的林家坟，决定武装起义。

上午 10 点，战斗正式打响。由于当天是星期天，驻防军军官放假，清朝护理巡抚、各司道官员以及一些参议官均在谘议局开会，来不及反应。起义军很快占领了军械局，缴获大批武器和弹药。在占领鼓楼制高点后，他们相继攻占了巡抚衙门和藩库。

文瑞，钮祜禄氏，满洲镶红旗，世袭男爵。这个人，在满洲贵族中算条汉子，能文能武，驭下有方。在绥远、青州等地任上，他特别考虑旗人的生计民生，很有忧患感。到西安后，他兴学劝工，为旗民开设工厂，欲图满人自振。可惜，历史不给他机会，辛亥革命到来，他先是率旗兵进攻，后被新军击败，回守满城顽抗。

10 月 23 日晨，打着“秦陇复汉军”大旗的起义军在张凤翙指挥下进攻满城，文瑞与旗兵左、右翼副都统承燕、克蒙额等人悉心谋划，准备决一死战。

两军合战，守城旗军约五千人，枪械精良，作战勇敢。新军气势更锐，兵不畏死，冒着枪林弹雨，奋勇冲杀。

满城东城楼，旗兵一百多人全部战死。未几，北城楼上的火药库被炮弹击中，爆炸之下，数百旗兵化为肉泥。

文瑞在交战之间，多次派人持函与革命军讲和，均遭拒绝。

血战近一日，满城告陷。旗兵终夕巷战，近三千人死于战斗。其余旗兵，无一不为革命军刀枪下鬼。旗人妇孺知道此前太平军遍屠满人的厉害，自忖难免于难，或投井，或上吊，或集体自焚，死者数千。满城余下旗人，皆被那些冲入街巷的、为民族义愤所激的新军士兵所杀。

西安驻防八旗士兵连同家属，共死亡两万多人。

西安之役，也是辛亥革命在全国范围内旗人被杀最多的一次。

10 月 24 日，又有千余旗兵从躲藏的地窖中冲出，想要复夺军械局，皆被革命军歼之无遗。

文瑞见满城陷落，知已命难保，投井自杀。其副手承燕、克蒙额二人也拔枪自尽。西安的满族男子，尽数战死。

清朝之灭，旗人文武官员能壮烈死事者，寥寥数人而已，唯西安文瑞、杭州朴寿（杭州将军）死状最烈。

除西安外，辛亥革命中，所在地驻防八旗兵属死伤较为惨重的，还有福州、南京两地，其余地区旗兵大多经谈判投降。那些人，日后在袁世凯“优待”条件下，生活平静，几与汉人无异（皇室更受优待），没有遭受任何大规模屠戮。

西安光复后，秦陇底定。

清廷大惊。武昌起义后，清廷原本想以陕甘为基地大举重振锐气。岂料陕西义旗一竖，西北震动。惊惶过后，清廷立刻从东西两路派河南、甘肃的清军进攻陕西，最终皆大败而退。

兵不血刃定九江

江西（九江）起义及清朝海军起义

1906年爆发的萍浏醴大起义，“萍”就是指江西萍乡。此次起义虽然失败，但已经极大激奋了江西乃至全国的人心。

武昌起义十三天后，10月23日上午6点，三声炮响后，江西九江新军起义。起义士兵均臂缠白布，上印“同心协力”四字，有条不紊，分据要隘，直攻道署。清朝九江道恒保早有“准备”，闻乱即逃入洋人租界，然后乘船逃往上海。

九江知府璞良有血性，对革命军士兵说：“汝等排满，我为满人，当无生理。我世受君恩，义当死节。”革命军嘉其忠义，本想饶他一命。璞良坚持要殉“大清”，革命军索性成全他，赏他当胸一枪，算是全尸。

九江独立后，南昌尚未兴复。

那么，九江起义如何又与清廷海军扯上干系呢？

原来，革命军排长何夔桂在起义后，率一哨人马，迅速占领了九江上游的田家镇炮台。长江隘口，落入革命军之手。由此，远在汉口的清朝军舰，就失掉了接济的来源。

驻湖口的清军总镇杨福田派炮艇顽抗，反为革命军所败。一鼓作气之下，革命军乘胜占领了湖口炮台和马当炮台，进一步控扼长江的交通。

武昌起义后，长江上下游各省震撼。在海军方面，清廷孤注一掷，派海军统制萨镇冰率海容、海琛两艘巡洋舰和数艘炮艇、雷艇，溯江而上，准备与荫昌率领的陆军在武汉会师。

10月18日，清军各舰艇分别抵达汉口下游。

水军一到，陆上清将纷纷要求舰艇开炮轰击长江上往来的革命军船只。但是，水军中同情革命的官兵很多，他们故意打歪，炮弹落水，革命军船只没有一艘被击沉。

不久，清朝陆军看出海军的心思，无人再要求他们开炮帮忙。

其实，早在一年前，清廷害怕汉人士兵闹革命，曾很想把海军中的重要位置全替换成满人。可惜，满人中学习海军出身的人罕见，他们只得先把海容、海琛两个大舰上的管带换了。海容舰的管带（舰长）是喜昌，帮带是满人吉升；海琛舰管带是荣续。

九江独立后，清朝海军内的汉人官兵动员起来，齐推汤芗铭（汤化龙的弟弟，萨镇冰的副官）提出起义要求。

萨镇冰（1859—1952）不是满人，乃元朝色目人大将萨拉布拉后裔。他船政学堂毕业，后留学英国格林威治海军学校，是个新派人物。中日甲午战争中，他在威海卫只率三十名水手坚守刘公岛炮台，血战十天，诚为英雄。

在汉口，萨镇冰见清朝大势已去，就对外称不忍见同胞自相残杀，决定自动下野。他搭商船去上海，把舰队留下。

当时，九江独立后，正逢江水渐涸，舰队不可能留在九江以上过冬。所以，清朝的海军其实是被关在汉口，无粮无油，可谓大势已去。

萨镇冰走后，舰队并未马上流血起义，而是耐心做几个满人管带的“思想工作”。

最后，喜昌、吉升、荣续三人都同意反正。喜昌怕事后遭杀害，还对士兵表示说他祖先是汉人。

11月11日，舰队自动驶离阳逻，中途挂上白旗宣布反正，然后开往九江。由于舰队在武昌一直与革命军对峙，还曾炮轰过对方，双方没有过联系。于是，海军舰队就驶往九江，先行派人与当地革命军联系起义合作的事情。

到达九江后，军政府都督马毓宝立刻上舰慰问，表示革命是政治革命，不是种族革命，满、汉都可参加。然后，大家开欢迎会，海军将士上岸欢宴，兴尽方散。

第二天晚上，海容舰管带、满人喜昌想变卦，忽然命令起锚，想驾驶舰只逃往南京与张勋合军。幸亏革命军九江金圭坡要塞炮台察觉有异，发炮相击，吓得喜昌忙令司舵返航，重新抛锚。

经过此事，九江革命军对舰中三个满人管带防范甚严。对于他们，又不忍杀害，就劝他们回家，每人发三千元旅费。

发给海容舰六千元后，本应由喜昌和副手吉升平分。这两个不争气的旗人，为钱内讧。喜昌认为应该官大多得，官小少得，不由分说，自己就先拿了五千元。吉升本人家穷，欠一屁股债，见喜昌分钱不公，一气之下投江自尽。

11月18日，海军舰队在临时司令汤芗铭率领下，奉黎元洪之命，驰援武汉，开始截击清军。

九江独立后，10月30日，南昌的《江西民报》发行全红报纸，社论题为《满城风雨近重阳》，开文第一句就是："满清政府，从此长辞矣！"

当夜，南昌城外的新军骑兵排发难，从顺化门爬墙入城，城内炮营响应，开始起义。

清朝巡抚四处唤官员开会，但连传令兵都已经参加起义。慌忙中，巡抚以及大小官员逃避一空。

武昌城内五十五标新军、警察部队以及宪兵部队均各自留营，全无反抗。

南昌光复，兵不血刃。

千年之醉梦惊回

山西起义

“倘非山西起义，断绝南北交通，天下事未可知也。”孙中山曾如此评价说。

由于临近北京这一政治中心，自洋务运动以来，山西可谓领中国最早“开化”之风气。1892年，太原火柴厂成立。1898年，当地又成立了拥有马力蒸汽机的山西机器局。

山西的知识分子，也很早受革命思想影响，倾向于革命和排满。1904年，山西巡抚奏告清廷，官派五十名青年去日本留学，其中就有山西武备学堂的阎锡山、张瑜等人。同盟会成立后，不少山西籍青年纷纷加入。

总结历史经验后，山西同盟会员提出未来革命“南响北应”的计划。同时，阎锡山等青年发起了“铁血丈夫团”，组织了以军事目的为主的团体。1908年，在日本士官学校留学的山西籍学生纷纷学成归国，分别进入陆军小学堂（即武备学堂）以及督练公所任职。

由于清廷要求新军协统以下军官必须由军授科班毕业的人担任，阎锡山等人顺利进入新军中充当教官和标统（团长）。同时，同盟会员还深入新军基层，广泛联合士兵，准备起义。诸如杨彭龄等九个正目（班长）的“双塔寺结义”，就是鼓动基层的典型事例。

辛亥革命前，太原新军从上到下几乎都掌握在同盟会会员手中。

武昌起义之时，到山西担任巡抚的陆钟琦，才到任四天。他刚从江苏布政使任上转职，被清廷派来山西。这个人，忠孝传家，光绪十五年进士，曾做过摄政王载沣的老师。

从道德上讲，陆钟琦为官清廉自律，广有贤名。但在政治上，他是个十足的顽固守旧派，一心要报“大清”深恩。

10月22日，山西的邻省陕西突然起义，这可急坏了陆钟琦。他立刻派太原镇总兵谢有功巡视黄河，扼控沿岸地区，以阻陕西新军过河。然后，他抽调大同总兵派人协防太原。

由于对太原城内新军心存警惕，他命令第八十五标开入蒲州，八十六标去代州。

危急时刻，陆钟琦在北京任职的儿子陆光熙忽然来到了太原。这个人，曾在日本留学，其实也是同盟会会员。他到太原后，即去与阎锡山见了面，估计是密谈合作事宜。

由于深知老父效忠清廷、深恨党人，陆光熙决定慢慢开导，以图父亲转向。为免遭父呵斥，这位早已剪辫的年轻人，见面前还特意买了一条假辫子戴在头上。

出于对新军士兵的警惕，陆钟琦一直不让发子弹。但派出二标兵士出太原，子弹不能不发。新军的同盟会成员约定，只要大家领到子弹，就立即起义。

10月29日一大早，大家公推第二营管带姚以价为司令，宣布起义。由于城内士兵早已安排好，大家里应外合，顺利攻入新南门，直杀巡抚衙门。

陆钟琦没想到革命军如此快手，他本人大梦初醒，马上起身指挥士兵守门。

新军人众，用大石条砸开大门，尽毙卫士，冲入内堂搜索，正赶上陆钟琦父子匆忙往外走。

起义士兵一阵乱枪，把陆巡抚当场打死。陆光熙以身遮蔽父亲，也当场被杀。可惜这位同盟会员，未及“策反”父亲，自己反而与父亲一起，同死于革命军乱枪之下。

士兵们杀完人后往外走，正碰上骑马赶来的协统谭振德。他刚刚呵斥了两句，就被一阵乱枪打成血窟窿。

山西一文一武两位大员，皆死于革命军枪下。

满城旗兵本来抵抗甚烈，但新军控制了制高点，居高临下，一阵大炮猛轰，旗兵不得不缴械投降。

起义非常顺利。中午时分，谘议局开会，军政府成立，阎锡山当选为都督，年号用黄帝纪年，但旗子用的是“八卦太极图旗”。

山西起义后，祸生肘腋，清廷大惊，忙派在保定的第六镇统制吴禄贞率军入山西去镇压。不承想，吴禄贞本人就是革命党，他刚到石家庄，就派人与山西方面联系。

11 月 4 日，吴禄贞与阎锡山二人在娘子关见面，成立燕晋联军，准备会合吴禄贞的好友、第二镇统制张绍曾和第二混成协协统蓝天蔚，一起夹击北京。

袁世凯刚被清廷重新起用，人在河南，闻之心惧。他秘密派人去石家庄，收买了吴禄贞的卫士长马蕙田。马蕙田在 11 月 7 日早晨刺杀了吴禄贞，并割下人头逃走报功。

如此一来，吴禄贞、阎锡山的大好宏图，付诸东流。

南北议和期间，袁世凯视山西、陕西为肘腋大患，提出民军不包括这两省义军，想把北方起义军皆称为“土匪”而加以剿灭。

最终，在孙中山力争下，袁世凯最后只得同意把山西义军仍作为民军对待。

与此同时，阎锡山派出袁世凯的门生董崇礼（山西定襄人）前往北京“表忠心”，袁世凯才对山西放下心来。1912 年春，他任命阎锡山为山西都督。

彩云之南响震雷

云南重九起义

清末的云南，内忧外患。内部，民族矛盾日益尖锐；外部，法国占安南，英国占缅甸，虎视眈眈。

在此情势下，经云南同盟会鼓动，类似“读学会”“死绝会”“敢死会”“兴汉会”等外围革命组织纷纷成立，人民日益觉醒。

1909年，陆军讲武学堂在云南重开，刚从日本回国的大批留学生和同盟会员纷纷在“海归”潮中被聘为教官，其中包括李烈钧、唐继尧等人。最终，云南陆军讲武学堂实际上成为革命党人的大本营。

云南起义前夕，革命教官教出来的革命学生也纷纷分配进入军队。他们与军中革命党人积极配合，说服士兵，以至于云南新军基本上成为党人的天下。

1911年初，蔡锷被清廷任命为第十九镇第三十七协协统（旅长），从广东调至云南。他虽然不是同盟会员，但思想上一直很“先进”——想想他的老师谭嗣同、唐才常、梁启超，我们就不会诧异他同情革命的态度。当时，他有句拍胸脯的话使得革命党人很放心：“只要时机成熟，我对你们绝对同情支持！”

武昌起义消息传来，昆明的党人欢喜欲狂。

10月16日，唐继尧、刘存原等人召开会议，秘商起义计划。而后，19日、22日、25日、28日，同盟会员接着开了四次会议，蔡锷均加入其中，共谋大事。

会议上，与会者歃血为盟，书写一个纸条，上有“协力同心，恢复汉室。有渝此盟，天人共殛”十六个字，然后烧之为灰，放入酒中，大家分饮，以示决心。最终，党人决定10月30日深夜在昆明打响起义枪声，并推蔡锷为战时总司令。

10月27日，滇西的腾越枪声忽起，同盟会会员张文光与刀安仁

（此人还是个傣族土司）发动起义，清军腾越总兵自杀，文官逃的逃，降的降，腾越光复。

滇西的胜利，更坚定了昆明革命党人的决心。

10月30日晚，党人首领们正忙于深夜起义的准备工作。8点左右，昆明北校场七十三标第三营忽然枪响一片。蔡锷等人对此并不知情，云贵总督李经羲打来电话，让他迅速带部队前往七十三标平息“哗变”。

原来，正当七十三标的排长黄毓英给革命士兵分发子弹时，恰好被反动的值日队官唐元良巡哨发现。这个人很顽固，怒骂挥鞭，痛斥士兵，叨叨“造反要杀九族人头！”。这个人也是顽固，都什么时候了，还摆这种威风。士兵们愤而举枪，当即把唐队官打成马蜂窝。其余士兵跟进，立刻把营内另外几个反动军官一并杀死。

七十三标革命士兵也顾不得起义约定时间，提早起义，一拥而出，攻破昆明北门。

当时，蔡锷本人在巫家坝，他马上召集士兵，宣布起义。于是，大队的士兵整队而起，高呼“革命军万岁”的口号，冲向督署等重要军事、民政机构。

由于起义当日是农历九月初九，史称“重九起义”。

此次战斗非常激烈，主要是清军一直盘踞战略要地五华山，又控制了军械局，故而起义进程十分艰苦。

奋战到次日中午，清军第十九镇统制钟麟被起义战士击毙，总督李经羲和总参议靳云鹏逃走。

在付出了牺牲一百五十人、伤三百多人的代价后，昆明终为革命军光复。

值得一提的是，在进攻督署的作战中，时为七十四标第二营排长的朱玉阶表现十分英勇，他冲锋在前，浴血奋战，率领士兵攻克了总督李经羲的老巢。这位朱玉阶，不是别人，正是后来的朱德元帅。

重九起义胜利后，云南各府、州、县迅速光复，可谓是“传檄而定”。

11 月 1 日，革命军在昆明五华山两级师范学堂建立“大中华国云南军都督府”，推举蔡锷为云南都督。

由于蔡锷的锐志进取和悉心培育，云南革命军军力强劲，也成为后来护国战争中的一支劲旅。

由于本书主要内容围绕辛亥革命（武昌），故对于其他省市的起义描写从略。关涉的主要人物及其“下场”，在此简单交代一下。

黎元洪：1912 年 1 月，南京临时政府成立后，黎元洪被选为副总统，兼任湖北都督。1913 年，同盟会的“二次革命”被袁世凯镇压，10 月 6 日，袁正式就任中华民国大总统，黎元洪任正式的副总统，兼任鄂督，但年底即被段祺瑞“请”到北京，被袁世凯安置在瀛台“优待”。1915 年袁世凯称帝，封黎元洪为“武义亲王”，黎不就，闭门谢客。1916 年 6 月，袁世凯死，根据宪法，黎元洪就任大总统。随即，他与握实权的总理段祺瑞相争不休，导致引狼入室，张勋复辟，黎被迫下台。1922 年，直系军阀曹锟、吴佩孚赶走皖系的总统徐世昌，黎元洪又被拥上总统宝位，次年被曹锟挤下台。

黎元洪下野后，尽心实业，造福桑梓。1928 年，他忽患脑出血去世。1935 年底，国民政府为他在武昌卓刀泉举行国葬。

汤化龙：此人一直是个政治骑墙派。汉阳失陷后，他随黄兴去上海避风。民国成立后，他一会入共和党，一会又为民主党干事长。1913 年，他当选为众议院议长，鼎力支持袁世凯，并与梁启超一起组建进步党（实际上合并了民主党、共和党、统一党三党），与国民党抗衡。袁世凯欲称帝，时为教育总长的汤化龙心灰意冷，大有上当受骗之感，在 1915 年潜往上海，参加讨袁活动。

袁世凯死后，他重任众议院议长。1917 年段祺瑞、黎元洪“府院之争”引来张勋复辟，段祺瑞“再造共和”，以汤化龙为内务总长，但仅

蔡锷

唐继尧

段祺瑞

仅三个多月，汤化龙就被迫辞职。

政治上失意后，他赴美国、加拿大游历考察，心情郁闷。

1918年9月10日，汤化龙在加拿大维多利亚中华会馆为一国民党籍华人理发师王昌刺杀，一弹入腹，一弹自口入，洞穿脑袋，终年四十五岁。盛年伏尸海外，汤化龙的遭遇也算一奇。

刺杀汤化龙的王昌，是孙中山老乡。他杀汤化龙后从容离去，回到住处，对工友说："我不愿在洋人法官面前受审，免得他们侮辱我们中国人的尊严！"言毕，拔枪自杀。

王昌之所以要杀汤化龙，是因为他认定汤化龙美加之行目的在于向六国银行团借款购买军火支援段祺瑞政府，以此来进攻孙中山在广东建立的"护法政府"。

王昌行刺，不排除受国民党幕后指使的可能。孙中山得知消息后，派人运送王昌灵柩回广州，以党礼葬之于黄花岗左侧，立坟建墓，至今仍存。

王昌死年三十三岁，是获国民党党葬殊荣的第一人。

风云满地起枭雄

袁世凯出山

1911年11月1日，迫于内外各方面的压力，清廷不得不“屈尊枉驾”，重新起用袁世凯，以他为“内阁总理大臣”，统摄一切军政大权。

授职电谕之中，有一条十分关键：“所有派赴湖北陆海各军，及长江水师，仍归袁世凯节制调遣”。（《大清宣统政要》卷四十）

冬日的彰德车站，空气清冷，气氛却热闹非凡。

威赫的卤簿仪卫，清廷全部发还给袁世凯。飞虎旗、杏黄旗、青旗、青扇、雁翎刀、金黄棍、兽剑、旗枪、雏尾枪、皮槊，以及巨大的回避肃静牌，在彰德车站上形成了一条五彩耀目的甬道。

河南抚院、藩臬两台官员，以及彰德府和各州县的大小官员，每个人脸上都挂着官场殷勤的笑脸，向阳花一样朝着缓缓踱步的袁世凯转移。他们的随从仪卫，把小城挤得满满当当，填街塞巷，车马喧阗。

鞭炮声，锣鼓声，嘈杂而喜庆，引来了无数的百姓前来围观。

袁世凯头戴一品朝冠，大红顶子在冬阳下似火般腾焰。他身着黄马褂、麒麟补服，微笑着，不停环顾，颔首致意。

几十名身材挺拔的小伙子，清一色直隶军装，身背德国毛瑟枪，左腰挂盒子炮，右边悬一彩鞘短剑，威风凛凛，紧随袁世凯。

在这些亲兵卫队簇拥下，中间的袁世凯，更显气宇轩昂。

三年的退隐生活，忽然中止，袁世凯似乎一下不能立刻适应这突如其来的喧嚣。他脸上的微笑，僵硬，有些不自然……

爬得越高摔得越重

北洋系的兴起以及袁世凯的“开缺回籍”

笔者不想在这里写袁世凯传，故对他当年在朝鲜的英雄事迹基本不着笔墨，也不泼污或增饰他在戊戌变法中的“角色”。

在清末纵横捭阖、历尽艰难，袁世凯终于把北洋六镇创建完毕。但是，慈禧一去世，轮到摄政王载沣主政，风云突变。袁世凯面临前所未有的危险。

当然，袁世凯也不是没有表过“忠心”——他委婉劝说摄政王载沣，认为国家衰弱之时宜立长君，希望载沣自己来坐帝位，他本人一定拥戴。岂料，如此推心置腹的表示，却遭来摄政王的严厉训斥。

袁世凯推拥载沣做皇帝的意念，虽然出自明哲保身的政治智慧，但对于朝廷来讲，其实未尝不是一条“光辉”道路。当初光绪做傀儡，他的生父（也是载沣的生父）醇亲王奕譞，自可在朝堂上对儿子皇帝跪拜如仪，毕竟当时有慈禧太后真正当朝。以父跪子，实际上已经乱了大伦。如今，慈禧已经死去，她扶立的幼帝宣统，和他身为摄政王的父亲载沣同时出现在一个朝堂上，本来就是中国历史上罕有的事情。从伦理道德上讲，场面也很难堪。即使载沣宣布替代自己亲骨肉，于情于理，都不会让人感到悖逆。

一个摄政王父亲假模假式表示对自己亲儿子忠贞不贰，一来表明载沣本人胸无大志，二来暴露出清廷上下确实无人。

不过，袁世凯终能活命，说到底，最关键的，还是载沣此人没有什么大政治家的手腕，他不过是清朝皇室宫墙上的富贵鸟而已。

如果载沣刚忍有断，敢于打破军机大臣副署的成例，当时杀袁世凯简直太容易不过。载沣大可以趁袁世凯入宫觐见的时候，遣一戈什哈上前要他颈上人头。此事一成，树倒猢狲散，北洋系军人再折腾，人在人情在，袁世凯都死了，他们不见得一时间会对清廷怎么样。

优柔寡断的载沣，当然没这份底气。谕旨修改了多次，最终下旨，让袁世凯“回籍养疴”。

而赶袁世凯的理由，只是“现患足疾，步履艰难”。袁世凯真有“足疾”（腿病）吗？

真有。

1908年农历八月二十日（9月15日），袁世凯过五十虚岁大寿。为此，慈禧赏他金佛、寿字、如意、蟒衣以及御酒等物，很示隆宠。京城内外百官，趋炎附势，多有馈赠。庆亲王奕劻的儿子载振送大礼，在礼单上落款“盟弟”二字。

当时，还是那位专门和袁世凯过不去的御史江春霖专门上奏，指斥袁世凯借祝寿为名，广收财物，结党舞弊，揽权营私。特别是载振这样的满人宗室与汉人联谱拜把子，有违王章。慈禧闻之震怒，唤袁世凯入宫，痛加训斥。

经此申斥，袁世凯吓得胆肝俱裂。

他谢罪后出宫，惊惶失措，恍惚中一下子从台阶上摔落，跌伤了右大腿。

静观天下“抱膝吟”

袁世凯洹水“钓鱼”

早在几年前袁世凯刚当上直隶总督的时候，那热火浇油的旺盛关口，人们皆赞夸他日后功业必在李鸿章之上。

但当时，袁世凯心中已有隐忧，他曾写信给哥哥袁世勋，表示说：“……弟此次得跻高位者，赖有太后（慈禧）之眷宠耳，然而慈宫春秋已迈，犹如风中之烛。一旦冰山崩，皇上独断朝政，岂肯忘怀昔日之仇（指戊戌政变中袁世凯的归危倒戈），则弟之位置必不保……太后苟有不测（指慈禧如果病死），弟即辞官归隐。明哲保身，古有明训，弟已计之熟矣！”

袁世凯当时口头那样说，但官场权力太诱人，历史上处于上升阶段真正能急流勇退的，太过稀少。袁世凯也不能免俗。

如果不是载沣等人以皇帝谕令勒令他“回籍养疴”，他肯定赖在北京不走。

日后所有关于这段历史的书中，大凡一提袁世凯回老家“养病”，众口一词，无不说他阴险老辣，无时无刻不在谋划东山复起。凡此种种，皆为彰显袁世凯的大阴大贼。

其实，袁世凯初归山林，很以保全首项为幸，没一点想再冒头招祸的心思。观《袁世凯未刊书信稿》，共存他七百四十八封信函，收信者上至庆亲王、各地督抚大员，下至州县官员、师友亲朋，其中六百二十五封中，他都一再言及他是辞官“养疾”，反复解释自己“甫逾五十，精力已衰，遗大投艰，断难胜任”。

下野的袁世凯，已经向外人明白无误地宣告自己政治生命的终结。

回老家后，袁世凯确实大笔银子撒出，十分投入地经营他退休后的居地。

洹上村，位于彰德北门外，因临洹水（又名安阳河）而得名。袁世凯回河南后，先居于辉县。辉县有天下闻名的百泉、苏门等胜迹，嵯峨苍翠，清流见底，是历史上阮籍、二程、耶律楚材等人的隐居地。

辉县风光虽好，住宅与交通皆不如洹上村方便。在洹上村，袁世凯有一处总面积达二百多亩的大别墅。堂榭壮丽，园林缀于其间，正好供他八个妻妾以及一大家子人住。在这里，他终日与文人墨客吟风咏月，歌酒唱和，听莺钓鱼，确实享尽一时风雅。

闲暇之余，袁世凯经营实业，广辟宅第，书写《家训》，闭门课子。

袁世凯本来就是文人出身，在洹上村，他还真写了不少诗歌，现存袁克定所载的《洹封逸兴》中就有袁世凯诗歌二十二首，辑为《圭塘唱和诗》(圭塘是他洹水别墅中一座小桥的名字)。

袁世凯的诗，笔者深喜其中这一首《春日饮养寿园》：

背郭园成别有天，盘飧尊酒共群贤。
移山绕岸遮苔径，汲水盈池放钓船。
满院莳花媚风日，十年树木拂云烟。
劝君莫负春光好，带醉楼头抱月眠。

闲云野鹤间，这种消极自保的人生态度，往往于诗中有不经意的流露。当然，日后人们一讲他在彰德隐居，总提他在洹上村架设电台一事，似乎他一直居心叵测想在幕后操控北洋系统。这一说法，源自他女儿袁静雪的一篇回忆文章，日后千抄百引，成为定论："在他和清廷讨价还价的时候，电报房中，嗒嗒之声，终日不断。"(《我的父亲袁世凯》，全国政协所编《文史资料选辑》第74期)

但是，仔细查看袁世凯二儿子袁克定所撰的《辛丙秘苑》，在这份回忆中，袁克定只讲洹上村的袁世凯家人中"有司电报者"，也就是说，确实专门有人负责接答电报，但他们父子之间的来往电报，都是通过彰德的电报局转交。

可想而知，袁世凯当时作为一个避祸的下野官员，力图韬光养晦，不可能蠢到在家里弄台发报机。

袁克定是成年人，而当时的袁静雪，才十二岁，她五十多年后再回忆老父，自然受记忆和时局的影响。

二袁的回忆，应该哥哥的更可靠些。

不仅当时清政府有制度严格规定电台是"官办"，且查看袁世凯出山前所有要紧往来文字，皆大多呈信函方式，所以，"电报"操控大局一说，实是谬误。

可能有人还问，袁世凯老家是河南项城，他为什么不回那里呢？

1902年，以直隶总督的身份，袁世凯奉已获正一品封典的生母灵柩回项城安葬，却遭到他那嫡传长门的二哥袁世敦等宗族正嫡的挫辱。故而，当时他就发誓：再不回项城老家。

梳理羽毛做水上闲鹤之际，袁世凯密切关注天下事。当然，其间也有“雕倦青云路，鱼浮绿水源”的牢骚。

他《登楼》一诗，更表达了不堪寂寞的心境：“楼小能容膝，高檐老树齐。开轩平北斗，翻觉太行低。”

闲云流水中，外面的世界发生了翻天覆地的变化。由于社会矛盾激化，各地抢米风潮肆起，起义迭兴。而且，立宪派大张旗鼓争取权力，保路运动方兴未艾……

天下愈乱，袁世凯复出的念头愈强烈。这个时候，他诗中对时局的隐忧和复出欲望就跃然纸上：

人生难得到仙洲，咫尺桃源任我求。
白首论交思鲍叔，赤松未遇愧留侯。
远天风雨三春老，大地江河几派流。
日暮浮云君莫问，愿闻强饭似初不？

——《次张馨庵都转赋怀见示韵》

（张馨庵是张镇芳，袁世凯表弟）

不仅以诗歌、信函往来，不少朝野人士也亲自来洹水与他欢晤。据统计，在他隐居期间，共有六十多位朝廷大员、封疆大吏以及北洋旧部来访，部院大臣如端方、唐绍仪，督抚如袁树勋、周馥，北洋旧部有王士珍、段芝贵等。

国势愈紧，呼吁袁世凯出山的声音就越高。

1911年初，立宪派在张謇等人倡议下，多次要求朝廷重新起用“知名者”“有学问阅历者”来担当国事。虽不提名道姓，大家都知道是指袁世凯。

社会舆论也跟风，各地报刊大量报道或制造清廷要袁世凯出山的“新闻”。

对此一切，老谋深算的袁世凯不为所动。他稳坐洹山，以钓天下大鱼，直到武昌革命爆发那一刻。

他还让人为自己拍了几幅披蓑垂钓图，发表在《东方杂志》上，以“彰显”自己的高蹈出世之心，并作《自题渔舟写真二首》：

其一

身世萧然百不愁，烟蓑雨笠一渔舟。
钓丝终日牵红蓼，好友同盟只白鸥。
投饵我非关得失，吞钩鱼却有恩仇。
回头多少中原事，老子掀须一笑休。

其二

百年心事总悠悠，壮志当时苦未酬。
野老胸中负兵甲，钓翁眼底小王侯。
思量天下无磐石，叹息神州变缺瓯。
散发天涯从此去，烟蓑雨笠一渔舟。

其实，他戏演到这份儿上，就有点过了。

袁世凯此人，一生不信神佛，偏偏迷信星相、卜筮和堪舆。有个汲县盲人为他批八字，得到的卜相是：“辛亥八月官象动”，就说他在辛亥年后，官会越做越大。袁世凯当时很高兴，赏他十个银圆，许诺说，“如果算得准，定有厚报”。日后，袁世凯在北京当上民国大总统，瞎子找上门。袁世凯不忘前言，立赏大洋一千。当然，他日后倒霉，也是倒在这种堪舆小术上。他大儿子袁克定说，为了冲掉袁家人活不过六十岁那道坎儿的霉运，必须有人当“皇上”才成。结果袁世凯当了“皇上”，仍没有迈过六十岁大关。

辛亥革命爆发的消息传至洹上村时，袁世凯正在做寿（阴历八月二十，在辛亥那年的阳历，恰好是10月11日）。

闻听湖北乱起，一座皆惊。袁世凯立刻让人撤去酒宴，挥退戏子。然后，他摆下茶围，与来客共谈国事。

他强调，大家是“谈”，不能说“商”。

在座诸人，你一言我一语，大抵都讲，武昌叛逆不过数营，瑞澂、张彪定能制服叛逆。有人说，革命头子孙中山、黄兴都不在湖北，叛逆之人群龙无首，定不能成事。还有人讲，武昌是乱兵哗变，志在哄抢，一俟大军压境，必然随之消亡。

袁世凯不言语，静听诸人发言。良久，他徐徐道：“武昌之乱，不比长毛（太平天国）。摄政王乃一高墙内养成的王爷，未经世事；瑞澂、张彪二人，皆平庸之辈，安能镇乱！”

听袁世凯如此说，立刻有人奉承：“如此说，天下大事，非袁宫保您出面不行！”

袁世凯仰头一笑，连忙摆手：“不要这样说！今日只谈风月，莫论国事……”

武昌炮声隆，洹上欣喜起。于袁世凯而言，他知道，一个无比巨大的历史机遇，已经出现在他面前。

坐看中原鹿正肥

袁世凯出山

“大泽龙方蛰，中原鹿正肥”。这十个字，乃袁世凯十三岁时所作一联。毛头少年，既以潜龙自诩，又以逐鹿自励，果真不是凡人。

武昌起义两天后，清廷电谕已到，要起用袁世凯为湖广总督。手下人听说后，都兴冲冲进门，前来道贺。

袁世凯眉头都不抬。他看了看电文，信手置于几上，淡然道："现在不是着急的时候。"

他在装吗？也是，也不是。

多年宦海浮沉，使他深知藏而不露、等待时机的重要性。而北京的朝廷在起义初始阶段又是如何表现的呢？

武昌枪声响过之后，最惶急的，莫过于北京的清廷。当时，内阁廷议，主要内容有两个：一个是如何处理瑞澂，一个是如何去平息武昌的起义。

由于托人送钱走关系，加上本人与清廷的最高层都有"关系"，瑞澂该杀头的大罪，最后落了个"戴罪立功"的微小处分。而在如何处理武昌起义问题上，大家一致主张以剿战去平定。

人也杀了，城也占了，兵也反了，不剿不行。

剿平武昌的人选，当时有两个——袁世凯和荫昌。

如果凭资历，袁世凯一个，能顶荫昌五百个。但事实明摆着，载沣两年多前没杀他就不错，现在临乱马上把他拎出来，清廷很没面子。

面子不说，最关键是对袁世凯的疑忌。

武昌汉人造反，如果派袁世凯这么个汉人去平灭，载沣等人思来想去，怎么也不放心。

既然如此，只有派荫昌去当统帅。

荫昌（1859—1934），字五楼（后改午楼），满洲正白旗人。这位满人，才学不错，国子监生出身，早年就读同文馆德语班。毕业后，他曾去德国陆军深造，与时为皇太子的德皇威廉二世同班，私交甚笃（威廉二世也很倒霉，一战后跑到荷兰，一直被协约国当战犯通缉）。看荫昌的戎装照片，像极了德国军官，连唇上的胡子都是德国式。

花花公子出身的荫昌学习不用功，德文口语很差。1877年，清廷派刘鸿锡出使德国，荫昌当翻译，一路根本弄不懂德国人说什么，气得刘大人把他从“三等翻译官”降为“四等”。1884年，许景澄出使德国，荫昌跟了去，德文仍不过关，就被留在当地的军校学习。学成后，他进入北洋新军。1885年，李鸿章在天津办武备学堂的时候，荫昌以学堂翻译教习的身份，终于得入李大人法眼，做到武备学堂总办的职位。

袁世凯小站练兵时，请荫昌推荐人才。这位公子挺有慧眼，就把段祺瑞、冯国璋、王士珍和梁华殿推荐出去，日后的“北洋三杰”，全在其中。

1900年，荫昌还在袁世凯手下的山东办理过军务，与义和团打过仗。1901年，他出任德国公使。1906年，他任清廷陆军部右侍郎。1908年，荫昌主持太湖清军秋操。同年，宣统帝继位后，荫昌出使德国，在宴会上与老哥们德国皇帝威廉二世畅饮欢言，出尽风头。

载沣当初要杀袁世凯的时候，出于私交情谊，荫昌为袁世凯说过不少好话。从性格上讲，荫昌是个新派人物，早在留学时就剪了辫子。所以，他每见慈禧太后，总要接个假辫子才行。

在满洲贵族中，荫昌人算是个“大好人”，但军事上完全不行。此前他在山东袁世凯手下和义和团打仗的“经验”，跟打猎差不多，根本没有真正经历过战阵。

1911年5月“皇族内阁”成立后，荫昌被任命为陆军大臣。

即便如此，摄政王载沣宁可信任满人荫昌，而非汉人袁世凯。

清廷很把武昌起义当大事来处理。定下统帅人选后，谕旨频下，在调两镇陆军速赴战区的同时，又派萨镇冰督水军协战。

武昌起义爆发时，清军新军有九个镇在北方，其中不少精锐正集中在河北永平准备演练“秋操”。此次军事大典，本来是载沣想显摆新成立“皇家禁卫军”威力的。

载沣当权后，在军事上没有什么建树，除了任命两个弟弟载洵、载涛分别为海军大臣和军咨府大臣外，唯一的“实事”，就是建立皇家禁卫军。

武昌枪响，显摆皇家禁卫军的机会就没了。但是，由于清朝的陆军精锐尽在永平，大可派那些人乘火车直奔武汉战场。当然，江北提督段祺瑞还可以率领江浦混成协坐船去，那样会更快些。

载沣信不过南方的军队，又认为段祺瑞是袁世凯心腹，没有同意。

当时，还有另外一个选择，就是从近畿陆军或河南新军中马上抽人赶赴武昌，那样比永平新军更快。但庆亲王奕劻怕载沣的弟弟载涛趁军队调拨的机会，用城内的禁卫军先把自己给“解决”了，坚执不可。结果，奕劻调来自己信得过的姜桂题的武卫军把守京城九门，顺便保卫他自己的庆亲王王府。

清朝高层窝里斗，造成决策延搁和失误。

最终，清廷还是决定从永平调军去武昌镇压。

荫昌本人坐火车先去。随后，朝廷抽兵组成两个军，第一军由陆军第四镇、第二镇的混成协以及第六镇的混成第一协组成，荫昌自任“总统官”。第二军的“总统官”是冯国璋，他率陆军第五镇、第三镇的混成第五协，以及第二十镇的混成第三十九协，赶往武昌扑火。

荫昌这个人，好玩不正经。他脚蹬德国长筒靴，身穿中式缎袍，嘴里唱着京剧《战太平》，拿着身板架势上了火车（见梅兰芳《戏剧界参加辛亥革命的几件事》）。

当时，荫昌非常轻敌。清军水陆并进，阵势这么大，平灭武昌几个叛党，看似很容易。为此，他大有“为君谈笑净胡沙”的意头。

10 月 15 日，荫昌在彰德下车，拜见袁世凯问计，显得很有得胜的信心。袁世凯劝他：“湖北方面，有黎元洪为将，千万不可小视！”他建议荫昌小心，切勿轻易出战。

荫昌与袁世凯关系甚好。特别是摄政王得权后，袁世凯得保人头，荫昌出过大力，为此袁府上下视他为“恩上”。

袁世凯如此劝说，绝对不是发阴使坏，而是真正掏心窝子为荫昌

冯国璋

好。而荫昌呢，经袁世凯一劝，由极端乐观变成了十分悲观，从谨慎变成了磨蹭。

所以，一直到10月17日，荫昌也没有组织清军进行任何像样的进攻。

最早到达武汉的，只有清军的新军第一镇第一标与第六镇第二十四标。正在舰上避风的瑞澂听说只有两标人马赶到，心里更虚。为了将功赎罪，他还是马上命令这两标人马进攻。

但是，荫昌事先有令，一定要等大部队集结完毕后，各部才能发起进攻，以求万全。

10月18日，在汉口附近已经有清军的一个混成协和两标人马，但荫昌仍不下令进攻。他本人“持重”，革命军却先发制人。

排炮轰鸣中，革命军在刘家庙打得清军溃逃，夺取了大批枪炮辎重。这时候，人在信阳的荫昌心内有些慌。由于调度无方，铁道挤塞，弹药未及时运送，荫昌与那些军中“留学生”出身的军官、顾问们，一时间感到脑袋都大了。

等到新军强大的第四镇开到前线，武昌起义已经到了第十天。

10月23日，荫昌把指挥部从信阳前伸到孝感，巡洋舰海琛号也把大炮瞄准了革命军。

但是，事已至此，一切似乎都太晚了。

由于一而再、再而三地贻误军机，10月22日，湖南独立；当天，陕西独立；过了两天，九江响起革命枪声……

革命的多米诺骨牌，开始了倒塌的过程。

回顾历史可以发现，在10月27日之前，荫昌所统的大批清军，对革命军没能发动任何有效的进攻。张彪残部自不必讲，河南的巡防军反而向革命军投降，真是雪上加霜……

事情发展到这个份儿上，没有别的办法，清廷只能起用袁世凯。

眼看中国局势渐乱，怕威胁到各自的在华利益，洋人们出来说话，纷纷要求清廷把袁世凯请出来主事。

英法德美四国银行团的美国代表、法国代表，还有美国驻华公使嘉乐恒、英国驻华公使朱尔典（此人在朝鲜时就与袁世凯是好友），以及洋人的驻京公使团，一致要求袁世凯出山，并专门派人入宫传达清晰的信息——希望袁世凯以“皇权执行者”的身份出来（贝洛夫《1911—1913年的中国革命》）。

在清廷内部，本来就与袁世凯一气相通的庆亲王奕劻、那桐、徐世昌等人这下子底气更足，他们一起对载沣施压，要求重新起用袁世凯。

急火攻心下，摄政王载沣没辙了，他忍泪屈从，并把“丑话”说在前头：“你们这样主张，就照你们的办，日后有事发生，请不要推卸责任！”

这位以“有书真富贵，无事小神仙”为座右铭的摄政王爷，终于在泪水中完全暴露了他的怯懦与无能。

载沣这边愿意了，袁世凯那边却没那么容易。该拿捏的时候，一定要捏足了谱儿。

袁世凯上折推说道：“……臣旧患足疾，迄今尚未大愈。去冬又牵及左臂，时作剧痛……近自交秋骤寒，又发痰喘作烧旧症，盖以头眩心悸，思虑恍惚……一俟稍可支持，即当力疾就道。”（《袁世凯奏折》）

——你载沣从前不是以“足疾”开我回籍吗，今天，我袁世凯身上毛病更多了。

当然，袁世凯在吐喷胸中郁气时，也给载沣留了个台阶——只要病好，我一定出山。

这就是讨价还价的第一步——湖广总督，官太小。不干。见关子卖得差不多了，他再讨价还价（致电内阁）：给枪给钱，按我的意思安排人。于是，王士珍、冯国璋、段芝贵、段祺瑞等北洋嫡系，一时到位。

清廷已经答应了这么多条件，袁世凯该出山了吧。

不！他仍旧“抱膝长吟”。

清廷派来彰德劝说就任的徐世昌，本来就是袁世凯心腹。他来见袁世凯后，不仅没苦口婆心劝老友立刻赴任，还给他出了不少要大价码的主意。

如此，袁世凯摆出了六大条件：

1. 明年即开国会；

2. 组织责任内阁；

3. 宽容参与各省起义的党人；

4. 解除党禁；

5. 需委以指挥全国水陆军及军队编制的全权；

6. 须有十分充足的军饷。

上述六条，哪条不答应，袁世凯绝不出山。

这六条真厉害，不仅使得袁世凯人前人后、敌方我方做足好人，也彻底把皇族架空。

眼见全国各省纷纷独立，火越烧越旺，摄政王载沣最终不得不向袁世凯屈服。

10 月 27 日，朝廷发电谕，召回荫昌，任命袁世凯为钦差大臣，授他全权指挥军队，并特别说明陆军部、军咨府不能对他指手画脚“遥制”。

这下袁世凯该出山了吧！还不！

10 月 27 日，滇西腾越革命；10 月 29 日，山西太原独立，巡抚陆钟琦与其子被杀。第二十镇统制张绍曾驻军滦州，与蓝天蔚等人通电清廷，要求免斥“皇族内阁”，速开国会；10 月 30 日，昆明“重九起义”，推蔡锷为云南都督；31 日，江西南昌光复。

忧恐惶急之下，载沣在 10 月 30 日连发四道“上谕”，表示要释放“国事犯”，真正施行“宪政”，并落实组织“责任内阁”。

同时，他与隆裕太后商量，准备带着小皇帝逃往热河（“北狩”）。

很怕隆裕太后和溥仪小皇帝跑了没东西可玩，袁世凯连忙上书制止，表示自己要“出山”。

10 月 31 日，袁世凯到达信阳。

11 月 1 日，清廷下达谕旨，以袁世凯为“内阁总理大臣”。

看到电报，袁世凯终于长吁一口气，笑了，大笑了。这一天，他赶至湖北孝感，作坐镇指挥的姿态。

载沣等人不让他在湖北待着，心急火燎请他入京主事。袁世凯仍旧推辞，表示自己的“总理大臣”一职不是公推，不敢奉诏就任。

11 月 2 日，北京的资政院开会，正式推举他为内阁总理大臣。

看此电文，袁世凯才把军事指挥权交给亲信冯国璋、段祺瑞等人，自率卫队北上，于 11 月 3 日抵达北京，组织责任内阁。

这样一来，“皇爹”摄政王载沣实权皆无，该袁世凯当主角了。

革命抛与鄂江潮

革命军在阳夏战争中的重挫

暂放下袁世凯，我们看看武汉的战事进展。

当袁世凯被任命为“钦差大臣”后，北洋集团在武汉前线的官兵吃了定心丸，开始出手动真格的了。

此前，黎元洪三番五次指示各军加强守备，都没有引起足够重视。特别是在刘家庙阵地，革命军官兵们仍然沉浸在大捷的喜悦中，没把清军当盘菜。

隆隆大炮，忽然齐放，北洋炮兵开始发威。一时间，刘家庙阵地上血肉横飞，革命军士兵牺牲甚众。特别是革命军的炮兵阵地，在北洋炮火的精确打击下，弹药库爆炸，巨响连连。

没过多久，清军陆军开始进攻，打得革命军措手不及。

巨压下，革命军被迫放弃第一道防线，退守至三道桥一姑嫂树一线喘息。这时候，清军水师开始发威，用舰炮对革命军展开了十多轮轰击，对革命军炮军阵地产生了极大的威慑和压迫。

一批又一批革命士兵，倒在血泊之中。于是，双方开始冲锋和反冲锋，拼死肉搏。

无论是革命军还是北洋军，都是来自经受过最新军事训练的新军（革命军中有部分新募士兵）。双方各持新式武器，殊死战斗，无畏无惧，杀得你死我活，展现了新式军人的勇气和斗志，确实都值得赞许。

毕竟北洋军人多势众又有无尽的弹药增援。近中午时分，革命军的刘家庙阵地失守。

10月28日，北洋军乘胜直杀汉口。

这个时间段，已经是“阳夏战争”的后期。

北洋军、革命军双方正式交手，是从10月12日开始，在汉阳、汉口一带，持续了四十多天的战斗，实为武昌起义以来最大规模的战争，史称“阳夏战争”——汉口古称“夏口”，所以称汉阳、汉口之战为“阳夏战争”。

到了10月底，战争进入北洋军得势的阶段。在汉口外围，北洋军势如破竹，把革命军打得节节败退。

进入市区后，北洋军新式武器不得施威，又不熟悉地形，一路遭到革命军节节阻击，双方浴血巷战。

在战斗中，多位辛亥首义英雄，如炮队孟华臣、工程队李忠孝、步队谢元恺等人，皆英勇阵亡。那位武昌起义关键时刻在楚望台上曾立大功的马荣，受伤后被敌人活捉，剖心剥皮，仍勃勃不屈，大骂而死。

见三天两夜都攻不下汉口，冯国璋大怒，下令士兵纵火。

大火之下，烈焰铺及三十多里，无数百姓葬身火海，遍地皆焦。最后仅存者，下唯花楼一带，上唯硚口一带，面积只有原先的十分之一（下路因为邻近洋人租界，清军不敢纵火；上路因为清军想据之为巢穴，所以幸免于难）。

乘借火势，北洋军攻陷汉口。

在此危急时刻，一个人出现在武昌。革命军众人眼前一亮，似乎大救星来到。

他，就是黄兴。作为享誉华人世界的同盟会二把手，黄兴的到来，无异于为革命军注入一支强心剂。

看到黄兴，喜得黎元洪拉着他的手大叫："克强兄你来，武汉幸甚！革命幸甚！"于是，武昌城内，四处有士兵走马，高举大旗，上书三个大字："黄兴到！"欢呼之声，响彻数里。

黄兴真顶事吗？未必。

这位爷，多年来出生入死，四处参加起义，但屡战屡败，屡败屡战，屡战仍败……最近的一次，就是广州黄花岗起义，死了百十人不说，他本人还被打断一根手指。

黄兴到后，革命同志情绪高昂，居正等人欲推他为两湖大都督，想把他超升于黎元洪之上。吴兆麟顾大局，认为此议可能导致内部分裂，不如推黄兴为战时总司令。

此议，黎元洪赞成，汤化龙也赞成。凡是研究辛亥革命的人，均对黎元洪此时的表现大加首肯，认为他"深明大义"。其实，黎元洪不那么简单。

黄兴名气再大，书生而已，最多指挥过百十号人马、几十条枪，根本没有真正的军事指挥能力。反观他的对手，那可是冯国璋。这位北洋军爷，武备学堂出身，是淮军名将聂士成手下勇将，曾在朝鲜与日军死拼过，又是小站练兵的好手。他的军事才能，远超黄兴之上。

黎元洪以秀才黄兴主持军事，显衬出他心机老辣的一面。

为此，他大办仪式，登坛拜将，亲授黄兴关防、令箭。如此一来，黄兴再重要，也是黎元洪手下大将。主次判然而分。

傻乎乎的黄兴，带着兴致勃勃的革命军进抵汉阳。他来了，冯国璋也来了。

汉阳，作为武汉三镇互为犄角的一势，太过重要。于革命军而言，还有好消息传来。11 月 6 日，前来增援的湘军雪中送炭，王隆中所率湘军第一协赶到汉阳增援。11 月 9 日，甘兴典率湘军第二协赶来。

兵力大增之余，各省纷纷独立消息频传，人心大奋。

接下来，在汉阳防卫战的部署方面，黄兴却与武昌军务部三位军爷发生了矛盾。

军务部主持战略的三个人，是著名的“首义三武”——部长孙武，副部长蒋翊武、张振武。

孙武湖北人，对湖南人黄兴心存芥蒂。黄兴认为应该把守军全部布置在汉阳正面，侧翼派出少量军力作牵制即可。孙武对此不屑。他认为新沟是蔡甸咽喉，蔡甸是汉阳门户，应该在这两个地方布置重兵。黄兴不予采纳。

孙武人品虽不是很好，但见识比黄兴高。虽然孙武见识高，但黄兴是“战时总司令”，说了算。

冯国璋的想法，与孙武不谋而合。他对汉阳的作战计划，就是声东击西。先绕路猛击蔡甸、新沟二地，然后从侧面闪击汉阳。

结果不用多说，等黄兴缓过神来，得知蔡甸、新沟两地的敌军是北洋主力时，大势已去。

汉阳岌岌可危！事已至此，只能想出奇制胜的招数了。于是，黄兴黄大胆提出一个惊人的建议：反攻汉口！

这个提议，其实是来武汉的一个日本人大元为黄兴出的主意。恰好当时吴禄贞在石家庄遇刺的消息传来，为鼓舞士气，黄兴采纳此建议，并为同盟会党人所赞成。作为子弟兵的湖南二协湘军，正可担当主攻任务。

黎元洪思前想后，勉强答应了黄兴的要求。他准备在黄兴攻汉口时，派出武昌部队，由汉阳门渡江，攻击汉口正面。

黄兴

黎元洪想得也周全。此次奇袭得胜，自然他黎元洪大都督功劳莫浅；如果失败，肯定有黄兴顶缸。孙武冷眼相观，不置可否。

此招出奇，真差一点就制胜。

11月16日晚，乘大雨滂沱之际，由湘一标打头阵，首攻五里墩。歪打正着，清军丝毫无备。由于天气寒冷，清军绝大多数人都躲在民房里面烤火取暖，根本没有注意喧哗而进的革命军士兵。

革命军如入无人之境，一口气推入汉口城内。

黄兴本人骑高头大马，高举雪亮指挥刀，在河堤上往来驰骋，为士兵鼓气。深谙军事的冯国璋，绝没料到革命军有这种反规则的绝招儿，吓得够呛。定下心神后，他连忙安排各部步步为营防守，并请在孝感的段祺瑞派人来增援。更悬的是，革命军一支敢死队，已经杀到冯国璋指挥部所在的迎宾馆。可惜，这些人并不知道此处是北洋军司令部，袭扰了一阵就杀向他方。如果他们尽死力进攻，当时冯国璋可能非死即伤。

战至午夜3点，北洋军终于缓过神来，在江岸排定重机枪，横扫革命军士兵，终于阻截住湘军一协的进攻。由于黎元洪答应的武昌部队一直没加入战斗，湘一协孤掌难鸣。反观北洋，援军越来越多。

湘二协本身战斗力不行，又在后面互相争抢吃食，一下子炸了营，继而波及已经打得人困马乏的湘一协。

两协湘军兵败如山倒，一口气败下阵来，纷纷往江边逃跑。

事前，黄兴把原先设在河上的浮桥拆掉，本意是鼓舞士气，有进无退。结果，革命军士兵退却的时候发现没有桥，好多人心慌意乱，溃兵争渡间，掉入江中淹死了不少。

北洋军还没有从被打蒙的状态中完全清醒过来。看到革命军玩命退却，一下子跑回江那边，均感莫名其妙，不少清军军官认为是革命军搞诱兵之计，下令士兵停止追击。

他们边搜索边行进，给了革命军士兵不少逃命的机会。

此次战役，革命军方面，连兵带官损失千余人，可谓伤亡惨重。

汉口反攻没得手，汉阳就更保不住。从11月19日到11月24日，接连五日，北洋军猛攻汉阳。

革命军士兵殊死战斗，仍旧不敌。最要紧关头，湘军一协王隆中部抵不住，率先退回武昌。未几，这些完全失掉胜利信心的湘军，竟然不顾他们的老乡黄兴，分堆分批离军，逃回湖南老家去。

敢死队，肉搏战，一寸土地一淌血。所有这些，都没有用。在付出伤亡数千的代价后，革命军溃不能支。

11月27日，汉阳失守。

黄兴忧愤交加，想当场自杀，为同志劝阻。武昌军政府紧急开会，商讨对策。败退后的黄兴，怒气满胸。在会场上，他高声指责军官执行命令不力，没有贯彻作战计划。

见黄兴大败后脾气还如许大，军政府内部不少人勃然而怒，纷纷拍案而起，不客气地指斥黄兴指挥无能。由于每人面前都有条桌子，拍案争吵，响彻屋宇。（邓汉祥《武昌首义亲历记》）

最后，还是黎元洪出面当和事佬，婉劝大家不要伤和气。众人稍微平静后，会商如何走下一步棋。

出于革命以来长期有屡战屡败的思维惯性，黄兴此时不合时宜地提出，要放弃武昌，收拾残兵，乘流而下。这样，可以会合南方革命军，尽锐进攻南京。

屋内一片哗然，几乎所有的人，都反对黄兴放弃武昌的提议。

最后，张振武一席话定下调子："武昌乃全国革命首义地，如果弃之不顾，肯定大寒各省人心，很可能使革命土崩瓦解……武昌若失，敌人盘踞上游，即使我们能攻下南京，又有什么意义，最终可能像洪秀全那样苟且待毙。"

说到最后，张振武抑制不住内心的激动，拔出腰间手枪，大呼道："敢有人再言放弃武昌者，即为汉奸，杀无赦！"黎元洪、孙武、刘公等人，纷纷起立鼓掌，屋内几乎所有人都赞成张振武的话。

处于如此被孤立的境地，黄兴面色土灰。还是黎元洪显得有人情味，他打岔说要陪黄司令休息一下，拉他离开会场。

黄兴这个人，人品没的说，是个至忠至厚的好人。但他当时的建议，绝对是一着臭棋。如果放弃武昌，日后不可能那样快就出现中华民国。当晚，黄兴黯然离开武昌。他从草湖门出城，搭船前往上海。

同船的人不知道，那个闷头坐在角落里的黑脸胖胖的中年男人，正是几日前在张公堤上骑高头大马、手扬指挥刀往来如风的黄司令。

养敌自重观形势

袁世凯按兵不动

重入北京后，乍暖还寒的那颗心，让袁世凯变得无比持重。他的城府，一天深似一天。

在“革命”和“反革命”两个阵营间，踩稳钢丝，拿捏有度，以求自身利益最大化。所以，从一开始，对于武昌的革命军，袁世凯本人就胸有成算，根本没有急赤火燎杀绝灭绝的心。

人在彰德时，他已经派出手下刘承恩，以湖北老乡身份向黎元洪套近乎。攻克汉口后，用枪紧逼的同时，袁世凯派人劝降，遭到革命党人明白的拒绝。而后，刘承恩得他授意，派密探王洪胜持秘信往见黎元洪。双方见面谈话详情如下，很耐人寻味：

黎元洪：“你送信，想说什么？”

王洪胜：“我此来，意在两下取和，以免汉人受害，保全大局。打仗的时候，坏的房子，失的银钱，全是我们汉人的。”

黎元洪：“你们大人（指刘承恩）要是未打汉口以前来说，就好说了，可惜来晚了。”

王洪胜：“我们大人上月 24 日由清江才到家，宫保（袁世凯）28 日打电话，招我们大人到彰德府，才派办理招抚事宜。我们大人到汉口的时候，双方打过几次仗了，汉口房屋已经烧坏了。”

黎元洪：“现在要说和，须将皇族另置一地与他居住，管他的吃穿，不准他管我们汉人的事情。”

王洪胜：“现在朝廷有旨，政府各大臣旗人，庆亲王、那桐等，都已开缺，派袁宫保任总理内阁大臣。”

黎元洪：“宫保见事差矣！这时不该出来。先前宫保做直隶总督，好好的，为什么开缺？现在有乱事，又请宫保出来，为什么不叫满人带第一镇来打仗？可见旗人大有奸心……这个时候，如果不将皇上推倒，随便和了，以后大权归他（满洲），他更比从前加一倍的狠，我们更无有法子了。要照满人一登位时待我们汉人光景，现在我们汉人应将他满人的全家杀完，这才可以报前仇。现在我们许给他一块地方，供应他的吃穿，是很对得住他的……瑞澂、盛宣怀两人，令人可恨，将来就是太平了，也要拿住杀他。”

不过，在回绝袁世凯讲和的同时，黎元洪没把话说死：“如果刘承恩他能过江来，我和他可以好好谈谈。”

当时，对于与袁世凯谈条件，黄兴似乎更积极主动些。刚刚参加完登台拜将得任“总司令”的他，在11月9日，曾写亲笔信给袁世凯，先谈清朝残暴：“满洲朝廷，衣冠禽兽，二百六十年来，事事与人背道而驰，有加毋已，是以满奴主权所及之地，即生灵涂炭之地。”继之，黄兴劝袁世凯以汉人身份，要明白大义，劝他反正：“人才厚有高下之分，起义断无先后之别。明公不能，高出（黄）兴等万万，以拿破仑、华盛顿之资格，出而建拿破仑、华盛顿之事功，直捣黄龙，灭此虏（清朝）而同食……苍生霖雨，群仰明公。千载一时，祈毋坐失！”

见此信，袁世凯特别高兴。人都有喜欢被人戴高帽的潜在心理，袁世凯也不能免俗。于是，他正式以刘承恩为使，持他本人亲笔信过江与革命军讲和，表示说：“如能承认君主立宪，两军即息战。否则，仍以武力解决。"

观其茬口，仍旧硬勃。

黎元洪此时一点也不怯懦，当着军政府众人的面，反驳刘承恩的"劝说"，激言道："袁大人逼我们讲和，目的不过是借此自抬威权。希望你转告他，不要做没有人格的满洲奴才，应转旗北向推翻清朝，否则，双方无和可谈，只得约期大战而已！"

在写给袁世凯的信中，黎元洪语气生硬，指斥到位："公之外状，佯持中立，于满汉两面，若皆无所为。实则公之自私自为之心，深固不摇，而后乃敢悍然如此，欲收渔人之利也……（你如此）半推半就，凭术弄巧，欲奋一人之私智，凭今日汉族革命之声灵，以褫胡主之骄魄，乘其震惧失措而篡取其柄，且欲存留鞑统，以为钳制中原之具，而假托于君主立宪……（然后，黎元洪又呼吁袁世凯幡然悔悟，站在革命军一边）公果能来归乎？与吾侪共扶大义，将见四万兆之人，皆皈心于公，将来总统选举时，第一任之中华共和大总统，公固不难从容猎取也。"

后来，不仅黎元洪态度强硬，黄兴也改变先前谆谆而劝的姿态，立驳刘承恩的君主立宪言论，并通谕武汉军民，勿为袁世凯讲和所动，揭发其不良居心。

袁世凯得知革命党方面态度后，一则喜，一则怒。喜的是已探明革命党底线，怒的是这帮人大败方输后仍旧如此不服气。

于是，他加紧部署冯国璋等人的进攻，派兵攻下汉阳。"若不挫其锐气，和议固然无望，余半世威名，亦将尽付东流！"袁世凯在给弟弟袁世彤的家书中如此写道。

革命党方面，黄兴离阵后，蒋翊武接替他"总司令"的位置，吴兆麟充任总参谋长（孙武等人不满文学社的"湖南人"占位，不久就怂恿黎元洪把蒋翊武的位置给了谭人凤。没过多久，孙武又挤走谭人凤）。

12 月 1 日，北洋军已经占据了龟山制高点。他们把大炮搬上山，朝着武昌居高临下一顿乱轰。

说是“乱轰”，意指炮火的频密，其实一点不乱。北洋军的炮兵都是科班出身，打得很精准，又有暗探提前报料，所以，武昌各军事、民政部门无不挨弹。

特别是在一个日本士官学校炮兵科出身的军官瞄准下，仅用三发德国管退炮炮弹，清军就把武昌都督府的大房顶子揭开了大壳。

情势如此危急，黎元洪坐不住了，他吩咐手下收拾行装，准备逃跑。张振武、邓玉麟等人得知消息，立刻赶来劝阻。

“大敌当前，身为都督，你应该作出表率。弃守地而走，就是临阵脱逃！”张振武大声斥责黎元洪。黎元洪忸怩，低头搓手。张振武唤人，吩咐“保护”好大都督，然后匆匆离去，布置防卫。

禁不住炮弹一个接一个往没有上层屋顶的都督府中乱落，黎元洪最终还是从中逃了出来。他带着人往洪山临时司令部方向退却。最后，一行人跑到了葛店附近的王家店，吃饭喘息。

大都督狼狈出逃，武昌城内更加混乱，军心涣散，居民乱逃。孙武本人见势不妙，也擅自出城“办公”。

依照当时的态势，武昌沦陷，只是早晚的事情。连革命军自己都大惑不解的是，占尽优势的北洋军，根本没有乘胜追击，只是不停地发炮“震慑”，步兵并未发动进攻。

而且，就在黎元洪本人逃离都督府的当天，袁世凯派人送信，要与革命军“讲和”。

黎元洪简直不敢相信这消息是真的！等黎元洪确认后，就变得无比主动和热情——马上就要玩完的关键时刻，对手竟然要言和，真是天佑我也！

其实，不是天佑他，是袁世凯佑他。袁世凯也不是佑他，最终目的是佑袁世凯自己。

11 月 30 日那天，冯国璋本人受到朝廷封自己为“男爵”的鼓舞，加上大胜的铺垫，要一举攻下武昌。这可把袁世凯急坏了，一日内七次急电，制止他的进攻。

冯国璋贪功心切，差点坏了袁世凯的好事。到了这个时候，武昌军政府中最强硬的革命派也都默不作声了。谁心里都清楚，谈和，是武昌革命军苟延残喘唯一的机会。

早在汉阳失陷当天，黎元洪已经派人找到了在武昌的上海英文报《大陆报》记者埃德温，公布了他的“声明”：“敝人切望停战，俾联络共和各省，确定继续交战或与立宪人士协商调解事宜。敝人始终期望了结自相残杀、流血痛苦、毁坏财产之局面，以免招致列强干涉。为此，特声明愿作出任何让步，以确保停止残杀。窃以为应由共和党人与朝廷双方宣布休战，使双方代表得以洽商。倘共和各省议决继续交战，敝人甘冒矢石，作战到底。”

最后那句“甘冒矢石，作战到底”的话，明显没有任何底气。

12月1日傍晚，英国驻汉口总领事盘恩拿着由清军拟好的和议条款，过江来见黎元洪。由于黎元洪已经跑去王家店，蒋翊武、孙武、吴兆麟等人接待了他。

袁世凯与英国驻华公使朱尔典是老友，故而朱尔典受托指示盘恩来帮助办事。

议和条款中，英国及其他国家的领事集体建议交战双方休战三天（12月3日8时起）。这份协议，武昌方面先盖印，然后再由清方盖印。

看上去，这显然是一种近乎“城下之盟”的侮辱。但孙武等人此时顾不了那么多，喘息要紧，便立即同意了盘恩的要求。

此时，有一个小问题出现了——黎元洪逃跑的时候，把大都督印信带走了，因此无法盖印。

好在都督府中人才诸多，一名叫高楚观的人善篆刻，仅仅几分钟，就在大萝卜上刻了个总督“大印”，盖在停战书上，让盘恩带走。

听说和议已成，黎元洪大喜。他赶紧从王家店往回赶。一来武昌已无危险，二来怕自己离开久了，孙武、张振武或蒋翊武等人会取代他的位置。

回来后，黎元洪发现，自己不仅没有失势，反而地位更稳，权力更重。因为，清方已经明白无误地表示，以他为谈判一方总代表。至此，他对先前自己英文报上登声明“无条件议和”的“失态”有点后悔。于是，他开始广见记者，大说自己赞同共和，要求革命党人坚决联合，一定迫使清廷下台。

如此这般，黎元洪完全遮掩了汉阳失陷后自己的动摇倾向。

观察黎元洪起义后一向所为，最初时刻，他确实非常动摇，甚至数次在与清军军官的电话中表示自己“被逼”的无奈。随着局势的逐渐明朗，他也一步一步发生了改变，铁下一条心上“贼船”了。即使是从武昌往外逃的当口，他也并非要叛变投敌之类，而是躲一躲看一看的心态。当时，各省独立潮起，造反的，不仅仅是他黎元洪一个人。即使武昌败了，他还可以跑到别的地方。更重要的是，熟读史书的他，也更加摸清了袁世凯的心思——养寇自重。他知道，有了自己的存在，袁世凯在朝廷才能显得更加重要。

于袁世凯而言，保有了武昌，给革命军留下一块地盘，在对外显示了自己的宽容态度以外，最重要的是想保留住和谈的对手，证明革命军力量不可小视，借此可继续给清廷施压，以免攻破武昌后载沣等人对自己再起烹狗之念。

然而，令袁世凯心中不安的事情发生了。

1911 年 12 月 2 日，在武汉交战双方停战协定生效的那一天，南京却被革命军攻占了。这样一来，革命军阵营士气高涨，被汉阳、汉口失陷所打击而沉的锐气，重新出现。

北京内阁会议上，善耆等清朝皇贵见袁世凯按兵不动，怒不可遏，大声质问他：“龟山大捷，汉阳、汉口已复，大胜如此，武昌指日可复，为何与贼党言和停战？”

袁世凯轻蔑一笑，答言：“汉口、汉阳虽收，南京又陷。南京，天下要冲，形势倍于武汉。党人势大，蛊惑国人，人心军心浮动。议和，此乃权宜之计。我以三年为期，必灭党人。如各位盲动，以天下为孤注，不妨代我行权，袁某当避位！”

恫吓之下，几个鸟笼子里出来的满洲贵人噤口不言。

行文至此，笔者想起袁世凯十五岁、十九岁风华正茂时所写的三首诗，飘飘有凌云之气：

其一

我今独上雨花台，万古英雄付劫灰。
谓是孙策破刘处，相传梅锅屯兵来。
大江滚滚向东去，寸心郁郁何时开。
只等毛羽一丰满，飞下九天拯鸿哀。

（袁世凯十五岁登雨花台所作七律《怀古》）

其二

人生在世如乱麻，谁为圣贤谁奸邪？
霜雪临头凋蒲柳，风云满地起龙蛇。
治丝乱者一刀斩，所志成时万口夸。
郁郁壮怀无人识，侧身天地长咨嗟。

其三

不爱金钱不爱名，大权在手世人钦。
千古英雄曹孟德，百年毁誉太史公。
风云际会终有日，是非黑白不能明。
长歌咏志登高阁，万里江山眼底横。

（以上二首，乃袁世凯十九岁返回项城组织文社时所咏十多首《咏怀诗》中的两首）

过把瘾就走

昙花一现的南京“临时”政府

正当袁世凯踌躇满志与武昌的黎元洪讨价还价的时候，南京方面的革命军势态进展之速，远超他的预料。

南京，虎踞龙盘，九朝古都，为当年诸葛亮所叹“此帝王之宅！”。

东南的太湖平原、钱塘江流域乃其资源丰富的大粮仓。环顾周遭，皆大富之地，据此可富甲一方。沿江上溯，九江、武汉尽可控遏；沿流而下，又直抵上海。秦淮河与太湖水系，四通八达，更使这一重镇的军事辐射力更强。

从地势上观察，南京北高南低，四周环山，城墙坚厚，易守难攻。城西，秦淮河入江，江边多山矶；西南往东北，石头山、马鞍山、卢龙山、幕府山逶迤；东北面，宁镇山脉的钟山耸峙；正北，富贵山、鸡笼山、霞舟山固踞；南边，长命洲、张公洲、白鹭洲形成了夹江，山屏水蔽，拱卫古都。

南京，地连三楚，势控两江。群山屏围，长江襟带。如此东南重镇，连江带湖，控遏鄂、赣、皖、苏动脉，又有长江天堑之险。更特别的是，明朝朱元璋定都于此，故而南京对于汉族人民的政治符号意义非常关键。

如此坚城古都，竟然一朝落入革命军之手，甭说是清廷，连袁世凯都感到十分震惊。

水陆并发下雄城

南京的光复

江苏一地，向来为富庶之区。可发一叹的是，衰世天灾多，1911年秋，苏南一带遭遇几十年不遇的大洪水，农民几乎颗粒无收，灾情十分严重。

由于对外有巨额的赔款要年年缴送，清廷在灾年不能免征租赋，仍旧搜刮穷民。如此情势下，饿殍遍地。官府仍旧横征暴敛，自然会激酿民变。苏南地区抢米风潮与农民抗租运动此起彼伏，无锡、常熟、江阴三县交合地还爆发了“千人会起义”，局势十分混乱。

如此这般，给革命党人以巨大的活动空间。

继上海1911年11月4日光复后，苏州的新军官兵人心思动。

大势所趋。本来就对清廷心存不满的清朝江苏巡抚程德全，在经过与当地士绅协商后，在11月5日宣布反正，成立中华民国江苏都督府，程德全被推为苏军大都督（现在苏州寒山寺的“寒山古寺”四字即是程德全所写）。

清朝在苏州的提法司护理藩司左孝同（左宗棠第四子）忠于清廷，偷偷跑到南京，急向清朝的两江总督张人骏（此人有个侄女张爱玲，比他有名多了）求援，并嘱咐他做好军事准备。

当时，南京名义上主要军事负责人是江宁将军铁良，这人是满人中一直号称“知兵”的顽固派，曾为陆军部大臣。摄政王载沣上台后，把他排挤到地方当“江宁将军”（南京当时称“江宁”）。

除了张人骏、铁良一文一武大员，真正在南京主管日常防务的，乃臭名昭著的张勋，时为江南提督。

继上海、苏州光复后，无锡、常州、太仓、昆山陆续光复。1911年11月7日，南京门户镇江城外第九镇十八协新军起义，发动进攻，城内旗兵不支缴械，都统载穆（旗人）吞金自杀。

镇江光复。镇江一地，挟象山、北固山、金山、焦山、岘凉诸险隘，乃南京锁钥。

好消息陆续有来。镇江光复后，自长江上游东溯而下的清朝南洋海军江贞、飞鹰、楚同等十三艘军舰，也在镇江江面宣布起义，被改编为革命军镇军舰队。

其间，至11月15日止，江苏的常熟、江阴、宜兴、吴江陆续光复。清江浦（淮阴）炮队起义，淮阴告复。通州（南通）情势很有戏剧性，当地士绅们集体"规劝"清朝狼山镇总兵张士翰，要他缴械。这位大人听劝，表示无条件归顺后，孤身离职，于是通州光复。11月10日，扬州不流血光复。11月22日，海州巡防营清军暴动，仅仅十几个党人士兵，就攻克了海州衙门。

至此，跨长江南北的江苏大部基本光复，南京成为一座孤城。

1911年11月4日，浙江省城新军起义，上海的陈其美派党人蒋介石、王金发等率沪军敢死队前来助战。仅一天时间，就光复了杭州。由于表现勇敢，青年蒋介石甚得沪督陈其美赞赏并提拔他为团长。当时的蒋中正，年仅二十四岁。

扫清外围拔钉子。革命军对南京坚城志在必得。只要夺取南京，就能与武昌革命军遥相呼应，最终在战略上形成与清廷的南北对峙大势。

驻防南京的清朝新军，是第九镇的十七协三十三标和三十四标，外加骑兵第九标、炮兵第九标，以及工程、辎重各一营，约有五千人。三十三标原来的标统赵声（1881—1911年），为江苏丹徒（今镇江）人，同盟会会员，一直在军中宣传革命。他后来遭到张人骏疑忌，被迫去职（他去职后参加过两次广州起义，因连败而忧愤成疾，1911年5月病死于香港）。所以，南京的新军革命根基非常有底。

武昌起义后，听说起义主力是湖北那里的新军八镇，在南京的新军九镇官兵摩拳擦掌。

两江总督张人骏、江宁将军铁良以及江南都督张勋，都对九镇新军非常猜忌，很想把士兵全部缴械。但是，他们恐怕一下子激起兵变，缴械令一直未敢猝发。

思来想去，张勋等人不敢怠慢，就严格限制九镇新军的弹药使用，下令士兵们要把打靶后所剩的子弹、炮弹一律上缴，还强行取走九镇的几门大炮和数挺机关枪。

为了从心理上震吓新军，张勋派出三个营的精锐，紧靠三十三标驻地布防，以备不测。同时，他还下令架设大炮于猫儿山，炮口直指三十三标营房。狮子山清军防营要塞的大炮，也指向三十三标。

见城中双方杀气腾腾局势如此紧张，城内的士绅害怕这些军爷们火并，就建议张人骏把九镇新军调往城外。这个台阶，对双方都有好处。张人骏照准。

11月3日，新军第九镇统制徐绍祯率领城内新军移师城外，驻兵于距南京六十里开外的秣陵镇。

刚到秣陵镇，九镇新军在军中中下级党人鼓动下，即刻子弹上膛，刺刀开刃，准备杀回南京。

在镇江驻守的三十五标、江阴驻守的三十六标，闻讯也跃跃欲试。不久镇江光复。

这时候，由于张勋等人的严限，九镇新军每人手中仅有三颗子弹。即便如此缺粮少弹，士兵们也迫不及待要革命。

11月7日，三十三标、三十四标的官兵们就开始猛攻南京雨花台炮台。

新军勇猛无畏，拼死进攻，已经打到了距炮台一公里的地方。由于他们枪中的子弹打光，最终不能即刻成功。清军的机关枪像割草一样，把不少空枪进攻的九镇新军士兵撂倒在阵地前。最后，仍有百余新军官兵挥舞刺刀攻上炮台。

由于寡不敌众，清军弹足枪精，这百多名新军皆战死于炮台之上。

为了把起义的势头压下去，清军调校炮台上的大炮，炮炮直中进攻中的新军。轰鸣声中，血肉横飞，马倒人亡。

九镇起义士兵不支，只得沿宁镇大道撤往镇江方向。

上海中部同盟会总部得悉起义军攻打南京失利，非常关切，决定组建“江浙联军”，合力夺取南京。与此同时，他们通电光复各省，希望能各自派军增援。为了指挥有力，大家拥推新军第九镇统制徐绍桢为联军总司令。

众人拾柴火焰高。江浙各地部队集结，共有兵力三万多。上海方面运送了充足的弹药；湖南、湖北两省军政府共解饷银二百万两。

相比之下，清军在南京兵力有两万多人，有铁良指挥的驻防旗兵一标，炮兵一营，以及张勋江防军的步、炮四个营，后又新招募一营约三千新兵。

为了阻截张勋军逃跑后路，拦截北方清军的支援，江浙革命联军由镇军李竟成部组成江北支队，在长江北岸自六合攻向浦口，以张声势。

同时，革命军海军舰艇在长江上发炮策应，掩护登陆，并阻止清军在江上的南北交通。

主攻方面的计划，由镇、沪、浙军为主力，东面出动，率先扫清外围马群、孝陵卫等清军据点，夺取南京的制高点天堡城，而后攻占南京东城及东北各个城门。南路方面，以苏州军为主力，在雨花台一带佯攻，牵制清军主力，伺机入聚宝门、洪武门。北路呢，派出镇、浙军部分士兵进攻乌龙山和幕府山，清除狮子山炮台等外围要塞。

一切就绪后，11 月 24 日大早，江浙联军首先与清军在马群、孝陵卫一带激战，首战即大破张勋辫子兵。

打到下午 3 点左右，在海军掩护下，已有部分革命军士兵乘舰逐波，在乌龙山登陆。这时候，炮台上清军已经被“策反”，忙树白旗反正。乌龙山炮台归联军所有。

11 月 25 日，随着幕府山炮台、下关东西炮台的反正，革命军攻占马群、孝陵卫阵地。

张勋杀红眼，转日亲自督战，指挥七千人马，想拼死夺回孝陵卫等外围阵地和炮台。革命军血战，双方伤亡惨重，一时间不分胜负，胶着在一处。关键时刻，沪军一千五百多援军杀至，打得张勋军措手不及，大败而去。他手下一多半人马，不是被打死打伤，就是成了俘虏。

张勋只得逃回城去，再想办法。

这个尽忠清朝的汉人将军败回城中后并不气馁，依据坚城高地，用炮猛轰攻城的革命军士兵，还时时出城进袭，打不过就后撤入城，在南京城周数处与革命军展开拉锯战。

到了 11 月 27 日，由于南京外围的制高点如乌龙山、幕府山、孝陵卫、狮子山等地陆续落入革命军之手，形势对城内清军大为不利。

联军在各处架设重炮，对准北极阁、富贵山、总督署、明故宫以及太平门、洪武门等战略要地，阵阵猛轰，打得张勋的兵马血肉成沫，四处惊奔。

张勋（1854—1923），字少轩，江西奉新人，出身贫寒农家。他八岁丧母，十二岁丧父，十五岁入地主家为牧童，可谓“苦大仇深”。这个人当兵很晚，二十六岁才入伍，五年后就在中法战争中因冒死进攻而立大功，后升为参将。甲午战争后，他在袁世凯手下，由于在山东镇压义和团有功，升任总兵。1901 年后，他调入北京担任端门守卫任务，多次参与慈禧的扈驾随行，深得“老佛爷”信任。1911 年，张勋被提升为江南提督。由于广受“皇恩”，这个粗汉是个铁杆保皇派。

战至此时，南京只剩下最后一个难拔的钉子——天堡城。

凡研究过南京历史的人都知道，天堡城乃南京咽喉，位于东郊紫金山西峰，形势险峻，易守难攻，为兵家必争必夺之地。一旦夺取天堡城，南京城尽收眼底，可顺势而下。

在这里，张勋不惜老本，不仅派驻汉防军精锐一营，又派旗兵六百人，拥重炮十余门，数挺马克沁机关枪，死守不动。

从11月24日到11月30日，江浙革命联军仰攻六日，徒然在天堡城下留下尸山血海，半步也无法进取。

革命军将领心急如焚。浙军统领朱瑞火起，下令重赏：如有先登天堡城者，为夺取南京第一功。首入官兵，每人赏大洋五十元，伤亡者铸像立名。

同时，他亲自挑选两百死士，排成两组，一组由白骨坟东湾上中茅山攻天堡城侧背；一组由明孝陵园的通寺出发，直奔紫金山主峰，居高以击其东。而后，再派镇、浙、沪三军，从正面再行猛攻。

由于不停地施以重炮，天堡城外围一大据点不支，守卫的清军叫嚷要投降。镇江革命军管带杨韵珂有信有义，下令革命军士兵停止射击，带着几个士兵上前准备交涉。

不料，清军诈降，待他迎前时，排枪齐放。杨韵珂身中数十弹，栽倒在血泊中。死前，他对身后兄弟们大呼："不夺天堡城，莫收我尸！"

战至11月30日夜，天堡城下堆满了革命军尸体。革命军士兵们仍旧不放弃，冒死从各个方面进攻。

率一支敢死队直插紫金山主峰的同盟会会员叶仰高（时任联军参谋），在冲锋中中弹阵亡，英勇献身。

他的死，刺激了攻城的革命士兵，人们高呼"为叶长官报仇"，死攻天堡城……

最终，12月1日黎明，镇军连长季遇春第一个登上天堡城，手刃清军机枪手。革命士兵一拥而上，把未死的数名清军捅成血窟窿，砍成肉泥酱。

那位在紫金山主峰牺牲的叶仰高，名字看上去好像有些熟悉——不错，当初徐锡麟之所以仓促起义，正因为叶仰高在上海被捕，受不过刑讯，供出不少革命党人，其中就包括化名"光汉子"的徐锡麟。如今，他在南京壮烈牺牲，终能洗一生之羞。孙中山在南京任临时大总统后，叶仰高的名字被镌刻在“浙军记功塔”上，名列第一，受到孙中山以及临时政府的拜祭。

攻占天堡城后，革命军略感失望——虽然占据制高点，但许多重炮都在激烈的争战中损坏，唯剩一门德国山炮可用。

这时候，新军九镇神炮手于魁派上用场。他调校炮口，连射几十炮，弹无虚发，把富贵山炮台轰上天。清军的江防营炮兵溃逃而去。这位于魁，曾在秋操竞赛中与德国神炮手交过手，在比试中拔得头筹。

不久，从上海运到的二十六门大炮，被联军放于南京近郊的藤子树高地，向城内清军主要军事据点不停猛轰。如此巨炮，响彻云天，清军从精神上完全丧失斗志。

见大势已去，张人骏通过美国领事向联军乞和。由于清方对交出张勋的条件不置可否，革命军没有停止攻城。南京，终于在 12 月 2 日得以光复。

张人骏、铁良逃入泊于长江之上的日本军舰上避难；张勋率两千残卒出汉西门狼狈而逃。联军一路蹑杀，直追到临淮关才止步，获缴白银十多万两及无数辎重。

张勋等残兵败将脚下生风，一直跑到徐州才敢停下喘口气。

锣鼓声声催人忙

和战皆是戏

南京虽然被革命党人攻下，十几个省份宣布了独立，但全国大局的主动权，仍然在袁世凯手中。一方面，他想保留“武昌”的火种养敌自重；另一方面，他很想先剿平晋陕两省，图个北方的后院安宁。

继第一次停战三日期满后，袁世凯在北京与英国公使朱尔典决定再继续停战十五日，并准备派出唐绍仪（时任清廷邮传大臣）作为北方议和代表与南方革命军交涉。

12月11日，唐绍仪到达汉口。但民军一方推出的南方议和代表伍廷芳不肯赴鄂，坚持把和谈地点设在上海。武昌的黎元洪拗不过，只得礼送唐绍仪去上海议和。

中国人长久以来，一直地域观念严重，“各私其地，各私其人”（谭人凤语）。即使是当时独立的各省，皆有明显的割据倾向。所以，上海光复后，就一直与武昌争夺“中央”名义权。

由于武昌是首义之区，黎元洪一直在心理上以临时“中央”政府自居，并在11月9日通知独立各省派人到武昌开会。

仅过三天，沪军都督陈其美联合苏督程德全、浙督汤寿潜，准备在上海设立“临时会议机关”，模仿美国独立战争初期“十州会议”的形式，要各省派人到上海共筹临时政府。

特别是陈其美，他本人是同盟会会员，基于山头主义的考量，他当然不希望武昌的“中央政府”成为现实。于是，在广泛联系江浙立宪派、革命党人以及旧官僚的基础上，以陈其美为中心形成了一个“上海集团”。

即便如此，武昌起义，天下共知，上海如果另打一面旗，毕竟不能服人。于是，陈其美就暂先承认武昌为“民国中央军政府”（鄂军都督府执行中央政务），同时，他企图在湖北设政府，在上海设议会。如此，先与武昌平分秋色，然后在牵制武昌的基础上，把政权重心逐步牵向上海。

黎元洪在清朝的官场浸淫多年，当然不傻。11月20日，他申告各省都督，提出在大局初定的基础上，让各省派人来武昌，拟议建立中央政府。也就是说，黎元洪想先下手为强，在湖北带头搭起中央政府的架子。

由于当时黄兴本人也在武汉，上海集团不得不窝了口气表示退让，同意各省代表到湖北开会。人算不如天算。黎元洪正得意时，汉阳失守，武昌岌岌可危，连他本人也匆忙狼狈逃离都督府。不久，江浙联军攻陷南京，形势为之大变。

12月4日，沪、江、浙三都督，公推黄兴为大元帅，黎元洪为副元帅，准备让黄兴在南京组织临时政府。

此议一出，湖北方面大哗。对于黄兴当大元帅，武昌集团自然非常不服气，苏浙联军的军官也有不少人反对“常败将军”担任如此要职。

从黄兴本人讲，得知孙中山已从美国启程回国，他当时就不准备去当什么“大元帅”。孙中山已在路上，黄兴恐怕自己的抢先一步会造成同盟会的内部分裂。为此，他对身边同志推诚布公，表示说革命党人不能像“太平天国”那样窝里反，应该引以为戒，精诚团结。

黄兴这个人，“革命”运气一直不好，但他个人品德方面远在当时诸人之上，诚为一代磊落伟人。

于是，12月12日，各省代表在南京开会后，就把原先的“决议”倒过来，以黎元洪为大元帅，黄兴为副元帅。临时大总统未举定以前，以大元帅代行其职务。

得知这一结果，黎元洪非常高兴。但他还没有傻到离开自己老巢湖北远去南京当“大元帅”的地步。假意谦让一番过后，他“委托”副元帅黄兴在南京代他行权，让这位老实人再次替他收拾江南一带的乱摊子。

黎元洪与黄兴争名号，很有凭恃心理。至于未来民国的“大总统”人选，在他心目中，非袁世凯莫属。

袁世凯方面，为了使自己的“和谈”计划顺利实施，换掉了傻乎乎一心要打胜仗换“黄马褂”穿的冯国璋。

连下汉口、汉阳之后，冯国璋凭勇乘胜，很想（而且完全有能力）把武昌顺势端掉。冯爷的积极主动，使得在北京的袁世凯急火攻心，不得不亲自打电话阻止这位不识时务的部下，让他停止进攻。阻止之后，又不好明说为什么。

冯国璋呢，一万个想不明白——武昌的革命军已经人数寥寥，清军大小船只齐集江边，只要一声令下，武昌即时可以攻陷。于是，他三番五次发电报给袁世凯，让他下达总攻命令。

光火之下，袁世凯在北京终于给他发来了电令：不是让他进攻，而是调他离开武昌，转任察哈尔都统（回京后就任禁卫军军统）。

至于冯国璋统率的第一军，转由深知袁世凯心思的段祺瑞接替。

段祺瑞很识相，他接手后按兵不动，一切唯袁世凯马首是瞻。

正是因为这件事，埋下了冯国璋、段祺瑞二人日后反目成仇的种子。袁世凯死后，北洋分裂，冯国璋直系，段祺瑞皖系，最终衍变成直奉大战。

话题扯回，再讲南北和谈。

12月8日下午3点，南北和谈在上海英租界南京路的市政厅举行。北方代表是唐绍仪、杨士奇等，南方代表是伍廷芳、温宗尧、王宠惠以及汪精卫。

汪精卫为何出现在代表团中呢？原来，辛亥革命爆发后，清廷迫于内外压力，开释政治犯，他出狱后，就被安排住在北京的六国饭店，并积极投入革命工作。他与同盟会会员魏宸组等人分析局势后，认为当时中国能推翻清廷的，非袁世凯莫属。于是，他们就决定在北京“策反”袁世凯，建立共和中国。

袁世凯本人对汪精卫的建议很感兴趣，便派出儿子袁克定以及杨度、赵秉钧等人与他密切联系。

革命军攻克南京后，袁世凯先惊后喜——“不得汉阳，不足以夺革命之气；不失南京，不足以寒清廷之胆”（与冯国璋电报）。

可见，袁世凯对天下大局，一直成竹在胸。

12月6日，载沣辞去其“摄政王”一职，清廷完全处于“寡妇孤儿”状态。由于禁卫军统领一职由袁世凯嫡系冯国璋掌握，北京的清廷，尽操于袁世凯之手。

在这样的情况下，袁世凯常召见汪精卫、魏宸组，于深夜从容议事。趁此机会，汪精卫力谏袁世凯认清形势，并盛赞他“一言足安天下”，希望他能当中国的“华盛顿”。

夜深茶热，袁世凯莞尔，表示要“研究研究”。

于是，唐绍仪率议和代表团二十人于12月7日出发。与他们同火车的，还有汪精卫、魏宸组。所以，汪精卫是南北方代表团共同承认的“代表”。

到12月底为止，南北和谈共举行五次正式会议（18日、20日、29日、30日、31日）。双方除讨论军队的具体停战措施外，主要争论焦点在于是“君主立宪”还是“民主共和”的国体选择。

袁世凯的本意是，以“君主立宪”与革命党讨价还价，再拿革命党的“民主共和”威胁清廷。

伍廷芳、唐绍仪皆官场老手，白天一脸正经谈空话磨时间，晚上老友鬼祟欢宴，在官场大腕赵凤昌的上海惜阴堂别墅里面大叙乡情。唐绍仪为广东香山人，伍廷芳是广东新会人，都是同治十三年的同级留美学生，本来就是老相识。

作为背后实际操纵者，袁世凯在北京遥控着一切。

对于清廷权贵和满朝的老臣子，袁世凯一直表示出忠心耿耿的样子。他发誓绝不辜负“孤儿寡母”，要拼命死保清朝皇统，以报国恩。同时，他大讲南军之盛，说对方兵精饷足，力量强大，不停吓唬周围的清朝贵族，并对庆亲王奕劻讲：“谈不拢，我们就与南军打（先表忠心），但是，打赢了固然好，如果打不赢，连南方‘优待清军’那一条都得不到，那就不好办了……”

袁世凯吓唬庆亲王，庆亲王转身就去吓唬隆裕太后。

于是，清廷只得同意唐绍仪电奏召开临时国会公议国体的要求。

实际上，当时南北双方已经有了草约五条，最主要的内容有三：

一、确立共和政体；二、优待清皇室；三、拥推促使清廷退位者为大总统（没好意思明点袁世凯的大名）。

如此看来，一切都似乎在袁世凯预先拟定的轨道上进行。

但是，孙中山的突然回国，打乱了袁世凯有条不紊的步骤……

任他白云来去飞

南北和谈第一阶段“搁浅”

我们再把话题转回南京临时政府以及北京的袁世凯。

本来，伍廷芳和唐绍仪已在上海草签协议，南北议和取得了阶段性“成果”。但是，孙中山当选为“临时大总统”使袁世凯很不满意。他害怕革命党人对自己“总统之职虚位以待”的允诺落空，同时迫于北洋内部主战派的压力，袁世凯就在 1912 年 1 月 2 日公开表示，议和协议未经与他商明，乃无效协定。于是，他下令召回唐绍仪，免去他谈判代表的资格。

此后四十五天内，以伍廷芳为代表的南方与袁世凯电报交驰，和谈进入了最为紧张的第二阶段。

在此，先简单叙述一下伍廷芳这个人。

伍廷芳（1842—1922），原籍广东新会，出生于新加坡，1874 年自费留学英国，是中国近代第一个法学博士。洋务运动时，他作为李鸿章的外交智囊，为中国争取了不少权益，美国总统西奥多·罗斯福曾骂道：“他是个令人不愉快的中国佬。”可见，伍廷芳外交才能如何出众。辛亥革命时，伍廷芳正值二次使美归沪闲居，本来不问世事，在沪督陈其美跪地哀求下，他才出任沪军都督府外交总长。

综观南北议和的地点之争，陈其美等人正是凭手中伍廷芳这张王牌，以他的海内外人望，赢取了主动，迫使黎元洪答应和谈地点定在上海而不是武昌。

伍廷芳本人，是个与时俱进的洋派人物，骨子里肯定厌恶清廷的冥顽不化。所以，他才最终“投身”革命，充当起谈判使节。在谈判中，他一直据理力争，替民军方面赢得了不少利益。

袁世凯忽然中断和谈，伍廷芳很气愤，他马上致电六国驻沪领事，揭示袁世凯破坏协议的阴谋，敦促国际社会一起迫使袁世凯重履协议。

而在洋人列强心目中，在细心比较了袁世凯与孙中山后，他们都一致看好袁世凯，认为他才是中国最强力的领袖人物。

百劫山河乱愁叠

清朝的覆亡

国弱势乱，洋人的态度，深为当事各方关注。

在列强的心目中，袁世凯应该是当时中国最强势的人物。

首先，袁世凯是一个有多年成熟从政经验的“大官”，外交娴熟；其次，他最早在山东平定义和团之乱，快刀斩乱麻，给洋人印象深刻；最后，袁世凯威权赫赫，敢作敢为，与拖泥带水的摄政王载沣相比，更具有个人魅力和决断能力。

所以，主要的西方国家，特别是英美两国，对袁世凯最为垂青。

洋人们深知，在中国，枪杆子最为重要。清末新军战斗力虽然强，但内部极其不稳定。朝中大臣，与军队关系最深入的，属这位袁大人无疑。他手中的几十万北洋系军马，是稳定中国的一个关键因素。

世运因人常转旋

袁世凯的利用与反利用

武昌起义刚一爆发，美国驻华公使嘉乐恒就第一个表态要清廷任用袁世凯，认为他能“把中国引上生活的常轨”（俄国《新生活报》）。

10 月 14 日，听到清廷要起用袁世凯为湖广总督的消息，英国驻华公使朱尔典马上向伦敦发专电，认定“此项任命或能使北方军队的忠诚得到保证，并将大大增强政府应付此一危机的力量”（《蓝皮书》中国第1号）。

洋人兴高采烈，老谋深算的袁世凯仍旧不为所动，“高蹈”不出。

洋人比他更急，暗中施加压力，要清廷派他组织“责任内阁”。内外压力下，清廷已是四面楚歌。虽千万个不愿意，最后也只得任命袁世凯为内阁总理大臣，把一切军政大权拱手让予袁世凯。

为此，朱尔典很兴奋，忙电告英国外交大臣格雷：“袁世凯可望于明日清晨抵京，这件事情已在此间产生一种安定人心的效果……清朝是否有望，现在全要看袁世凯的能力而定……”

格雷非常关切中国的事态，马上复电：“我们对袁世凯怀着极友好的感情和尊敬。我们希望看到，中国在革命后将建立一个足够强健的政府，它能够公正地处理对外关系，并能维持国内秩序及为发展贸易创造有利的条件。这样的政府，将会得到我们能够给予它的一切外交上的支持。”

殷殷期望与重重信任，皆对袁世凯而发。

而后，凭借洋人们集体发力施加影响，袁世凯成功地迫使载沣辞去摄政王一职，拔去了他最后的眼中钉。

除了政治上大表支持，列强在财政上也动真格的。在“严表中立”的口头许诺叫嚷不停的时候，四国银行团私下心急火燎，“继续保持中立，就无异于坐视袁世凯失败，让事情发展到非用武力干涉不可的地步”（《美国对外关系》，1912 年）。

有一点需要提及的是，英国虽然在政治上支持袁世凯，但它竭力避免给予袁世凯物质、财政上的支持。特别是在贷款问题上，英国政府一直指示要“严守中立”，他们害怕革命党日后万一得势，会因此对英国的利益造成伤害。这一老牌帝国主义国家的阴沉心机，为其他列强所不具备。

由于看出中国的内战不可预见性增大，朱尔典希望袁世凯在使用武力的同时，也要采用谈判讲和的手段。他这种想法，与袁世凯一拍即合。汉阳攻克后，袁世凯立即打出“和谈牌”。

南京临时政府成立后，袁世凯撤销唐绍仪的议和代表职务，自揽一切谈判大权。当时，他让伍廷芳来北京，伍廷芳让他来上海，双方看上去闹得很僵。

孙中山在南京当上“临时大总统”，最使袁世凯感到不满意。他开始对南方要他当“华盛顿”的许诺感到怀疑，所以才撤掉唐绍仪，并发电责问伍廷芳：“国体问题既由国会解决，乃闻南京忽已组织政府，显与前议相背。此次选举总统，是何用意？”

南方的革命党人，内心其实很脆弱，特别是看见袁世凯以强硬手法召回唐绍仪后，心中十分着慌，纷纷向孙中山施压，要他迅速作出反应，表示出他南京“大总统”的临时性，给袁世凯一种“虚位以待”的姿态。

其间，黄兴着急，伍廷芳着急，胡汉民着急，汪精卫也着急。

黄兴本人曾在南北方和谈的草约上签过字，答应清朝退位后袁世凯做大总统。所以，他亲自见孙中山，苦口婆心劝说，以免自己失信于人。

伍廷芳不顾年龄身体，不辞艰难，不避劳怨，与唐绍仪周旋密议，一心想使南北避免兵争。但他对孙中山的恋位不去（特别是后来孙中山又想出第二批条件诸如要袁世凯到南京就位等事）大感恼火，怒斥孙中山“所开条件，逐日变易，使（我）廷芳茫无所措，而前后不符，受人疑驳，更无以取信于天下！”（伍廷芳《复孙文电》）。

胡汉民着急，是怕袁世凯急了“变成”曾国藩，像当年打“太平天国”一样，倾尽全力扑灭革命。

对于大总统一职，孙中山当然不肯轻易放权。

最后，还是多年铁杆支持孙中山的汪精卫苦口婆心，让他看清形势："元首之位，袁世凯志在必得。只有这样，清帝才有可能退位，共和方可成为现实。否则，北洋军挥军南下，乘武汉新胜之余，凭锐恃强，可一鼓而下南京。如此强弱悬殊，天下大势可判。现在，不如忍痛退让，让出大总统之位，如此可促成借袁世凯之手，推翻清廷。"

汪精卫耐心苦劝："我们向袁世凯示好，是为国家大义，并非向他屈服求和。如果先生您高风亮节，效法尧舜，使中国不动干戈而获共和，避免太平天国汉人内战之覆辙，后世历史，将公论先生为一代伟人！"

话说到这个地步，孙中山只得同意。

他不同意也不行，在南京，他周围所有人，包括黄兴这样的密友，汪精卫这样的铁杆支持者，以及立宪派和多数党人，均一片妥协之声。

即使不审时度势，单看"同志们"的反应，孙中山也不得不让出"大总统"之位。于是，他发电给伍廷芳，表示说："如清帝实行退位，宣布共和，则临时政府决不食言，（我孙）文即可正式宣布解职，以功以能，首推袁氏。"

立宪派、革命派方面，与袁世凯有联系的人无不飞电敦请，希望袁世凯抓住这一历史机遇。

张謇所言最恳："……东南诸方，一切通过（您任大总统）……俄蒙英藏，图我日彰。即公所处，亦日加危。久延不断，殊与公平昔不类，窃所不解。愿公奋其英略，旦夕之间，戡定大局，为人民无疆之休，亦即为公身名俱泰，无穷之利。"

杨士琦、唐绍仪电告："清朝必倒，民国必成。宁使人诽谤为王莽、曹操，而西方华盛顿不能专美于前。孰得孰失，当能决之！"

汪精卫电告袁克定转袁世凯："项城（指袁）雄视天下，物望所归，元首非异人任！"

当然，孙中山不忘自我解嘲："我们对袁世凯，要讲究方法，把他紧紧套住……我愿意让出总统，只要他能拥护民国……这是给孙悟空戴上金刚箍，使他不能随便作怪。我们虽有革命勇气，但经费支绌，各省督军，大都各自为政，所以现在只好利用袁世凯……我愿意把总统让给袁世凯，也许有人认为是被迫的，这是根本不明大势的人说的。须知：我不是怕袁，而是委曲求全地利用袁。我是为革命做大事，而不是为个人做大官。只要对国家有利，我决不计较个人得失……”（《张竞生谈孙文对南北议和的指示》）

袁世凯何许人也，见了兔子才撒鹰，他能被人利用吗？

孙中山想利用袁世凯，实际上结果反为他所利用。

孤儿寡母履冰薄

清廷那些惊悚的日子

大凡描写袁世凯用政治手段解决清朝问题的，无论是历史学家还是小说家，必用“逼宫”一词。

此词，有失公允。

威吓、催促、争取，凡皆有之，唯不能用“逼宫”二字。

思当时袁世凯本人的想法，顾虑多多，无外乎以下数种：

第一，清朝旧臣尚多，如李经羲、赵尔巽、张人骏等，盘根错节，势力不小；第二，北洋旧部，如冯国璋等人，仍旧感念清廷旧恩；第三，袁氏本人也深受清廷恩宠（特别是慈禧），如果天下夺自孤儿寡母之手，以儒家道德方面讲，必受人诟病；第四，北洋军力仅限于北方，大战之后，波谲云诡，保不准发生什么“偶然”。

所以，迫使清廷退位，非一朝一夕之事，弄不好杀身灭族，“成全”了别人。

袁世凯初入北京之时，表面上痛恨党人和共和入骨，常于大庭广众之下表白他“自出山即抱定君主立宪”，发誓“决不负国深恩”。

看他那一副要“肝脑涂地”保大清万世一系的样子，不少人都认为他是个大大的忠臣。

但是，自 1911 年 12 月下旬开始，他就开始抓紧对清廷施加压力。

按照他的指使首先跳出来的，是清朝驻俄公使陆徵祥。此人联合几个驻外使节，电请清廷避位。然后，袁世凯本人代为转奏，假装很生气，表示“臣窃痛之”，奏请清廷留中不发。大使级的大员如此表态，隆裕太后等人心中不能不慌。

不久，袁世凯以缺饷为名奏请清廷，要求变卖盛京、热河等宫殿内的瓷器以充军饷。然后，清朝老将姜桂题在袁世凯指使下，以带兵大将的身份上奏朝廷，要北京清朝亲贵大臣各个“贡献”出钱，接济军饷。

历朝历代皆如此。别看清朝权贵“爱大清”“保大清”喊得震天响，真轮到让他们出钱，马上应者寥寥，只有庆亲王奕劻拿出十万两银子（相比他千万上亿的家财，这点真是少之又少）。

袁世凯的这一着，并非真想勒索这些满人权贵，并非要他们出钱劳军，而主要是以此来威胁这些人以后不要瞎干预他的事情，免得掺和国事，阻挡他与南京的谈判进程。

结果，京城大帮财迷的满人不出钱，袁世凯终于抓着话柄，大呼：“既催我出战，又不给我军饷，是要置我于死地啊！”隆裕太后无法，搜罗内宫，找出八万两黄金内帑，交给袁世凯去“打仗”。

等和南军谈得差不多了，为免夜长梦多，袁世凯加快了对清廷施压的步伐。

1912 年 1 月 16 日，他以全体国务大臣的名义，上奏隆裕太后，奏折内容很长，先讲大形势——在内，议和不顺，清朝军队军饷无着，海军皆叛；在外，四周强邻虎视，辽东告急，库伦危急，人心惶惶——最后，切入正题，讲到最关键的部分：“环球各国，不外君主、民主两端，民主如尧舜禅让，乃察民心之所归，迥非历代亡国可比……且民军亦不欲以改民主而减皇室之尊荣……读法兰西革命之史，如能早顺舆情，何至路易之子孙，靡有孑遗也。民军所争者政体，而非君位。所欲者共和，而非宗社。我皇太后、皇上何忍九庙之震惊，何忍乘舆之出狩，必能俯鉴大势，以顺民心。"

这份奏折，所讲法国路易国王子孙被杀得一个不剩之语，最能震慑隆裕太后。当然，出于对故君的留恋与情感，袁世凯还亲自入宫面见隆裕太后与幼帝溥仪，陈说利害。

后人把溥仪回忆录中所言及的他当时见到"胖老头"（袁世凯）哭鼻子的一幕，总当成是袁世凯的"表演课"。

为"大清"卖命多年，诚心诚意为它流几滴眼泪，想必袁世凯还是出于真心。

确实是天佑袁世凯。清朝贵族指指点点说他袁世凯"白脸曹操"逼宫的言谴，被三颗炸弹炸成了"无耻谰言"。

袁世凯见隆裕太后和小皇帝后出宫，途经东华门大街将近东口之时，突然三颗炸弹从天而降。结果，袁世凯啥事没有，两匹大马倒被炸得腿断肠流，当场死去。

京津同盟会策划的这一刺杀事件，反而为袁世凯起到了"洗冤"的作用。如此，皇室权贵再不能说他私通党人"逼宫"。

据袁世凯女儿袁静雪日后回忆，经这一炸，袁世凯回家后哈哈大笑。笔者觉得，他不仅是笑党人炸弹没有炸死他，也笑自己可以利用这一行刺事件，以后更加进退从容：

一来堵住了那些说他"卖大清"的人的嘴，二来自己可以托病不出。清朝寡妇孤儿被欺的恶名，正好由别人顶缸。

袁世凯马上上折，请了病假。隆裕太后是一无主见妇人，与先前的慈禧太后相比，智商、情商都相距太远。

她连忙召集宗室大臣，包括几个亲王、贝勒以及被免职的载沣，三天开了三次御前会议，结果，没有达成任何实质性的意见。

其间，载沣、溥伟、良弼等"宗社党"（1 月 19 日匆匆成立）坚决反对退位，宣称要与革命党血战到底。但当隆裕太后问及他们军队如何打仗，对内如何筹饷，战胜有多大把握的时候，这几个人都无言以对。

隆裕太后身边红人太监小德张已经被袁世凯买通，他整日在太后身边吓唬说，革命党人多势大，王公们全是草包，如果不听袁世凯的，与革命军硬打，一旦失败，优待条件全没，逃跑连躲的地方都没有……

隆裕太后主见全失。不仅太监小德张吓唬她，庆亲王奕劻也吓唬她，把革命军的数字几分钟往上一加码，吓唬太后说清军再难与其进行战斗。

1912年1月22日，孙中山自南京电告袁世凯，保证说，只要清帝退位，他就立刻辞去大总统一职，让位给袁世凯。见清廷迟迟不正式表态，在家“养病”的袁世凯很着急。他赶忙指使手下军人动真格的，实行“兵谏”。

1月23日，段祺瑞电告内阁等部门，声称共和思想普及军中，兵将勃勃欲动。

1月24日，靳云鹏在北京电告段祺瑞，说朝廷有意实行共和，但遭到王公贵族拒绝，“请”段祺瑞马上联合各军将领一起上奏。

1月25日，段祺瑞接演靳云鹏的戏份儿，表示说临阵各将领对溥伟和载沣为私利阻挠共和之举深为愤恨，致使一标人马差点造反。

在这封徐树铮代为起草的电文中，段祺瑞竭尽“痛陈”之状，列有五十位清军高级将领联衔署名。

这就表明，军队方面，支持共和国体。

眼看隆裕太后仍旧迟疑，想召开国会“公决”国体，袁世凯自己上奏，表示说，如果这样做，南军一方是否按照先前协议优待皇室，他就不敢担保了。

同时，为了避免让隆裕太后觉得段祺瑞等人与自己演双簧，袁世凯还与徐世昌、冯国璋、王士珍等人联名表态，发电“劝说”段祺瑞不要“轻举妄动”。

1月26日，又一件大事发生，对清廷是哀音，对袁世凯和党人是喜讯——良弼被刺。

“大清”未救身先死

良弼被刺

刺杀良弼的人，是川籍革命党人彭家珍。

彭家珍（1888—1912），四川金堂人，1906年被官派去日本，同年秘密加入同盟会。他回到四川后，积极筹划武力反清，在新军三十三协六十六标以队官（连长）的身份进行工作。1909年，他受舅父张蓬山之邀，去昆明的第十九镇任学堂营管带（营长）。只过了半年，因学堂撤销，差事丢掉，他就前往东北活动，在沈阳的奉天讲武堂附属学兵营做队官。在这里，他发展了不少士兵加入同盟会。

1911年，四川保路运动勃兴，彭家珍注意到国内革命高潮将至，立刻积极进取，通过各种官场关系，得任天津兵站代理标统，并在武昌起义后的关键时刻到职。

借助这一身份，彭家珍从兵站领出大量军用火车票，供京津党人使用。他还捣腾出许多枪支、弹药以及兵站的资金，准备实施起义。由于每次都是大手笔，量太多，清政府侦知此事，陆军部下令通缉他。

彭家珍见事露，立刻逃走。他化名潜踪，继续往来于东北、华北、上海以及南京等地，抓紧从事大起义的准备工作。其间，他曾在上海受到孙中山的接见，并被推为拟成立的蜀军北伐军副总司令。有了这个头衔，他完全可以回四川老家。

以天下为己任的彭家珍并未接受蜀军副司令之职，而是秘携民军任命的“北方招讨使”委任状，返回极其危险的华北“敌后”。

他回到天津，就任京津同盟会军事部部长。他整日忙不停，筹集款项，制造炸弹，准备迎接南方革命军北伐。

从1912年1月中旬开始，京津同盟会抓紧策划暗杀行动，准备刺杀袁世凯、良弼和载泽（显然京津党人不辨大局，把袁世凯也当成“顽固派”。从另一方面看，也可见袁世凯所演“大清忠臣”的戏多么逼真）。但是，刺杀袁世凯未成，三名同志被逮后均被处决。

面对如此恐怖时局，彭家珍抱必死之念，主动承担起刺杀良弼的任务。当时他所不知道的是，杀了良弼，其实是帮了袁世凯最大的忙。

爱新觉罗·良弼（1877—1912），字赉臣，满洲镶黄旗人，乃清初大名鼎鼎的“皇父摄政王”多尔衮后裔。良弼的祖父，是大学士伊里布。

良弼生于成都，自小受传统的儒家教育，忠孝观念深厚。1899年，他被官派到日本陆军士官学校深造。1903年回国后，由于他正统宗室的身份，入清廷练兵处任职。

1905年，在袁世凯延揽下，良弼进入陆军充任标统。1906年，他主持保定陆军学堂校务，还担当彰德秋操的北军审判长。1907年，入陆军部任学司司长。转年，参与编撰新律的工作。

摄政王载沣掌权后，建立皇家禁卫军，良弼得任第一协统领，实际上负责禁卫军的全权指挥。

良弼这个人，在教科书影响下，多年来给人的印象是个死硬的清朝顽固派。其实大不然。

在日本期间，他常与康有为、梁启超等改良派往来，深慕谭嗣同为人，是清朝宗室中最早剪掉辫子的人，并与党人出身的吴禄贞相交甚深。

虽然思想上很“前卫”，良弼血液中的清朝觉罗宗室因子一分不减，存有非常深的种族偏见。所以，他一向激烈反对汉人统管兵权。在他心目中，最大的理想是通过满人的自我振兴和努力，仿效日本明治维新，使“大清”老树发新芽。

宗室血统加上真才实学，在铁良、善耆等人的帮助下，良弼仕途坦荡。特别是在练兵处的几年间，他招徕了大批日本士官学校毕业生进入军界，改军制、练新军、立军学。特别是吴禄贞、蒋百里、陈其采、冯耿光等一干才俊，尽延纳于军中。

通过这些举措，良弼准备在北洋军中逐步安插日本士官生背景的这些人来替换北洋旧将。最终，阻力重重，未能成功。而给予他最大阻碍的，是同为清朝宗室的庆亲王奕劻（奕劻在宗室中属于“近支”，但不属于“最近支”）。

武昌起义后，良弼忧心如焚，主动请缨去“平叛”，首先遭到庆亲王奕劻的反对：“黄口孺子，纸上谈兵，哪里比得上袁世凯！”

带兵不成，良弼就拼命反对重用北洋系将领，认为派去武汉“平叛”的将领，都是袁世凯老部下，日后很可能尾大不掉，出大乱子。

他所有的预见，都很正确。但大势所趋下，清廷没一件能依他的意愿得行。最危急关头，良弼呼吁成立“战时皇族内阁”，主张由铁良率军去南方平灭革命军。

得悉北洋系军人段祺瑞等人联衔电奏，逼清帝逊位，良弼悲愤不已，发起组织“宗社党”。入“党”成员在胸前刺两条青龙，誓死捍卫“大清”。

为了大张声势，他们派人给袁世凯送去一封信：“欲将我朝天下断送汉人，我辈决不容忍，愿与阁下同归于尽！”（廖少游《新中国武装解决和平记》）

袁世凯阅此信，切齿痛恨，对良弼必欲除之而后快。

当时，为了扩大扶清的力量，良弼极力拉拢冯国璋等“感念”清朝旧恩的北洋系将领，四处纠集满族军人，不停地召集会议、发表议论。他常常以在北京发动军队暴动为恫吓手段，威胁清廷主张共和的一派以及袁世凯一帮人。

所以，良弼这个人，不仅北方革命党对他恨之入骨，袁世凯对他也怨毒满胸。被这么多人“惦记”，良弼显然躲不过大劫。

彭家珍在北京想刺杀身为宗贵的良弼，不是件容易的事情。于是，他在北京寻摸数日，到处“踩点”勘验路线。一日，他去西河沿金台旅馆找人，在接待大厅发现了一张名片，上写“陆军讲武堂监督崇恭”。仔细问门房，才知道这个从东北回来的满人军官到京后，又前去保定办事，在旅馆一直留有一间房子。

灵机一动，彭家珍揣起这张名片，离开了旅馆。

回到住处后，彭家珍准备好一颗药量足的炸弹，打理周全。晚间，他会集在京同志，告知自己准备与良弼同归于尽。这样的爱国者，深知肉身脆弱，但为了民族，为了国家，敢于舍身殉义，视死如归。

几个人喝着“断头酒”，心中难免沉重，皆默然无声。只彭家珍谈笑自若，把身上的金表与金相盒分送给一起吃饭的同志作纪念，俨然即将去行大乐事一样。席间，有同志悲歌慷慨，高吟赵伯光送烈士吴樾的赠别诗：

临岐握手莫咨嗟，小别千年一刹那。
再见却知何处是，茫茫血海怒翻花！

1912年1月26日，彭家珍穿上借来的军装，挎上军刀，踏上军靴，冒充东北来的清军军官崇恭，先去清廷军咨府的良弼办公室。

恰好当时良弼公事繁忙，就对门卫表示说，自己和崇恭本人虽同为留日士官生，关系不是很熟，白天衙门事多，他让“崇恭”晚上去自己家里见面。

得了准信儿后，彭家珍怀揣炸弹，一直在西门大红罗厂的良弼宅前“恭候”。等到很晚，良弼方才乘马车返家。

大门一开，院子里面射出的光亮，把一身笔挺戎装的良弼映得一清二楚。彭家珍迅速闪出，口中亲热称呼良弼的字：“赉臣，我来了……”

良弼见来人完全陌生，悚然警惕。他倒退两步，想返回马车中。

彭家珍扔出炸弹。轰然一声，良弼一条腿顿时被炸断。

一块弹片从门口的下马石上反弹回来，正击中彭家珍后脑，大英雄当场牺牲。良弼左腿被炸断，在医院中呻吟两日，最终不治。临死前，他叹言：“炸我者，英雄也。我死，大清遂亡！”

事后有传言，讲良弼本来腿被治好，袁世凯手下赵秉钧派人送毒酒一杯为他“止痛”，把良弼毒死。这应该不是事实，当属传闻“演义”。

历史，有时候充满耐人寻味的、看似荒诞的巧合——清朝成于多尔衮，亡于多尔衮之后裔！

倘使良弼不死，虽独木支大厦，天下事尚未可知。

彭家珍刺良弼，当时还有两种说法，一是他为吴禄贞报仇（有传言吴禄贞石家庄被刺是良弼指使），一是袁世凯主使。

第一种传言，几近荒唐。良弼与吴禄贞虽一满一汉，但二人为生死知己。吴禄贞遇刺，最大的幕后指挥可能是袁世凯。

至于第二种，乍听上去也不合理：京津同盟会三位同志不久前刚因刺杀袁世凯未遂而惨遭杀害，作为同志的彭家珍，为什么又会帮袁世凯刺杀良弼呢？

但笔者偶然读袁世凯侍从官唐在礼等人的回忆录，发现有记载说，袁世凯当大总统期间，有个中年四川人，每个月都会去参谋部领取一千银洋。据当时总统府的参谋部次长陈宧说，那个领钱的人，就是彭家珍的父亲——如此说来，袁世凯似乎与彭家珍倒真有关涉。

良弼被刺后，满洲宗室亲贵再无一人敢出面阻挠南北共和之议。而且，不少人竟然在清朝正式灭亡前，纷纷逃出京城躲避。

胸前雕龙的“宗社党”，一时灰飞烟灭。

疾风识劲草。清廷再无忠臣！

彭家珍烈士死后，享尽哀荣。

清帝退位后，孙中山认为彭家珍“小弹丸而收巨功”，追赠他为“陆军大将军”，崇祀忠烈祠。

新中国成立后，毛主席也不忘为结束帝制踢入临门一脚球的这位英雄，亲自让人送“永垂不朽”烈士证予其宗族家人。

天道好还终归汉

清帝逊位后的时局

良弼被炸身亡，隆裕太后胆肝俱裂。

据梁士诒回忆，这位没本事的太后把代替“因病”不能视事的袁世凯办理内阁事务的赵秉钧、梁士诒、胡惟德三人唤入宫中，号啕大哭，叫着三人的名字，哀言道：“我母子二人性命，都在你三人手中！你们回去好好对袁世凯说，务要保全我母子二人性命……”

为了崇礼袁世凯，隆裕太后派载沣（时为醇亲王）手捧懿旨，封袁世凯为“一等侯爵”。

对此，袁世凯四次上折力辞。此等封爵，太让他难堪——一直拆清廷墙脚，受之有愧；马上有“大总统”新职，嫌弃清廷的封侯太小。

袁世凯这厢忙不迭地办事，南京孙中山找碴儿发火。他电告伍廷芳，认定袁世凯、清廷没有诚意，故意拖延，表示“民国将士决意开战”。

袁世凯得知消息后，心中十分着急，急忙电复伍廷芳，说明自己“抓紧布置”。

隆裕太后呢，还存最后一丝幻想，想能争取虚君共和政体。没的说，此议立刻遭到南京政府与袁世凯内阁的断然否决。

思来想去，只得退位。隆裕一妇人，就把心思全用在退位后皇室能得多少优待方面。

听说隆裕太后已经决定采纳“共和”建议，袁世凯不再装病，立刻出来办事，全权处理与南方议和事宜。

这时候，在争取优待清室条件方面，袁世凯是真卖力，想给老东家拉更多的银子和“宅子”。

马上要亡国的隆裕太后，此时忽然变成高智商，捧着那份共三大部分二十款的《清廷优待条件》，一个字一个字地细抠，逐条修改，把一絮叨妇人的内心泄露得淋漓尽致。

袁世凯有些恼火。清帝逊位这种事，一定要早做决断，早成事实。否则，夜长梦多。倘若中途生变，不知平地又会生出多少风波。于是，他派亲信靳云鹏又一趟奔波，带去一份已经拟好的电报稿，交给段祺瑞。

1912年2月5日，段祺瑞只字未易，按着那封稿发拍电报，代表全体“前线将士”，正告朝廷：

近支王公、诸蒙古王公、各府部院大臣钧鉴：共和国体原以致君于尧舜，拯民于水火，乃因二三王公迭次阻挠，以致因旨不颁，万民受困。现在全局危迫，四面楚歌，颍州则沦陷于革军，徐州则小胜而大败；革舰由奉天中立地登岸，日人则许之；登州黄县独立之影响，蔓延于全鲁；而且京津两地，暗杀之党林立，稍疏防范，祸变即生，是陷九庙两宫于危险之地，此皆二三王公之咎也。

三年以来，皇族之败坏大局，罪难发数，事至今日，乃并皇太后皇上欲求一安富尊荣之典，四万万人欲求一生活之路而不见允，祖宗有知，能不痛乎？盖国体一日不决，则百姓之困兵燹冻饿死于非命者，日何啻数万？（我段祺）瑞等不忍宇内有败类也，岂敢坐视乘舆之危而不救？谨率全军将士入京，与王公痛陈利害，祖宗神明，实式鉴之。挥泪登车，昧死上达，诸代奏。

这份电报内容不长，表面上指斥“二三王公”阻挠共和，实际就是指斥隆裕太后拖延共和。其中最关键的一句话，是“率全军将士入京”这几个字，拥兵逼临之意，飒然纸上。

一张电奏，满是剑影刀光。

事情闹到这个地步，除了恭亲王溥伟不咸不淡说了几句风凉话以外，满朝的王公大臣，再没一个敢吭声。

最后，还是袁世凯做主，电请南方迁就三项隆裕太后最后的“条件”——第一，争取不用“逊位”二字；第二，宫禁与颐和园皇室可以居住；第三，保持“大清皇帝尊号相承不替”十个字。南方表示同意。

1912 年 2 月 11 日，袁世凯如释重负，向南京临时政府发去一份措辞恳切、情深意长的电报（即袁世凯“真电”，“真”是十一日的代字），至今读之，仍旧让人感叹：

> 南京孙大总统、黎副总统、各部总长、参议院同鉴：共和为最良国体，世界所公认，今由帝政一跃而跻及之，实诸公累年心血，亦民国无穷之幸福。
>
> 大清皇帝既明诏辞位，业经世凯署名，则宣布之日，为亲政之终局，即民国之始基。从此努力进行，务令达到圆满地位，永不使君主政体再行于中国。
>
> 现在统一组织，至重且繁，世凯亟愿南行，畅聆大教，共谋进行之法；只因北方秩序不易维持，军旅如林，须加部署；而东北人心，未尽一致，稍有动摇，牵涉全国，诸君皆洞鉴时局，必能谅此苦衷。
>
> 至共和建设重要问题，诸君研究有素，成竹在胸，应如何协商统一组织之法，尚希迅即见教。
>
> 袁世凯　真

与此同时，纵横捭阖的袁世凯给北方清廷原督抚也发有长文密电。在电文中，他言及自己多日奔走的辛劳，大肆渲染南军实力，并把与南方议和的动力全部推向洋人、军队、商团以及各省谘议局。袁世凯反复陈说自己是以“国家为前提”，以“安上全下为目的”，在于避免“激成种族之惨祸”。

里里外外，袁世凯竭力维持自己清室忠臣的形象。

1912 年 2 月 12 日，隆裕太后让大臣刘厚生拟稿（有说是洪述祖拟稿），张謇定稿，最后徐世昌、汪荣宝在袁世凯授意下稍加润饰，加入“即由袁世凯以全权组织临时共和政府”的关键语，向全国下颁以宣统语气所发的退位诏书：

> 朕钦奉隆裕太后懿旨：前因民军起事，各省响应，九夏沸腾，生灵涂炭，特命袁世凯遣员与民军代表讨论大局，议开国会，公决政体。两月以来，尚无确当办法，南北睽隔，彼此相指，商辍于途，士露于野，徒以国体一日不决，故民生一日不安。
>
> 今全国人民心理多倾向共和，南中各省既倡议于前，北方诸将亦主张于后，人心所向，天命可知，予亦何忍因一姓之尊荣，拂兆民之好恶。用是外观大势，内审舆情，特率皇帝将统治权公之全国，定为共和立宪国体。近慰海内厌乱望治之心，远协古圣天下为公之义。
>
> 袁世凯前经资政院选举为总理大臣，当兹新旧代谢之际，宣布南北统一之方，即由袁世凯以全权组织共和政府，与民军协商统一办法。
>
> 总期人民安堵，海宇又安，仍合汉满蒙回藏五族完全领土为一大中华民国，予与皇帝得以退处宽闲，优游岁月，长受国民之优礼，亲见郅治之告成，岂不懿欤！

乾清宫内，时年五岁的溥仪还不明白发生了什么事。宣诏过程中，满满一殿跪伏在地的大臣们千奇百怪的胡须引起他极大的兴趣，这个孩子竟然不时发出一声清脆的笑声。

隆裕太后悲伤至极，脸上挂满了泪水。

刚刚收了袁世凯几万银票的太监小德张掩饰不住内心的喜悦，低首劝说道："太后，您老人家不必担心。袁大人乃擎天白玉柱，架海紫金梁，有他在外面罩着，您和皇上安心享福，荣华富贵一样不缺，跟从前一样……"

一样吗？当然不一样。

这一次，不仅仅是清朝，连同在中国施行了两千多年的帝制，也终于完结了。回到家宅，极目大好春光，袁世凯终于放声大笑起来。

风云满地起龙蛇

大总统职位变数交接

1912年2月13日，得知清帝逊位，南京的孙中山只能按照先前许诺，在向南京政府临时参议院请辞的同时，送交举荐袁世凯为中华民国临时大总统的咨文。

2月14日，参议院开会，十七省代表全票推举袁世凯为中华民国临时政府大总统。

在南方参议院确认他为"大总统"的前一天，即孙中山上交辞呈的当天，袁世凯已经以"全权组织临时共和政府"首领的名义，代替清政府向国内文武官衙、军队、警察发布文告。此举，意在向国人表示，他才是代表继清朝而后的新政府。

孙中山当然不甘心这么容易交出"大总统"权位，在送交辞呈的同时，他在咨文里附有三项条件：

第一，临时政府地点设于南京，为各省代表共同议定，不能更改；第二，本人辞职后，待参议院举定新总统到南京就职之时，大总统及国务员才自行解职；第三，《中华民国临时约法》乃参议院议定，新总统必须遵守。

这三条“附议”，留有意味深长的政治尾巴。前两条，目的在于把袁世凯从北京老窝调走，摆到南京“供”起来，看日后是否能有机会架空他。第三条，以《临时约法》为紧箍咒，限制袁世凯的权力。因为，《临时约法》规定中华民国仿效美国的总统制，又预设伏笔，规定“大总统”发布律令时需要“国务员”副署，否则无效——如此推论，《临时约法》隐含着“内阁责任制”——举个例子，如果大总统要免除总理职务，其发表的命令，需要总理等阁员副署才能生效——这种有意的“荒谬”设计，就是孙文用来限制袁世凯权力的一个招数。

看着已经到手的临时政府“大总统”的头衔，袁世凯并未欣喜过分。多年政治场上的角逐，使得他能够冷静审视任何兴高采烈面孔背后的另一张面孔。特别是对于要他南下即总统位的要求，他于2月15日复电婉拒，表示：“北方危机隐伏”，关系“全国半数之生命财产”，所以，舍北而南，不仅列强不答应，外蒙各盟也不同意——“内讧外患，递引互牵。若因（我袁世）凯一走，一切变端立见，殊非爱国救世之素志。”

最后，他在电文中称，衷心希望在“南京政府将北方各省及各军队妥筹接收后”，自己要“退归田里，为共和之国民”。但在接收之前，他要“竭尽愚智，暂维秩序”。同时，他念念不忘“共和”“爱国”——“共和既定以后，当以爱国为前提，决不欲以大总统问题酿成南北分歧之局，致资渔人分裂之祸。”

乍看电文，不明其中奥秘的人，肯定为袁世凯剖心陈言所感动。他这种低姿态，反而彰显出南京孙中山等人的“小气”，点出对方拿“大总统”一职来搞事的企图。

特别是袁世凯提出让南京政府“接收”北方各省政权和军队的话语，估计南方党人见之就胆寒——袁世凯的地盘袁世凯的兵，他们怎肯让南方接收！

把大总统之位拱手让与袁世凯，同盟会内部激进人士及海外华侨好多人不理解，发电责难孙中山。

孙中山有口难言，只得反复回电解释说，推翻清朝政权是同盟会最高目的，而国家“建设之事，自宜让熟有政治经验之人。项城（袁世凯）以和平手段达到目的，功绩如是，何不可推诚？……”。

其实，孙中山也受夹板气，一方面南京的党人让他让位，另一方面海外华侨以及广东陈炯明等人催他“北伐”。如果真有“北伐”的本钱，孙中山能主动让位吗？

事已至此，孙中山再无他招，只得反复电催袁世凯到南京就职，并派蔡元培、宋教仁、汪精卫等人为“欢迎员”，去北京“请”袁世凯。

袁世凯心中有数，他口头上不再坚持在北京当大总统，命令手下隆重接待南方的“欢迎员”专使，大摆筵宴，一副马上就赴任的样子。

经过舆论广泛、“积极”的报道后，北方各省原清朝统治区很有不稳的迹象。立宪派的张謇等人更是四下活动洋人，希望外交使团能劝止袁世凯南下，以免袁到南京就职后中国北方再发生大的动乱。

首都的选择，对革命党、袁世凯一方以及洋人列强都有某种象征性的意义。

继续以北京为都城，似乎意味着“中华民国”征服传统的延续。而在南京定都，一方面是汉人政权的标志展现（明朝初以此为都城），另一方面意味着某种革命性的含意。

在2月14日参议院选举袁世凯为大总统的那一天，南京的临时国会本来以二十票对八票通过了以北京为首都的决议。孙中山对此极其恼火，他威胁议会中的同盟会员，如果不按自己意愿去投票，他就让军警逮捕他们。于是，2月15日，原来的决定被撤销，议员们重新以

十九票对八票决议以南京为首都。（吴相湘《宋教仁：中国民主宪政的先驱》）

其实，细观当时的政治情状，孙中山并不具备充足、不可辩驳的理由以及强有力的政治支持力能迫使袁世凯到南京就职。

同盟会资深人士宋教仁、章太炎等人，富有政治远见。他们认为，即使从最普通的军事政治地理以及防备俄国、日本的国防角度考虑，新中国的首都就不应该设在南京。同时，各省的都督，包括山东、湖南、广西、浙江、江苏、江西等，都打电报到南京，认为应坚持以北京为首都。（易国干《黎副总统政书》）

当蔡元培、宋教仁、汪精卫等南方“欢迎员”沉浸在能回去向孙中山交差的喜悦中时，1912 年 2 月 29 日晚，北洋驻军第三镇在北京东城发生了变兵。

晚上 8 点多，一群士兵携枪持械，从朝阳门冲入城中，嘴里大喊“袁宫保要走了，没人管我们了”……一路朝天开枪，冲入东四一带大肆抢掠。

这些大兵抢完了东四，再去北新桥、东单牌楼一带烧抢，并有一部分人冲向煤渣胡同，找寻南京方面派来接袁世凯去南京的“欢迎员”们。

听见枪声四起，人声喧哗，蔡元培等人慌忙从住处逃离。其中有的人连鞋也顾不上穿，乱哄哄，急促促，前往六国饭店“避难”。他们知道，洋人的地盘，乱兵一般不敢轻易来闯。

这次兵变，历来都被认为是袁世凯拒赴南京就职的一大阴谋和罪状。其实，只要回顾清末民初的历史，就可以发现，那一时期的兵变是一种常态。自 1908 年开始，新军内部的哗变，大大小小，经常发生。

所以，这一次军变，如同京津同盟会行刺一样，于袁世凯而言，都是上天赐给他的运气，坏事最终都变成了好事。

兵变的原因，也不是国内外研究者们捕风捉影所认为的那样，并不

1912 年 2 月 16 日，剪掉辫子的袁世凯和部分政府官员及美国公使嘉乐恒等合影

是唐绍仪在袁世凯授意下有意策划的。只要细看当时国事新闻社编写的《北京兵变始末记》和英国武官 1912 年 3 月 4 日的一份详细报告，再冷静分析一下，就可以发现：这次士兵哗变的原因，简之不能再简——军部宣布停发战时特别军饷（每月一两银子）。士兵不满，就以拒绝袁世凯去南京为名，出营抢掠——抢劫本身，其实已经彰显出哗变士兵的基本目的——银钱。

如果真是袁世凯等人处心积虑地安排，兵变不会那样简单地抢烧。这种做法，给国人和洋人造成恶劣印象。袁世凯一直谋求给列强留下好印象，使其认为他才是中国秩序最强有力的维护者。而北京的乱兵抢烧，显然是他不愿意看到的。

即使袁世凯从心底不愿去南京就职，他也大不必枉费心机，多此一举弄出这么件糗事。

兵变发生后，列强发出了更为强力的声音，坚决反对迁都南京，并联合提交了一份备忘录，指出中国政府迁都南京的意向与 1901 年 9 月 7 日义和团之乱后清朝与列强签订的协议内容完全相悖，“不符合国际义务的精神”。

对于南京临时政府和孙中山来说，他们不怕袁世凯，但很怕列强的干涉。

得知列强已经派数千武装士兵在北京大街上“巡逻”，又见北洋系将领皆通电拒绝接受南京为首都，加上内部同志蔡元培等人的“迁就”劝说，孙中山等人不得不让步。

当然，孙中山口头上还硬了一下，对袁世凯表示自己要提一支“劲旅”来北京帮助维持秩序。

袁世凯告诉他，北京秩序大定，兵变又无政治目的，不烦大驾远来。为了把戏做真，袁世凯通过电文，向南京方面遍陈“苦衷”以外，建议让黎元洪（已被选为副总统）代他行使职权。黎元洪也不傻，他不能离开武昌老窝，立刻复电推辞，表示“力不能任”。

事已至此，孙中山只得接受现实。

1912 年 3 月 6 日，南京参议院通过了《统一政府组织法》六条，允许袁世凯在北京任职。

1912 年 3 月 10 日，春风得意的袁世凯，身穿大元帅服，领口敞开，终于在北京就任临时大总统，以河南腔的北京官话宣读誓词：

> 民国建设肇端，百凡待治，世凯深愿竭其能力，发扬共和精神，涤荡专制之瑕秽，谨守宪法，依国民之愿意，蕲达国家于安全强固之域，俾五大民族同臻乐利，凡兹志愿，率履勿渝！

而后，他即行组织内阁，并任命唐绍仪为总理，以示信于南方党人。

由于唐绍仪内阁中有四名同盟会成员（包括唐本人也加入同盟会），这一内阁有“同盟会内阁”之称。当然，外交、内务、军队等实权均不在同盟会阁员手中。但这样的作态，已经显现出袁世凯当时当地的政治智慧。

1912 年 4 月 1 日，孙中山在南京正式解职。4 月 2 日，南京的参议院和临时政府全体北迁。

从此，中华民国终于统一南北，从形式上成为活生生的现实。

附卷

附一　启蒙者和国家主义者的悲剧

从端方和赵尔丰谈起

俄罗斯诗人勃洛克（1880—1921 年）在他那篇《知识分子与革命》一文中，曾经发出这样的叹息：

> 谁企图在革命中实现个人的愿望，都将注定以失望痛苦而告终，无论这种愿望是多么高尚。革命的骤雨、雪崩，总是让人感到新奇，总是让人意想不到；革命残酷地欺骗了许多人。在革命的洪流中，一些宝贵的东西被摧毁，还常常带来一些糟粕……

当岁月的脚步蹒跚到清末，昔日金戈铁马的勇悍满洲武士，早已经变成了文质彬彬的长衫儒士和历练成熟的治国干吏。日久天长的熏陶下，满汉大臣们的情感和信仰，骨子里面在许许多多方面已经融合。岁月的风霜，早已经黯淡了昔日那些令人极其不快的民族猜忌，因为，帝国辉煌的过去，会让他们产生共同的回忆，甚至产生对清朝中前期盛世的美好眷恋。

贵族统治阶级的成员在等级森然的社会中，甚至会认同新时代的平等观念，他们不顾这种观念内部蕴含的巨大的、危险的革命力量，飞蛾扑火般幻想成为新时代的一员。

确实，民主力量有时候会连同民族的联盟一起发展，政治自由不一定意味着报复的杀戮。但是，在一个巨大转折的时代，总不乏悲剧人生的上演。历史意志，有时候陡然变脸，有时候模糊不清，有时候无法把握，有时候荒谬绝伦。正如马克斯·韦伯在他《学术与政治》一书中所言："那些终极的、最高贵的价值，已从公共生活中销声匿迹，它们或者遁入神秘生活的超验领域，或者走进了个人之间直接的私人交往的友爱之中。"

怀着深刻的惋惜和好奇，笔者想追溯一下清末两个至今依旧引起巨大争议的政治人物：旗人端方和汉军旗人赵尔丰。

万古同悲蜀道难

端方

作为正白旗出身的满洲权贵端方，只活了五十岁。知天命之年，他不是不识时务，而是救国救大清太心切。最终，如此的努力，却造成了他本人和弟弟端锦在四川"非正常死亡"。在入川新军乱兵大刀砍剁下，这位金石大家、改革家，辛酸地结束了他波澜壮阔、曲折不凡的一生。

端方（1861—1911），满洲正白旗人，字午桥，托忒克氏，乃纯正的满人。年轻时代，他就以才名广为人所知，与荣庆、那桐并称为北京旗人的"三才子"（岂料，日后因为报销问题等小梁子，端方得罪了旗人另外两个"才子"荣庆、那桐，致使隆裕太后下诏贬去端方官职的时候，这二人无一言相助）。

1882年，端方中举。甲午战争后，他积极介入维新运动，曾主管过"农工商局"（"百日维新"中的一个短命衙门）。戊戌变法失败，由于与维新党人同志同心，他差点受牵连得罪。

好在端方是旗人，加上他与荣禄、李莲英关系都不错，侥幸躲过一劫。稍后，他得任陕西按察使，离开了京城是非之地。

八国联军入寇之时，端方通时变，在陕西宣布加入“东南互保”。一俟慈禧太后、光绪帝西逃，他又以“纯臣”面目出现，小心护驾，万般忠谨，从此深得慈禧信任，踏上了仕宦的坦途。

清末，旗人百官中多纨绔无学之人。而端方思虑愁长，具有很强的政治洞察力。1901 年起，他分别担任过湖北巡抚、江苏巡抚、湖南巡抚等要职，其间他与张之洞、袁世凯等人相接应，大办学堂，鼓励留学生出国，不遗余力地推行“新政”。1905 年秋，他又与张、袁二人以及各省督抚一道联名上疏，奏停了科举制度，兴办新式学堂。

为此，清朝大臣郑孝胥曾经这样评价当时大员：“岑春煊不学无术，张之洞有学无术，袁世凯不学有术，端方有学有术。”

可见，诸位当朝能臣中，时人对他评价高于他人。

1905 年，为了缓和国内矛盾，清廷号称要“预备立宪”，准备派端方等五大臣出洋考察。而“预备立宪”之肇始，与端方大有关系。日俄战争后，痛感中国局势之危，端方在北京面见慈禧时，恳求在国内实行进一步的宪政“改革”。当时的慈禧，已详知端方从前与戊戌派关系亲密的经历，就随口漫应：“新政都在施行，朝廷该办的都办了吧。”

“还有一事，尚未立宪。”端方答言。

慈禧面无表情：“立宪又能如何？”

“朝廷如行立宪，则皇上可世袭罔替！”

听端方如此说，慈禧也忍不住笑出声来：“我今儿个才听说，还有人给皇上加个世袭罔替的帽子……”（魏元旷《坚冰志》卷一）

毕竟知道旗人端方为大清局势操心，慈禧下旨，准许五大臣出国考察。考察一开始就不顺利，革命志士吴樾一颗炸弹，差点在出洋前就把五大臣都弄上天。迟了一个月，端方等五人才真正踏上出洋的行程。这次公费考察很有成效，八个月下来，端方等五人在欧美诸国一一观览。西洋人的国富民安以及政治经济制度，让这几个满大人真正睁眼看到了世界。

眼花缭乱之际，端方心神稍稳，就下定决心和坚定理念："立宪政体，几遍全球。大势所趋，非此不能立国。"（端方《复湖北候补道宋育仁》信稿）

回国后，他奋笔疾书，写下数份言辞恳切的奏折，请慈禧准许立宪。其中最重要的三份如下：《请定国事以安大计折》，陈述立宪必要性，建议预备立宪；《请改定官制以为立宪预备折》，提出八项政改方案，包括内阁制、司法独立等；《请平满汉畛域密折》，指出满汉之间矛盾的潜在危险，建议任官不再分满汉，裁撤各省驻防旗营。

作为立宪派魁首，端方的思想可谓是清政府预备立宪的理论来源，其要旨包括：

首先，端方认为，立宪政体优于专制政体。数十年中，中国积弱，与洋人数战，莫不丧师偿金，割地求和。洋务派求强求富，结果却恰恰相反——求强反而益弱，求富反而益贫。归根结底，还是因为清朝的政治体制大不完善（我们现在的不少历史书，在回顾"洋务运动"的时候，常说他们"变器不变道"。其实，在一百年前，端方对此已经有深刻认识）。他痛心疾首道，为什么专制国家行不通呢？因为它任人不任法。无法可依，官吏可为所欲为，人民受欺压，必定怨恨官吏，最终仇恨导向君主。君位不安，国家必定不稳。如果能实行立宪，任法不任人，官吏都要依法办事，内政可致修明。倘若官吏不肖，自可依照众议，更换大臣，而君主的尊位，却无人能动摇。君安，国必安。从实用主义出发，端方以日俄战争日本胜利为例子，说明了立宪强国的根本所在。

当然，端方不可能从民权和权力制衡的深度品评立宪，时代的局限和个人贵族出身的局限，使他只能从富国强兵的角度谈问题。他指出，在古代，各国不相往来，国穷兵弱，还没什么大危机。当今世界，列强林立，即使我们不与人争，别人也要来此殖民、争地、求利、掠夺。中国泱泱，乃广受外洋垂涎之地，所以，朝廷一定要借立宪而求强，逆水行舟，不进则退。

端方认为，朝廷应该颁布《宪法》(与梁启超的国民公议《宪法》不一样，是要求“钦定”《宪法》)，而且要能做到立法、行政、司法三权分立。当然，端方虽然天天把孟德斯鸠挂在嘴边，他在推出“三权”后，却一直强调“不可侵犯的君主”的重要性。为了让太后安心，他总是强调皇帝应该作为终裁，皇权可以调停一切，裁决一切。也就是说，皇帝高于人民，行政高于议会和司法。这种思想，仍旧带有中国自古以来浓厚的传统政治色彩。

其次，端方力推“责任内阁制”。也就是说，宪法中规定君主实际责任，首相和大臣代替君主为国事负全责。首相和内阁，皆由皇帝任命，负责实际政务，所以，要裁撤掉在清朝政治生活中一直尾大不掉的军机处。

内阁设立后，对朝廷会有两大好处。第一，由于皇帝不负实际责任，国事搞不好，人民不会怨毒皇帝，到时只不过换易内阁成员，皇帝的地位和威望丝毫不变。第二，内阁责任明确，有职有权，行政效率可大大提高。

因为怕惹起慈禧猜疑，内阁制可能引起的另一面问题，端方没有明讲：内阁和议会，其实可以借口说皇帝意旨不正确，拖延甚至抵制上命。由此发展下去，君主可能变成被架空的“虚君”。

在指出上述两大条“立宪”的宗旨后，端方深思熟虑地认为，在中国，马上实行立宪，时机还不成熟。他认为，中国业已施行数千年的制度，与立宪制度相差甚巨，人民根本无法习惯忽然实行的宪政。所以，端方主张要仿效日本，以十五至二十年为期，先预备立宪，逐次设立内阁，然后一步步推行新政，最后才召集议会。模仿德国、日本，就是要实施“二元君主制”，从“阶级”划分上讲，就是新兴“资产阶级”要与“封建阶级”分享权力。这个步子如果迈得好，确实可以达成一定的妥协，使一国政治趋向稳定和平衡。

端方的思路和设计，相对来讲，比较保守和稳妥。二元君主制，虽不是非常稳定的政治结构，毕竟可以成为一种平稳的过渡。如果矛盾在过渡中逐渐消融，国家的富强过程，可能就能避免许多不必要的周折和流血。

在清廷最后挣扎的十年间，外面，帝国列强步步逼近；内里，革命风潮迭连涌现。立宪求变，正是清廷想要消弭内忧外患的大“奇方”。作为朝廷里面的“明白人”，端方一直致力研究各国列强。日俄战争中日本的胜利，更让这位满大人大受刺激——小小日本能一举击败老大帝国沙俄，这不就是立宪战胜专制吗?

如果中国立宪成功，自可强国御侮，自可踵随日本之路，走向繁荣和富强。不少偏颇的研究者，过去总爱讲清廷和一些大臣们鼓吹“立宪”是什么“取悦”帝国主义。这完全是出于“阶级分析”的一隅偏见。实行立宪，无论是端方还是康、梁，基本上都是出于爱国的目的。端方作为老谋深算的政治家，在掌管中国税务的英国人赫德年老退休之际，正是他主动上密折，要求清廷趁机收回关税主权和邮政管辖权。

作为大清帝国的臣子，端方当然也是个奉国家利益和安全为至上的国家主义者。国家主义的源流，可以一直追溯到16世纪文艺复兴后的意大利的马基雅维利，国家主义是西方宪政体制、法权体系的一个根本性理论基石。自此以后，西方资本主义的宪政国家制度，就是依靠如下三大支柱：国家主义、民族主义和自然秩序（自然法）。

虽然端方对于近代国家主义很有见地，但由于阶级出身的束缚，他的观点还是偏向亚里士多德的《政治学》及罗马法中的那种比较原始的概念。正如亚里士多德认为的那样，国家中必须有一种最高权力存在，这种权力可在一人、少数人或多数人之手。而罗马法的理论承认国家的终极权力在于全体人民，但又承认人民已将此种权力委托“皇帝”。作为国家主权的执行者，“皇帝”的意志，当然具有与众不同的法律效力。

估计端方还受过英国政治学家托马斯·霍布斯观点的影响：“国家政治制度，如果放任个人的任性和自由，则社会必将成为一个人对人都是豺狼的社会。”（《利维坦：教会和公民国家的内容、形式和权力》）

清末类似端方这样改良者的悲剧，就在于他们过于珍惜已经存在的秩序和制度，太相信人性本恶的理论，对国家（皇帝）的功能过于强调，特别着眼于集中权力和强有力的国家的建设，对于“民主”深意却置若罔闻。所以，对于端方和许许多多的满汉利益集团的朝臣来讲，英国功利主义哲学家边沁的学说最为妥当，那就是在大清国实行“开明专制”。

“开明专制”，在清末那样的社会背景下如果得以顺利实现，对于苦难的中国人民来讲，在某种程度上有可能给人以看到“天光”的感觉。法国启蒙大家卢梭所宣扬的“天赋人权”和“社会契约”，听上去天花乱坠，实际上在清朝这样东方封闭性国家的可行性非常差，特别是所谓“天赋人权”，连边沁都认为那是类似宗教福音书的“臆想”，而“社会契约”，则是一种历史的“虚构物”。在一个混乱的时代，“个人在实际情况下提出的要求都是随意而无节制的”（边沁），所以，个人的要求、愿望，都不可能构成权利！在帝国背景下，端方等人认为，只有强有力的帝国法律才具有命令的特性，才可以免除受限制的痛苦而增加自由的快乐。可以想见，端方的政治主张一直是偏向于保守主义的国家主义。

如此见识如此才，依旧不能免于政治漩涡，慈禧死后，袁世凯被贬，端方也失势，被夺职罢官。直到 1911 年 5 月清廷宣布“铁路国有”后不久，朝廷才重新启用端方，委任他为督办粤汉、川汉铁路大臣。

清廷之所以让已被免职的端方去督办铁路，在于他先前有过“路事”经验——1905 年他任湘抚时，曾与张之洞一起处理过废约赎路之事。所以，当时端方这一级别的清廷“大吏”，只有他懂得这个行当。

四川保路运动进入高潮后，为了配合赵尔丰在四川的镇压活动，清廷授予端方调遣四川新旧各军的权力，并给他加一顶“钦差查办大臣”的帽子。

被迫上任的端方本人，绝非可简单描述成是为清廷保驾护航的“反动派”。他本人的主观意愿，不仅反对“铁路国有”，而且更反对“主权洋有”。

仔细回忆端方先前在江苏巡抚、两江总督任上所为，他一直支持商办铁路（或绅办铁路），并着力维护国家主权。随他而行的亲弟端锦，一直在各国留学。端锦在国外所攻专业，就是铁路专业，并著有《日本铁道纪要》一书。端锦也是清廷“铁路国有”的反对者。

端方、端锦兄弟俩人，相携而出，很有劝谕四方之志。他们的目的，无非是想替朝廷平息骚动。可惜的是，哥俩命苦，从此踏上不归路。而“铁路国有”最大的推手、邮传部大臣盛宣怀本人高卧京中，却把端方推出来顶缸，冒天下悠悠之口，踏鄂川魑魅之途。

临行前，端方上奏折，希望朝廷收回“铁路国有”的成命。但是，被盛宣怀所迷惑、把持的枢臣会议否决了他的建议，严催端方上路。见事已至此，他只得附合上旨，电告涉路有关省份的督抚，让他们协商会办。

经行路上，端方一直在湖北拖延。他反复上折，坚决反对盛宣怀那种更进一步刺激川地士绅的“洋商包工”做法，以图迁就民意。京城邮传部由盛宣怀做主，内阁也不干，还拒绝了端方提出的国家另辟新线开筑新路的要求，不给川地士绅一点回转余地。

赵尔丰制造“成都血案”后，端方意识到川地已是待炸的大锅，更不想前去。朝廷发出一道又一道“催命符”，逼他“即刻”入川查办。被逼无奈，端方只得携湖北新军第八镇部分士兵离开武汉，乘“楚同”舰，经水路往四川走。

到了宜昌后，他电报上奏，与朝廷、盛宣怀反复理论，甚至一度想辞职不干。就这样，他在宜昌拖了十来天。清廷不许，电谕他火速入川。

11月11日武昌起义爆发后，端方在夔州（今奉节）滞留了两日。朝命严催，不得已，他在11月13日那一天到达资州。七天前，清廷已下令任命他为署理四川总督。

此次携兵入川，端方一路上对民对兵竭尽赤诚，每饭只有白饭咸菜，沿途所住房屋无非是“养猪堆粪”之屋，着实难为了这个素有洁癖的大学问家。

艰辛如此，他不辞劳苦，每到一处即鸣锣聚众，宣示朝廷“德意”，劝说川民，以语言化解地方的动乱。鉴于四川各地“同志军”蜂起的现实，端方不敢再走，只能愁守资州孤城，观察形势。

乱世之时，熟悉历史的端方深知平素这些驯顺听调的军爷们很可能一夕变脸。为此，端方不惜屈尊俯就，与那些连排级的军官们拈香结拜。途中有士兵抱怨脚痛不能行军，他竟能雇人抬轿扛着这些士兵上路。每有兵士患病，端方的弟弟端锦本人亲入营中，端汤伺药。

本来端方已经是署理四川总督，应该返回成都。但先前他得罪过赵尔丰，心中忐忑。而赵尔丰手下的阴险小人周善培又写信给人，明白表示说赵尔丰一心要报复，这使得端方对于自己的成都之行更加犹豫。而赵尔丰方面，对端方的想法与先前态度正好相反。川地大乱如此，赵尔丰如今只想去做他的原官——“川滇边务大臣”，不断派人殷勤寄语端方，盼望他速回成都。见赵尔丰前后态度如此转变，多疑的端方更觉有诈，怕自己回成都遭到手下握有重兵的赵尔丰宰制。

形势不饶人。武昌起义后，鄂军军人归心似箭，有革命党人田智亮受蜀军政府命令，要他发动新军党人，杀端方起义。

11月26日夜间，鄂军中的党人士兵们在城郊开会，推举三十一标第一营队官陈镇藩为“大汉国民革命军统领”，行动步骤拟定分为三步：第一，杀端方；第二，剪辫；第三，回军援武汉。

由于端方当时有意把属下鄂军带往陕西，士兵们激愤不已。先被清廷调来四川，已经失去首义先机，如今再去陕西，鄂籍士兵自然怒火满胸。

经过与中下级军官的反复商量，本来端方兄弟已经得到了初步允诺：只要能拿出四万两白银做犒赏，军队负责把端方兄弟两人安全送到西安。

不料，由于其中三十一标军人索要现银未果，军士愤怒，扬言说要是标统偏向端方，那么连标统也要杀掉。

军内的革命党人曾广大、陈镇藩趁热打铁，与各级军官经过密议后，决定杀端方起义。本来曾广大觉得端方为人并不贪渎，与湖北各界的关系融洽，主张留他性命，但其余兵将皆反对，认为一定要杀掉端方才能立威。

得知城内军变，端方、端锦兄弟知道大祸临头，相拥痛哭。笔者认为，当时端方的眼泪，更多是为他无辜的弟弟而洒。

端方被杀情形，由于写“回忆录”的人太多，掺杂的水分和误传因素太多，大致整理过后，可勾勒出如下史实轮廓：

端方、端锦兄弟二人，正愁坐屋中，新军士兵涌至，持枪怒目，叱令兄弟二人出门。二人无奈，只得依从。

端方、端锦兄弟被士兵挟至资州城内的天上宫。坐在条凳之上，端方为救自己兄弟性命，心存侥幸，对士兵说：“我原本陶姓汉人，现在想改从原先的汉姓，可以吗？”（这是端方说谎，他乃正宗满洲正白旗人托忒克氏。不过，在十多年前就有传闻，说端方的母亲原本是清朝湖广总督陶澍的婢女，由于和主人私通怀孕，被陶澍的正妻赶出家门，流落在端方家。后来，她被端方之父纳为侧室，生下了端方。本来是“丑闻”的传闻，病急乱投医，被端方拿来当作救命符。）

士兵们摇头：“晚了！”

“我在湖北治军，一路入川，待弟兄们不薄，能否刀下留情？”

有一下级军官应声：“这是大人待我们的私恩，今日之事，原本为报国仇！”

未等端方再言，有士兵叫喊：“端方不要巧言！武昌起义，天下汉儿，必当响应。今日不杀你，我辈就是附逆之人！”一个名叫卢保清的士兵，率先持菜刀冲上，兜头猛砍端方。端锦趋前护兄，被士兵任永生抡起指挥刀，一挥头落。端方在血泊中挣扎，欲揽弟弟的头颅于怀，随之被乱兵砍落了脑袋。

这些入川的湖北新军，之所以如此急切地想杀死端方，无非是想自明心迹，急求摆脱先前入川镇压保路军民的干系。

他们砍落端方、端锦兄弟二人的头颅后，为了“防腐”，把首级浸于两个煤油桶内，在送回湖北的途中一路“展示”，最后交呈黎元洪邀功。

清末大吏达官，手染革命党人血债的人多矣。似乎天道无知，绝大多数人安危无恙，富贵始终。反而开明如端方者，却惨遭野蛮残杀。

作为浸淫汉文化多年的旗人端方，在中国现代史上留下了许多的“第一”：曾创办湖北第一座图书馆，创办中国历史上第一座幼儿园，创建江苏第一座无线电通讯台，首先引用西方电影放映机，最早派女子公费出洋留学，主持了江苏第一次民意选举代表，创办南京最早的官办外语学校，他还是第一个从伯希和手中搜购敦煌文书的清廷学者官吏……

端方，拿了这么多中国近代史上“第一”的开明官员，最后落得如此下场，让后人叹息不已。在他死后，其洋人“把兄弟”福开森（传教士）盗卖了他平生蓄藏的许多古玩，很是发了一大笔横财。而他本人在资州被杀时，身无余财，士兵只从他枕匣中搜出一本旧抄本《红楼梦》。

端方死后，中外友人，甚至是革命党人，同情他的人甚多。其间，以其门人左全孝的祭文和好友张謇的挽联最为哀痛、中肯。左全孝祭文中称：“……瑞澂以压制亡国，赵尔丰以嗜杀毒川，公（指端方）力反二竖之所为，而福寿大不及瑞澂，受祸且烈于（赵）尔丰……依古今之常理，终有信于碧空。公暂屈于一隅，终必伸于大同……”

作为一直深受端方提携的光绪状元张謇，所写挽联更极陈惋惜之情："物聚于好，力又能强，世所称者，燕邸收藏，三吴已编《陶斋录》；守或匪亲，化而为患，魂其归半，夔云惨淡，万古同悲《蜀道难》！"

可惜白首悬朱门

赵尔丰

赵尔丰这位清朝名盛一时的国家主义者，在川地"革命"后被杀，不是什么因果报应，乃是不折不扣的革命"牺牲品"。

赵尔丰（1845—1911），字季和，汉军正蓝旗人，祖籍襄平（今辽宁辽阳）。他踏踏实实从基层干起，做过几任县太爷（山西）。光绪二十九年（1903年），他受川督锡良赏识而入川，任官永宁道台。

"赵屠户"之名，并非赵尔丰在"成都血案"时所得。1904年封溪（今古蔺县）哥老会暴乱，他捕杀当地匪人三千多，时人称之为"赵屠户"。

被后人骂了一百年的"赵屠户"，其实拥有一段无比光荣的个人英雄历史，世易时移，所有那些光荣，几乎被全然泯除了。

抹掉历史厚厚的尘埃，我们发现，这位赵尔丰，曾是一位有大功于国的英雄。

自1905年至1910年数年间，赵尔丰在川滇边地实行改土归流，废除土司制度和寺庙特权。1908年，他率兵入藏，屡屡击败由英帝国主义者操纵的西藏叛乱，大行改土归流，极大促进了川藏边区的社会与经济发展，使得我国西南边防大为巩固，维护了国家统一。

1905年，赵尔丰率兵平定西康土司叛乱后，清廷设立了一个建制相当于省级的"川滇边特别行政区"。赵尔丰被任命为边务大臣，专门经营西藏以及川滇地区。这个特别区，东起打箭炉，西到丹达山，北抵青海玉树，南至云南中甸，地盘不可谓不大。

经过1888年和1904年英国两次武装入侵西藏，清廷对藏区政治极为敏感。在清廷屡出不鲜的臭棋当中，在藏地的一大臭棋，就是召回了主战的驻藏大臣文硕，派去了怯懦无能的“老好人”升泰。升泰这个人，根本不懂边区政治，他入藏后一直压制当地抗英的僧侣。幸好有大臣张荫棠及时入藏，把升泰等一帮庸官查撤。

1904年，英国派出一支武装，从哲孟雄（今锡金）出发，在江孜大败藏军，入侵拉萨，迫使班禅签约。在条约中，西藏的外贸等特权尽归英国。由于当时的驻藏大臣满人凤全处理喇嘛势力不当，达赖集团转向英国人的怀抱，凤全本人也被藏军围攻，在巴塘被杀。

正是如此危难之际，赵尔丰被委任为边务大臣。到任之后，赵尔丰令行禁止，汲取当年左宗棠收复新疆的经验，在当地加快推行改土归流。他取消一切土司“自治区”，兴办各种文教事业，改革赋役，极大削弱当地土司的特权，维护了中央政府的威权。

1908年，赵尔丰因政绩突出，被清廷任命为“驻藏大臣”。听说在川藏川滇边区大行“改土归流”的赵尔丰要入藏，西藏地方势力大恐。他们一面上奏说赵尔丰“仇视黄教”，一面加紧调兵遣将，想武力阻止赵尔丰入藏。西藏喇嘛政权在上奏说赵尔丰坏话的同时，狂妄提出新要求，要求清廷按照先前吐蕃在唐朝的疆址，给他们划出个“大西藏”来。

这种俨然自居敌国的猖獗，让赵尔丰抓住了把柄。于是，1909年，赵尔丰亲率战斗力很强的巡防军开向查木多（今昌都）。清军一路克捷，活捉了长期以来一直在后藏搞独立的波密王白马寿翁。历数罪恶后，白马寿翁被清军砍下人头。其实，这位古吐蕃后裔的王爷，大可以留着，因为他一直不服当时西藏喇嘛政权，先前常常率兵进袭，打得藏兵败遁。清军杀了此人，倒替西藏政权剔除了一个“隐患”。

最远向南，赵尔丰的巡防军一直打到了查隅，并在那里设县。

赵尔丰在川藏边地恩威并施，当时广受康巴人欢迎。康巴人长期受西藏地方政权的沉重盘剥，期盼清政府军的到来，坚决拥护中央政府的改土归流政策。

1910年，巡防军进入拉萨，十三世达赖逃往印度。清廷对这个卖国不争气的家伙也不客气，下谕剥夺他的十三世达赖名号。赵尔丰进军藏区，不仅使得东西三千余里、南北四千余里的边地改土归流三十余区，且使得英国人对西藏的渗透严重受阻。

由于赵尔丰粗立西康建省规模，以至于学者尚秉和如此评价他："自清以来，治边者无有著功若此者。"

赵尔丰勇于任事，为官清廉，知人善任。其兄赵尔巽从川督位子上离任后，为弟弟谋求此职。据说，赵尔巽上下打点花了不少银子，方换来兄弟赵尔丰署理川督一职。

时兮命兮，赵尔丰正蹚上四川保路运动的"浑水"。他掉了脑袋不说，还因妄杀平民而毁了自己一世英名。

那么，既然在辛亥革命后的各省独立运动中，他以退为进，已经交出了权力，赵尔丰又是如何被杀的呢？

遍览1949年以后的辛亥历史评述，对于赵尔丰之死，99%大致如下描述——1911年11月27日，赵尔丰被迫交出政权，但他仍贼心不死，拥兵督署，煽动兵变，妄图恢复清朝反动统治。12月22日，新任的革命派都督尹昌衡派人把他当众斩首，以平民愤……

这是历史事实吗？

当然不是！

"大汉四川军政府"成立后，蒲殿俊书生，朱庆澜武夫，二人都是浅视之人，互相争权夺利，根本不能控制当地时局。当时，散布在城内的巡防军、陆军、同志军，在"革命"胜利后，皆以功臣自居。这些兵哥、地痞，不少人花天酒地，在城内为争妓女大打出手，整日持枪拥械，招摇过市。哥老会的“袍哥”们，头戴珠花，拎刀持枪，嚣然往来，赌博嫖妓，争风吃醋，抢占地盘，无所不为。他们相互打杀，互有死伤。

对此，蒲、朱两个正副都督皆束手而无能为力。特别可笑的是，面对如此乱局，蒲、朱二人想搞一次公开的大规模阅兵。他们的意愿很“善良”——阅兵，可以整顿部队缺额，增加军队凝聚力。为此，罗伦力谏，认为局势很乱，新军、巡防军人怀异心，不能匆忙阅兵。此外，宣布独立时，蒲殿俊曾许诺发给官兵三个月“恩饷”，一直未发，士兵心怀怨恨。

蒲、朱二人不听。1911 年 12 月 8 日上午，他们率一行人在成都东校场演武厅阅兵。开始还好，训话之后，蒲殿俊提及要发给士兵一个月的“恩饷”，登时引起士兵大哗——不是答应发三个月“恩饷”吗！大吵大喧间，后列的巡防军士兵有人趁机发枪。一时间，校场内子弹横飞，士兵开始哗变，高呼呐喊，大闹校场。见势不妙，蒲、朱二人及随员四下奔逃躲避。

哗变军士呼啸而出，成群结队在成都城内的藩库、银行、商店以及居民家中进行抢掠，称之为“打启发”。当晚，新军的口令本来是“启发”。巡防军哗变后，蒲、朱二人调城外新军来弹压，但这些人入城后也加入抢掠队伍。结队劫掠之际，士兵们互相见面互问口令，于是街道上充满了“启发”一词。

这些“打启发”的兵痞，迎面相遇，心照不宣，皆呼“不照，不照”，即各抢各的，互不干涉，各自去打各自的“启发”。从那以后，“打启发”成为成都的“新方言”。市内无赖之徒乘机浑水摸鱼，四处抢劫放火。锦官城顿时成为一个大劫场，浓烟四起，喧噪满城。仅藩库银一项，乱兵们就抢走八百多万两。

枪声，炮声，哭声，喊嚎声，不绝于耳。

这个时候，罗伦、尹昌衡出场了。罗伦在川地，身后是强大的哥老会势力。本来他以为军政府都督是自己手中物，岂料被书生蒲殿俊取走，愤愤不平。而尹昌衡呢，身为原清军十七镇的川籍军官，自然与罗伦一拍即合。他在赵尔丰交权的时候就以军力要挟，在军政府谋得一个“军政部长”的职位。

赵尔丰本人，在四川独立后，听闻北京的清政府并没有立即倒台，大有后悔之心。他确实一直在暗中鼓动从前的部下伺机而动，但没想到却让罗伦、尹昌衡二人抢了个先手。他的主要心腹朱庆澜，反而在兵变中仓皇逃走。

哗变的巡防军中，不少人是鄂籍、湘籍士兵，而川籍的尹昌衡等人立刻去凤凰山军营，召集川籍军官准备趁乱收权。罗伦也不闲着，忙遣从人去城外招呼，哥老会、同志军纷纷入场，最终“安定”了成都的局势。先前在兵士们身后捡拾余财抢劫的哥老会“自卫团”，摇身一变，开始四处劫杀那些抢掠已饱的变兵，加入维持秩序的行列。

时在成都的郭沫若本人，曾目睹一幕：有位行人身穿灰鼠皮马褂，下身穿狐皮袍子，在街上匆匆行走，准备赶往城外。路中，那行人忽遇本地哥老会的“自卫团”，喝令他停住。几个人扭在一起，其中有个哥老会成员手快，一梭镖就把行人捅个透心凉——这位行人原是兵爷，抢劫后“化装”不严谨，上身军装虽脱，却忘了换那条有红竖纹线的军裤，故而被认出。几个人翻剥尸体，从这位兵士尸体上又剥下好几层狐皮好衣服，贴身的，竟然是一件女式皮袄……

在军人的拥戴下，尹昌衡终于得到了四川都督一职。为了与同盟会结盟，一直瞧不上“党人”的尹昌衡火线入党，连夜加入同盟会，为自己增加政治筹码。

在兵变的当晚，赵尔丰以为机会再来，认定要“变天”，就手谕旧属归队。在辕门外，他重新以川督名义发示文告抚军。落款处，还恢复了宣统年月日。让他没想到的是，尹昌衡、罗伦等人已经掌握了大局。至此，赵尔丰立时成为尹、罗二人的眼中钉、肉中刺，必欲拨之而后快。成都城内，谣言四起，传说赵尔丰府内暗藏数百兵士，机枪数挺……

由于赵尔丰手中还有兵，来硬的不行，只能捅软刀子。于是，尹昌衡连夜“拜访”赵尔丰，与后者倾诉“衷情”，大谈乱世相互保全之道。其目的，只有一个，就是说服赵尔丰交出手下三千人马。赵尔丰被感动，果然写手令，让手下官兵听从尹昌衡统辖。当时，赵尔丰也是心有余而力不足，正身患大病，熬药卧床。

事情出乎意料的顺利，使得尹昌衡喜出望外。于是，在做了周密的军事部署之后，尹昌衡在12月22日凌晨，派手下管带陶泽锟去督府衙门捉拿赵尔丰。陶泽锟率一标人马，从督府后墙闯入。岂料，刚闯到卧室门口，迎面就从里面射出一梭子子弹。打枪的不是别人，乃赵尔丰手下一位“女侠”婢女。陶泽锟火起，闪身上前，一刀剁死了这位“蛮女子”（这个姑娘是个美貌实心眼的少数民族女子），把躺在床上正养病的、头发因身心交瘁而早白的赵尔丰拖出屋子。

尹昌衡出现，仍微笑对赵尔丰示意，要这位无兵的前总督随他到皇城内的军政府。但是，赵尔丰此去，再没有受款待。迎接他的，是大清早就布置好的“公审大会”。面对两面三刀的尹昌衡，被五花大绑的赵尔丰破口大骂。当着明远楼下黑压压的军民大众，尹昌衡高声问：“大家说说，该怎样处理这个‘赵屠户’啊？”

三声齐吼，回响四周：“杀！杀！杀！”

赵尔丰日前在成都杀了几十个人，如今平白交出手中枪，此刻无奈，只得任宰任杀。

陶泽锟亲自持刀，上前一挥，将赵尔丰人头砍下。然后，陶泽锟手持人头，飞身上马，在成都闹市显摆一大圈。中途，陶管带本人差点被人冷枪射杀……

笔者手中，有两张赵尔丰照片。一张，是他当巡边大臣时所摄，面孔周正，容貌宽厚，目光弘毅；另一张，上面标有“逆贼赵尔丰即赵屠户之尸首”，显然是四川军政府印发的宣传品。这张照片上面的赵尔丰，已经身首分离，脑袋被置放在他自己的右肘处，眼睛微微张开，显然是死不瞑目……

雪原“狮”旗嚣然起，仍思平边赵将军！（有关赵尔丰被杀细节，可参看郭沫若1936年至1937年在《宇宙风》上连载的回忆录。）

附二　国殇为鬼无新旧

从张振武看辛亥首义元勋们的下场

在教科书以及正史中，对张振武往往一笔带过。最多是讲袁世凯“凶相毕露”时，说一句袁世凯“窃取”胜利果实后翻脸，磨刀霍霍，杀掉首义功臣之一的张振武。

真实的历史中，袁世凯甫当“大总统”，不仅没大开杀戒，还对党人极尽网罗之能事，待孙中山如上宾，为各位辛亥元勋皆设荣位，极尽“杯酒释兵权”之厚道能事。

而且，张振武之死，实由黎元洪而起，怪不得袁世凯。

无论是袁世凯就任大总统还是定都北京，黎元洪一直站在袁世凯的一边。数日以来，经他授意，其手下文人幕僚饶汉祥为他起草了不少长篇电文，洋洋洒洒，行文华丽，骈体雕琢，广为传诵。通电之中，黎元洪貌似公允，作忧国忧民状，痛斥南京方面的拖延刁难，让袁世凯深感其人可倚。

在武昌，党人内部发生的“宁汉龃龉”，以及文学社、共进会两个派别的内斗，终使黎元洪抓住机会，步步坐大。

武昌起义后，军政府成立，握有军权的军务部三个部长中，共进会的孙武、张振武占了两席。为了排斥文学社成员，孙武本人主动向黎元洪靠拢，甘心为其所用。

阳夏战争中，黄兴抵鄂，文学社的蒋翊武自称力挺这位老乡。而且，到援武汉的客军，主力是湖南派来的两个协。这样，湘鄂地域之争更趋激烈，形成了黄兴、蒋翊武的湖南帮与黎元洪、孙武的湖北帮的对立，也含有文学社与共进会的暗中较劲。

黄兴大败后回上海，文学社的蒋翊武出任战时总司令。孙武感觉不踏实，劝黎元洪改以谭人凤替代蒋翊武。岂料，同为湖南人的谭人凤，一任职就提出限制孙武等人权限的建议。为此，孙武大为光火，纠结一帮军官，使黎元洪换下谭人凤。谭人凤仅仅当三天官，指挥权又落回孙武等鄂籍军人手中。

不过，由于孙武本人军事才能未被公认，大家公推吴兆麟为战时总司令。所以，当时的湖北军政出现了双头领导，孙武为军务部长，又有吴兆麟为战时总司令。

南京组成临时政府后，孙武跑官不成，深恨黄兴，进而又恨孙中山、同盟会以及南京政府。他气势汹汹到上海组织“民社”，力挺黎元洪、袁世凯。

对于武昌党人文学社、共进会两个派别的矛盾，黎元洪乐观其成。

这两拨人闹得越凶，他本人作为“仲裁者”的身份就越凸显，权力就更加集中。

不仅坐观文学社、共进会之间的恶斗，黎元洪还挑拨孙武与张振武这两个同为共进会首领的湖北老乡的关系。

武昌首义中，张振武与孙武、蒋翊武齐名，号称“首义三武”。在起义初始阶段，孙武在医院疗伤，蒋翊武出逃，唯张振武一人担当，勇于任事。他和蔡济民等人一起，在武昌最困难的时刻，担负起军事指挥的任务。

汉阳失守后，黄兴心灰意冷，主张放弃武昌。危急时刻，张振武拔枪大喝：“敢言弃武昌者，斩！”一言而定乾坤，终使武昌临危不失，革命军保住了首义之地。

武昌停战后，张振武前往上海购置枪械，携款数十万而去。

为此，孙武打小算盘，唯恐张振武的势力膨胀，就暗中与黎元洪商量，派人监视张振武在上海的活动。

张振武对此丝毫不知情，站在老乡立场上，他也公开在报上指责黄兴和南京临时政府："碌碌诸公，因人成事，攘夺利权。"访友论时局，他为孙武鸣不平，并积极参与"民社"的创立活动。

由于张振武在上海所购置的枪械有不少是废枪（中了那些中间当掮客吃回扣的日本浪人的当），黎元洪在孙武撺掇下电催张振武回武昌。

当时，张振武见南北议和濒于破裂，就拨出第二批购置的部分枪械，准备支持烟台的蓝天蔚，并想自领一支军队，参与北伐清廷。

同盟会驻沪人员得知此讯后，马上向黎元洪告状，说张振武有"借北伐名义携械潜逃"的意思。黎元洪闻之恼火，严令电催张振武回鄂。不得已，张振武只得回到武昌。刚回来，他就到黎元洪处质问。黎元洪装得一脸茫然，推说召他归鄂是孙武之意，与自己无关。

由此，孙、张之间交恶。

张振武回来后，黎元洪查账仔细，细追每笔款项的去处，惹得张振武大怒。他冲入都督府，指着黎元洪鼻子大骂："当初我们把你拉出来当了大都督，你现在富贵尊荣了，也清起我们的账来！"

心中有愧，黎元洪不敢吭声，挥笔核销了张振武上海之行的款项。

深究其由，张振武在武昌首义后纳妾九人，私生活不检点，难免有蚀侵公款的行为。但数目甚小，于大节无亏。

黎元洪、孙武就此小题大做，难免深藏机心。

孙武攀上黎元洪后，愈加跋扈，拉帮结派，排斥异己，最终导致了武昌"群英会"推动的"二次革命"（这与孙中山日后反袁的"二次革命"不是一回事）。

"群英会"原本由清朝新军三十二标革命党人向海潜所创，宗旨是反清革命，后并入共进会系统。武昌首义中，群英会成员舍生忘死，牺牲甚多。

首义胜利后，共进会会员黄申芗得任近卫军协统，对孙武的倨傲与蛮横甚为不满，就与同为湖北大冶老乡的向海潜暗中联合，以“改良政治”为由，暗中联络将校团、教导团、毕血团等组织中那些胜利后因投闲置散而心怀怨恨的军官们，发起一场旨在倒孙武的军事行动。

1912 年 2 月 27 日夜，大批士兵佩戴“群英会”白布徽记，高喊“打倒孙武”“驱逐民贼”的口号，一路鸣枪，冲向军务部和孙武的住处。

孙武只身逃往汉口洋租界躲避。他的家小，全部落入乱兵之手，被扣押住当“人质”（后经张振武说情放出）。

闯入孙宅的士兵们仔细搜查，发现孙武家箱笼甚盛，金银不少。在这次事件中，黄申芗事先表明只杀孙武一人，目的单纯。但参与人数太多，人各怀心，中途生变。有人抢，有人烧，有人杀，变成了一场兵变。

大乱中，文学社成员张廷辅被杀（时任第二镇统制），邓玉麟（时任第四镇统制）和蔡济民两人被乱兵扣压。由于张廷辅的被杀，事变显然掺入了共进会与文学社争斗的色彩。

逃入汉口的孙武，本想借邓玉麟之力进行军事镇压，但得知邓也已经被乱兵抓住，他只能放弃武力。在张振武奔走解说下，黎元洪出来做好人，终于以不流血方式平息了这次兵变。

事后，孙武被迫辞职，表示“心寒齿冷”，“谢绝世事”，寓居于汉口不出。其实，他仍旧与黎元洪密切往来，随时准备“入世”。

虽然黎元洪一直倚重孙武，但对这个一直恃势凌人的武人，黎元洪心中也很不满。“群英会”军官闹事，正好帮他忙，把孙武从要职位置上搞下来。

为此，事后黎元洪对黄申芗也很宽容，口头“申斥”一下，送数千大洋让他“出洋考察”。

坐山观虎斗之余，“群英会”二次革命也给黎元洪抓住了借口。孙武离职后，军务部两个副部长张振武、蒋翊武均被免职，只给两人以“顾问”的虚衔。军务部缩编为无数的军务司（蔡济民为司长），成为黎元洪手下的听命办事机构。

然后，黎元洪对武昌军政府一顿大换血，把不顺眼的人全部赶走，清一色换上自己人，完全把持了湖北一切军政大权。

武昌首义同志间，各立山头，既有湖南、湖北、上海的地域之争，又有同盟会与非同盟会之争。在上海集团和武昌集团之间，你中有我，我中有你，纠结缠绕，僵持不休。蒋翊武表面上是武昌集团的人，但他领导的文学社在感情上倾向同盟会，与上海集团不乏亲近；上海的章太炎乃老光复会会员，却因为一直与孙中山等人有过节，常常与黎元洪等武昌集团首脑明送秋波。

双方闹别扭、使劲掐，最后就使得北京的袁世凯和武昌的黎元洪坐收渔人之利。在湖北，黎元洪可谓是真正的一方之主了。

首义功臣中，孙武去，蒋翊武免，蔡济民不就官，只有张振武一个人切齿恨恨，不甘心被边缘化，继续掌握将校团这样一支有实力的武装，坐恋不去。

黎元洪一再企图改编这个团，均为张振武所拒。黎元洪想派去一个副团长，也被赶回来。他想把该团编入自己亲信所辖的第六镇，还遭将校团的激烈反对。

从那时起，黎元洪对张振武已动杀心。

张振武本人不知韬晦，常出头为武昌首义功臣争利权。听说顾庆云被黎元洪从武昌警视厅长的位子上排挤下去，他就致信黎元洪，怒斥说：“兔死狗烹，鸟尽弓藏……何其颠倒错乱如是乎？”

黎元洪见此信，杀心益炽。联想到首义后自己被拉到谘议局当晚，一批旗兵叛乱进攻，张振武曾提议用自己脑袋来镇抚的事情，黎元洪心中更恨。直接办了张振武不太容易，于是，黎元洪向袁世凯“推荐”张振武任“东三省边防使”，让他率一支兵马前往任职，实际上想先排挤他出湖北。

张振武一心想立功名，厉兵秣马，准备就任。

袁世凯当时答应，但心中明白。他绝不想弄个非北洋系的军人在北方自己地盘屯兵。于是，袁世凯很快就以烟台有变为由，电令张振武暂缓出行。

不久，袁世凯电令张振武、蒋翊武、孙武三人入京，授予“总统府军事顾问官”虚衔，以事笼络牵羁。孙、蒋二人没说什么，唯独张振武不快，扬言：“我们湖北人只能做顾问官吗？”他两次上书袁世凯，要求派自己外出屯垦备边。

袁世凯敷衍他，授他为“蒙古屯垦使”。

如果张振武懂事，拿了这个“蒙古屯垦使”的俸禄就算了。他不，三番五次上书申请拨款拨经费，要当真的“蒙古屯垦使”。

袁世凯推诿，说政府没钱。张振武大怒，把委任状往京中住处的桌子上一放，负气回到了武汉。这是1912年6月间的事。

在北京期间，由于孙武四处招摇张扬，把自己说成是武昌首义第一人，终日与外国使节和京内大员宴饮，使得张振武更加对这个首义战友心怀不满。

黎元洪呢，坐镇武昌，拥有一个“副总统”荣衔，在南京政府北迁、袁世凯成为大总统之后，针对当时各地军阀势力交争的局面，常以老好人面目出现，不停发通电，申明自己的意见。而且，他常常对时局纷扰作痛心疾首状，赢得了国内民众的不少好印象。

特别是1912年初夏，黎元洪电文中有关“军民分治”的内容，虽是虚饰之文，却也道出了武人害政将要造成的“十害”：

> 荧惑政策，督乱方略，其害一；把持贤路，接挽私人，其害二；招募非人，嚣然自雄，其害三；恣财黩武，暴敛横征，其害四；假以军法，草菅人命，其害五；奸淫劫掠，蹂

躏地方，其害六；易受蛊惑，动摇政局，其害七；拥兵自重，易生反侧，其害八；争城夺地，内讧不止，其害九；割据一方，形同藩镇，其害十。

袁世凯死后北洋军阀以及其他各省军阀的乱哄，几乎全为黎元洪提前一一言中。

张振武回湖北后，仍旧四处奔走。他自己设立屯垦事务所，向黎元洪索要每月一千银圆，准备筹兵为一镇，前往蒙古做他的“屯垦使”。

见张振武如此不知进退，黎元洪痛下杀心。

此时，恰好湖北的同盟会会员祝制六等人不满首义党人遭受排挤，暗中组织“改良政治团”，想进行排黎夺权的武昌“三次革命”。

黎元洪抓住这次机会，抹下“菩萨”假面，派人逮捕祝制六等人，指斥他们为“民国寇仇”，不久就下令杀害了祝制六及数十名党人，亮起了明晃晃的屠刀。

对于祝制六等人的密谋起事、被杀，张振武确实毫不知情。

而且，同盟会的人得知消息后，纷纷指责孙武在背后挑唆。孙武闻言发怒，他上书黎元洪，坚称同盟会的湖南人想诬蔑湖北人，泼污黎副总统。

在黎元洪本人和其幕僚的暗中挑拨下，孙武、张振武、蒋翊武三人不辨是非，互相指责，关系僵如寇仇。

烦躁郁闷之际，张振武在一次公开演讲中，高言道：“革命非数次不成，流血非万万人不止！”黎元洪闻之，击掌扼腕。

听闻湖北乱哄哄，人在北京的袁世凯十分高兴。他笑呵呵出来做老好人，电请张振武到北京议事。

黎元洪借坡下驴，立刻拿出四千银圆做盘缠，“欢送”张振武。

大总统请，副总统送，张振武一时飘飘然，得意忘形，带着将校团团长方维等三十多名亲信军官，踏上了入京的不归路。

到北京后，张振武雄心勃勃，四处宴客会友，大讲筹边安边之策，准备策马边陲立大功。

1912年8月15日晚间，为了联络感情，张振武代表湖北军界在六国饭店宴请北京将校。

席间，众人笑语寒暄，酒皆尽兴。而入席的北洋驻军总司令段芝贵身上，已掖有一张对张振武等人的逮捕令。

原来，两天前，黎元洪已自湖北向袁世凯发来一封密电，言辞恳恳，罗织了张振武一大堆罪名：

> 张振武以小学教员，赞成革命，起义以后，充当军务司副司长，虽为有功，乃怙权结党，桀骜自恣，赴沪购枪，吞蚀巨款。
>
> 当武昌二次蠢动之时，人心惶惶，振武暗中煽惑将校团，乘机思逞，幸该团员深明大义，不为所惑。元洪念其前劳，屡与优容，终不悛改，因劝以调查边务，规划远漠，于是大总统有蒙古调查员之命。
>
> 振武抵京后，复要求发巨款设专局，一言未遂潜行返鄂。（观此数语，见得京、鄂两处已密布侦探，将张、方二人行踪，探得明明白白，张、方自己尚如睡在梦中。本书前文亦未尽说明，至此方才揭出。飞扬跋扈，可见一斑。）
>
> （张振武）近更蛊惑军士，勾结土匪，破坏共和，倡谋不轨，狼子野心，愈接愈厉，假政党之名义，以遂其影射之谋，借报馆之揄扬，以掩其凶顽之迹。
>
> 排解之使，困于道途，防御之士，疲于昼夜。风声鹤唳，一夕数惊。赖将士忠诚，侦探敏捷，机关悉破，泯祸无形，吾鄂人民，胥拜天使。然余孽虽歼，元憝未殄，当国害未定之秋，固不堪种瓜再摘；以枭獍习成之性，又岂能迁地

为良？

（我黎）元洪爱既不能，忍又不可，回腹荡气，仁智俱穷，伏乞将张振武立予正法，其随行方维，系属同恶相济，并乞一律处决，以昭炯戒。此外随行诸人，有勇知方，素为元洪所深信，如愿归籍者，请就近酌给川资，俾归乡里，用示劝善罚恶之意。惟振武虽伏国典，前功固不可没，所部概属无辜。元洪当经纪其丧，抚恤其家，安置其徒众，决不敢株累一人。

皇天后土，实闻此言。

（我黎）元洪藐然一身，托于诸将士之手，阘茸尸位，抚驭无才，致令起义健儿，夷为罪首，言之赧颜，思之雪涕，独行踽踽，此恨绵绵。更乞予以处分，以谢张振武九泉之灵，尤为感祷。

临颖悲痛，不尽欲言。

真杀心与假惺惺，电文写得极其“感人”。

袁世凯接到电报后，很感踌躇。他召集北洋军人以及在京湖北籍将领们商议此事，并回电征询黎元洪那封电文是否确定。

黎元洪马上确认，并派“文胆”饶汉祥等人入京面见袁世凯，告知武汉方面布置严密，不会因杀张振武而出事，竭力要求袁世凯对张振武和方维立即“行刑”。

由此，8 月 15 日，袁世凯签发，段祺瑞副署，决定捕杀张振武、方维二人：

查张振武既经立功于前，自应始终策励，以成全人。乃披阅黎副总统电陈各节，竟渝初心，反对建设，破坏共和，以及方维同恶相济。本总统一再思维，诚如副总统所谓爱既不能，忍又不可，若事姑容，何以慰烈士之英魂？不得已即着步军统领、军政执法处总长，遵照办理。此令。

至于张振武、方维二人被逮情形，当时的《中华民国公报》记载甚详：张、方二人宴会结束乘马车回公寓，经过棋盘街时，忽然枪声隆隆，兵勇如蚁，将他们的马车围住。士兵用枪托捣碎玻璃，拉出二人捆上。

张振武大呼："国都之地，你们怎敢劫人！我是张振武，你们不得如此无法纪！"士兵也不理论，先后一千多人来围，如临大敌，拥着二人往西单牌楼方向而去。被执送到了当时的营务处，执法处长陆建章先朗读黎元洪电文，再宣读袁世凯的命令。

张振武静静听着，然后大声喊道："我张振武早就该死，但没想到是死在北京。"他提出要写信。陆建章递过纸笔。

张振武给邓玉麟、刘成禹（民社成员）各写一封信，大概是斥责二人帮黎元洪出卖自己（其实这二人也受黎元洪愚弄），然后问陆建章："可否容我见袁大总统一面，然后再把我枪毙？"

陆建章拒绝："军法所在，予不敢当！"

被捕后仅三小时，张振武、方维二人即被行刑。由于系脑后开枪，张振武死状甚惨，一睛脱出，头部鲜血淋漓。

本来，黎元洪是想借袁世凯之手杀张振武，嫁祸于人。袁世凯何等人物，当然看得出黎元洪的心思。转天早晨，面对来总统府汹汹质问的孙武等人（孙武此时大有兔死狐悲之感），袁世凯一脸无奈："这件事我很抱歉，具体经过你们也知道，我本不欲办理，但黎副总统一直来电急催，我只能照办。我知道杀了张振武对不起湖北人，事已至此，无能为力。"

8 月 17 日，袁世凯命人在报纸上全文刊出黎元洪密电内容，很委屈地表明自己是"不得已"的"遵照办理"。

黎元洪想玩袁世凯，最终袁世凯玩了黎元洪。

张振武之死，举国震骇。同盟会、民社派（此时已并入“共和党”）纷纷而起，齐声谴责黎元洪（不好说袁世凯），并发起弹劾。

弹劾谁呢，不能弹劾袁世凯，就只能弹劾时任国务总理的陆徵祥。但此人在张振武被杀前一直住院，案后他又辞职。而代任的总理赵秉均，显然当时与此案无关。

于是，大家的怒气全部宣泄到武昌的黎元洪头上。

本想借刀杀人的黎元洪又气又急，但他也从心中十足佩服袁世凯的老辣。为了挽救自身形象，黎元洪对全国发出一封长达数千言的通电，先讲张振武“罪恶”，后诉自己苦衷，三讲自己的负疚、自责，最后在示退的前提下，又当老好人，表示要赡养张振武老母幼子，一副孔明大义斩马谡的无辜与无奈。这篇骈文作得太好，不得不全文刊之：

> 连日函电纷驰，诘难群起，前电仓猝（促），尚未详尽报告。政府书复未赍到，诚恐远道不察，真象（相）愈湮，敢重述梗概，为诸公告。
>
> 张振武初充军务司副长。汉阳失败，托词购枪，留函径去。当命参议丁复生追至上海，酌定式样，只限购银二十万两，乃擅拨买铜元银四十万，仅购废枪四千枝（支），子弹四百万，机关枪三十六枝（支），子弹二百万，枪械腐窳，机件残缺，有物可查，设有战事，贻害何堪设想？且除买械二十六万余外，另滥用浮报三十二万，无账二万，尚借谭君人凤五万，陈督复来电索款，均系不明用途，有账可稽，罪一；南北统一，战事告终，振武由沪返鄂，私立将校团，遣方维往各营勾串，募集六百余人，每名二十元，鄂军屡次改编，该团始终不受编制，兵站总监兵六大队，已预备退伍，伊复私收为护卫队，拥兵自卫，罪二；二月二十七日，

串谋煽乱，军务部全行推倒，伊复独任方维，要挟留任，复谋杀新举正长曾广大，经元洪访查得实，始将三司长悉改顾问，罪三；冒充军统，黄夜横行，护卫队常在百人以外，沿途放枪，居民惶恐。每至都督府，枪皆实弹。罪四；护卫队屡遣解散，抗不遵命，复擅抢兵站枪枝（支）粮饷，藐无法纪，罪五；强占铁路并中小火轮，勾串军队，黄夜来往，罪六；暗煽义勇团长梅占鳌，增加营数，诱命石龙川往联领事团，许事成任为外交司长，该员等不为所动，谋遂无成，罪七；革命后广纳良女为姬妾，内嬖、如夫人者，将及十人，叶某及鲁某，皆女学生，复伙串某报鼓吹，颠倒黑白，破坏共和，罪八；民国公校开学，当众演说革命非数次不成，流血非万万人不止，摇动国本，骇人听闻，罪九；亲率佩枪军队，逼迫教育司，勒索学款，挟之以兵，罪十；令逆党方维，勾串已革管带李忠义，及军界祝制六、滕亚纲、姜国光、谢玉山、刘启沛、朱振鹏、江有贵、黄耀生，暨汉口土匪头目王金标，分设机关，密谋起事，并另举标统八人，伊为原动，大众皆知，虽名册已焚，祝、滕正法，刘、朱尚寄监可质，罪十一；机关破露，移恨孙武，复密遣四十人，分途暗杀，罪十二；前次所购机关枪弹，除湖北实收外，近证之蓝都督报告，接济之账，尚匿交机关枪多枝，子弹三万粒，私藏利械，图谋不轨，罪十三；运动某国领乃保护，如被查拿，当作国事犯干涉，损国权，辱国体，罪十四；此次电促赴京，实望革心向善，乃叠据侦探报告，伊以委命未下，复图归鄂，密遣党羽，预归布置，复查悉函阻将校团不得退伍，武汉一隅，关系全局，三摘已稀，岂堪四摘！罪十五；此外索款巨万，密济党援，朘削公家，扰害商庶，种种不法，不胜枚举。

元洪荐充大总统高等军事顾问，并有蒙古调查员之命，无非追承前功，冀挽将来，犹复要索巨款，议设专局，又在汉上私立屯垦事务所，月索千余圆，凡此诸端，或档案具在，或实地可查，揭其始末罪状，实属无可再原。诸公老成谋国，保卫治安，素为元洪所钦佩，倘使元洪留此大憝，贻害地方，致翻全局，诸公纵不见责，如苍生何？

顾或有谓杀非其地，杀非其时，杀非其道者，责以法理，夫复何辞？然此中委曲，尚有万不获已之衷，为诸公未悉者——武昌当革命之余，丁裁兵之会，地势冲繁，军心浮动，振武暗握重兵，潜伏租界，一经逮捕，立召干戈，既祸生灵，更酿交涉，操切偾事，谁尸其咎？况北京为民国首都，万流仰镜，初非邻省，更异敌邦，明正典刑，昭示天下，揆诸名义，似尚无妨，此不获已者一；振武席军务长之余焰，凭将校团之淫威，取精用宏，根深柢固，投鼠忌器，人莫敢撄，卷土重来，拥兵如故，狼子野心，更无纪极，前此以往，杀既不敢，后此以往，杀更不能，千里毫厘，稍纵即逝，先此不谋，噬脐何及？况谋叛民国之犯，果有确据，随时皆可掩捕，此不获已者二；振武分遣党羽，密布机关，奸谋败露，应命赴京，更怀疑惧，居则佩刀盈室，出则荷枪载途，京鄂之使，不绝于道，心机叵测，消息灵通，一电遥飞，全国窥变，联电请求，举兵要挟，虽有国典，亦无所施，况振武现参军政，遥领兵权，绳以军法，洵为允当，且北京军事裁判，尚未完全，南中军法会议，已非一次，询谋佥同，始敢出此，此不获已者三。（极叙黎元洪自己杀张振武的无奈，向世人说明杀他完全是怕他遗祸国家。）

元洪数月以来，踌躇再四，爱功忧乱，五内交萦，回肠九转，忧心百结，宁我负振武，无振武负湖北，宁取负振武罪，无取负天下罪。封臂疗身，决蹯卫命，冒刑除患，实所甘心。

夫汉高、明太，皆以自图帝业，屠戮功臣，越践、吴差，皆以误信谗言，戕害善类，藏弓烹狗，有识同悲。至若（李）怀光就戮，史不论其寡恩，（侯）君集被擒，书不原其战绩，矧共和之国，同属编氓，但当为民国固金瓯，不当为个人保铁券。（举古代被杀的跋扈将领为例，彰显黎元洪自己杀之有名。）

元洪念彼前劳，未忍悉行诛罚，安此反侧，复未稍事牵连，遂致日前两电，词多含蓄，迹似虚诬，又何怪诸公义愤之填胸，而责言之交耳也？伏思元洪素乏丰功，忝窃高位，爱民心切，驭将才疏，武汉蠢动，全楚骚然，商民流离，市廛雕（凋）敝，损失财产，几逾巨万，养痈成患，责在藐躬，亡羊补牢，泣将何及？洪罪一也；洪与振武，相从患难，共守孤城，推食解衣，情同骨肉，乃恩深法弛，背道寒盟，瘖口罔闻，剖心难谅，首义之士，忍为罪魁，同室弯弓，几酿巨祸。洪实凉德，于武何尤？追念前功，能无陨涕，洪罪二也；国基初定，法权未张，凡属国民，应同维护，乃险象环生，祸机迫切，因养指失肩之惧，为枉寻直尺之谋，安一方黎庶之心，解天下动庯之体，反经行政，贻人口实，洪罪三也。（看似黎元洪怪罪自己，实际铺叙己功，博取同情。）

有此三罪，十死难辞，纵诸公揆诸事实，鉴此苦衷，曲事优容，不加谴责，犹当踽天踏地，愧悔难容；况区区此心，不为诸公所谅乎？

溯自起义以来，戎马仓皇，军书旁午，忘餐废寝，忽忽半年，南北争议，亲历危机，蒙藏凶顽，频惊噩耗；重以骄兵四起，伏莽潜滋，内谨防闲，外图排解；戒严之令，至再至三，朽索奔驹，幸逾绝险。积劳成疾，咯血盈升，俯仰世间，了无生趣。（黎元洪把自己说成是劳苦功高、累得吐血的元勋义士。）

秋荼尚甘，冻雀犹乐，顾瞻前路，如蹈深渊。自时厥后，定当退避贤路，伫待严谴，倘有矜其微劳，保此迟暮，穷山绝海，尚可栖迟，汉水不波，方城如故，虽死之日，犹生之年。世有鬼神，或容依庇，百世之下，庶知此心。（黎元洪指天划地，宛如百口莫辩的被冤枉者，彰显他自己的良苦用心。）

至张振武罪名虽得，劳勚未彰，除优加抚恤，赡其母使终年，养其子使成立外，特派专员，迎柩归籍，乞饬沿途善为照料，俟灵柩到鄂，元洪当躬自奠祭，开会哀悼，以慰幽魂。并拟将该员事略，荟蕞成书，请大总统宣示天下，俾晓然于功罪之不掩，赏罚之有公，斗室之内，稍免疚心。泉台之下，或当瞑目。（优恤罪人家属，大办丧事，以显示黎元洪自己的"厚道"。）

临风悲结，不暇择言，瞻望公门，尚垂明教！

经此系列电文、公文表演后，黎元洪在湖北密布军警，解散一切不利于他自己的军事、政治团体，然后通电全国，表示自己要"辞职"。

紧接着，由他安排的、署名"湖北全体士民"的一份通电直发北京参议院，内容"痛责参议院"，无非是表示"竭力挽留黎公"。紧接着，湖北军界、地方议会纷纷去电北京，杀气腾腾，大有黎元洪一走湖北即大乱的威胁。

袁世凯乐见其成。他知道黎元洪在湖北搞不成什么大事，听任张振武案发展。

1912年8月24日，孙中山抵达北京，袁世凯腾出自己在北京石大人胡同的总统府，改为孙中山下榻处，举行无比隆重的欢迎仪式。

当时，人们渴望民国的光明前景，浸沉于南北和解的幻景中，从某种程度上转移了对张振武一案的注意力。

而孙中山本人呢，正与袁世凯处于蜜月期。到达北京后，他明白指示同盟会员身份的议员，再不要对张振武案“小题大做”，怕影响“大局”的和谐。

8月25日，由宋教仁实际主持的同盟会与统一共和党等五个团体合组为“国民党”，孙中山亲临成立大会。

会后，孙中山与党员、同志密议，觉得南北调和是当时大事，不要再以张振武之死兴起波澜。

8月28日，张振武灵柩运回武昌。

已经躲过一次危机的黎元洪如释重负，马上扮演“厚道好人”。

在抱冰堂，黎元洪为他亲自下令杀死的张振武开祭悼大会，并亲自主祭，送悼联一副：

为国家缔造艰难，功首罪魁，后世自有定论

幸天地鉴临上下，私情公义，此心不负故人

如此戏份，真是做到了家。

9月24日，张振武追悼会过了仅仅不到一个月，得知南湖马队的党人准备起义，黎元洪借“改进团事件”为名，在湖北杀掉了大批党人军官，由此，这位厚道人终于从“黎菩萨”变成了人人称狠的“黎屠户”……

“首义三武”之一的蒋翊武，在武汉“改进团”倒黎运动失败后，前往湖南参加反对袁世凯的“二次革命”，任鄂豫招抚使，在岳阳驻防。

湖南取消独立后，其他党人纷纷逃离湖南，大多经汉口乘船东下走避。蒋翊武认为汉口太危险，因为在那里认识他的人太多，就准备改道广西入香港。经全州时，蒋翊武为统领秦步衢的桂兵捕得。

得知消息后，广西都督陆荣廷立即电奏袁世凯。袁世凯马上发电，征询黎元洪意见。深恨蒋诩武不附自己，黎元洪不顾诸人在首义时拥推他的恩情，马上复电袁世凯，声称蒋翊武“逆迹昭彰”，在“湘鄂一带党羽众多”，要求袁世凯立刻杀掉他：“从速执行，以昭显戮。”

袁世凯接到电报，命令陆荣廷把蒋翊武就地枪决。

1913 年 9 月 9 日，蒋翊武在桂林丽泽门从容就义，时年二十八岁。

“首义三武”，有“两武”死于黎元洪的催迫，下执行令的人竟然都姓陆（陆荣廷与陆建章）。

刑前，蒋翊武口占四首绝命诗，其一曰：

当年豪气今何在？如此江山怒不平！

嗟我寂冤终无了，空余虏剑作寒鸣。

附三　辛亥革命大事记

（1894 年 11 月~ 1912 年 4 月）

1894 年（光绪二十年 · 甲午）

11 月　孙中山在美国檀香山创立资产阶级革命团体“兴中会”，入会誓词规定，以“驱除鞑虏，恢复中华，创立合众政府”为宗旨。

是年　中日甲午战争爆发。

1895 年（光绪二十一年 · 乙未）

2 月 12 日（正月十八日）　日军入踞威海刘公岛，北洋舰队全军覆没。

2 月 21 日（正月二十七日）　孙中山、杨衢云等在香港成立兴中会总机关，修订《兴中会程》。

4 月 17 日（三月二十三日）　李鸿章在日本马关签订丧权卖国的《马关条约》。

5 月 2 日（四月初八日）　康有为联合各省在京会试举人一千三百多人会议，联合上书光绪皇帝，倡言“拒和、练兵、变法”，史称“公车上书”。

10 月 26 ~ 28 日（九月初九至十一日）　广州起义事泄，党人陆皓东、会党首领朱贵全、丘四等被捕，孙中山等经香港逃亡日本。起义未及发动而失败。此为孙中山领导的第一次起义。

12 月 8 日（十月二十二日）　清政府议组新式武装，命温处道袁世凯在天津小站督练“新建陆军”。

1896 年（光绪二十二年·丙申）

1 月初（乙未十一月） 康有为、黄遵宪、张謇、章炳麟、陈三立、汪康年等在上海发起成立“上海强学会”，发行机关刊物《强学报》。

6、7 月间（五至六月） 孙中山先后到达美国旧金山、芝加哥、纽约等地，在华侨中宣传革命，建立旧金山兴中会分会。

10 月 11 日（九月初五日） 孙中山在英国伦敦被清政府驻英使馆人员诱捕，拟偷运回国处以极刑。经国际友人康德黎等营救脱险，23 日获释，史称孙中山“伦敦蒙难”。

1897 年（光绪二十三年·丁酉）

8 月 16 日（七月十九日） 孙中山由加拿大抵达日本横滨，旋结识日本志士宫崎寅藏、平山周等。9 月，他移居东京，广泛结交犬养毅、大隈重信、平冈浩太郎、头山满、山田良政、内田良平等日本朝野人士。

11 月 14 日（十月二十日） 德国强占山东胶州湾。12 月，沙俄舰队进占旅顺、大连。帝国主义从此掀起瓜分中国狂潮。

1898 年（光绪二十四年·戊戌）

1 月 22 日（正月初一日） 康有为所著《孔子改制考》付梓，宣传“托古改制”，为变法提供历史根据。

3 月 6 日（二月十四日） 清政府与德国签订《胶澳租界条约》。27 日又与沙俄签订《旅大租地条约》。31 日英国强租威海卫。4 月 10 日法国强租广州湾，并以两广、云南为其势力范围。22 日，日本要求以福建为其势力范围。24 日英国强租深圳湾、大鹏湾。

3 月 7 日（二月十五日） 谭嗣同、唐才常在长沙创办《湘报》，宣传“君民共主”和维新变法。

6 月 11 日（四月二十三日） 光绪下诏“明定国是”，宣布变法维新，戊戌变法开始。在一百天内，颁布有关政治、经济、军事、文教各方面的新政诏令一百多件，史称“百日维新”。

9月16日（八月初一日） 光绪召见袁世凯，即擢为兵部侍郎，责成专办练兵事务。

9月18日（八月初三日） 慈禧太后发动政变，幽禁光绪，戊戌变法失败。

9月21日（八月初六日） 慈禧太后正式宣布再出“训政”。旋康有为、梁启超逃亡日本。

9月28日（八月十三日） 维新志士谭嗣同、林旭、刘光第、杨深秀、康广仁、杨锐死难，史称“戊戌六君子”。

是年　严复译著《天演论》正式出版。译自英国赫胥黎之《进化论与伦理学》，附按语并序。

1899年（光绪二十五年·己亥）

3月　义和团朱红灯部在山东平原起义，直、鲁各地群起响应，义和团运动蓬勃发展。

夏、秋　孙中山、杨衢云等在日本横滨，再度与梁启超会谈两派合作事宜，经多次磋商，因康有为强烈反对而未果。

9月6日（八月初二日） 美国照会列强各国，提出“门户开放”政策，以承认各国在华势力范围为条件，要求“利益均沾”。次年3月获各国圆满答复。

11月（十月） 兴中会杨衢云、陈少白、郑士良、宫崎寅藏、平山周等人，在香港与湘、鄂、粤、闽等地哥老会、三合会首领举行会议，联合组织“兴汉会”，以领导发动长江流域和广东等地的反清斗争，推举孙中山为总会长。

1900年（光绪二十六年·庚子）

1月25日 （己亥十二月二十五日）兴中会在香港创办言论机关《中国

日报》和《中国旬报》。

2月25日（正月二十六日） 唐才常、林圭在上海发起成立“正气会”，策动长江流域各省起兵勤王。

春　义和团势力大举向直隶发展，旋进入京、津。

6月中旬（五月） 英、美、法、德、俄、日、意、奥等国组织“八国联军”，出兵中国，联合镇压义和团运动。

6月26日（五月三十日） 两江总督刘坤一、湖广总督张之洞与各国驻上海领事商定《东南保护约款》和《保护上海城厢内外章程》，规定上海租界归各国共同保护，长江及苏杭内地均归各督抚保护。不久，山东、广东、广西、浙江、福建等省相继加入，史称“东南互保”。

6月　唐才常等在上海改“正气会”为“自立会”，筹组自立军以起兵勤王，开富有山堂以联络会党。

8月初（七月） 唐才常等在汉口设立自立军总机关，分设七军。唐才常任诸军督办。预定阴历七月十五日同时举事。

8月14日（七月二十日） 八国联军攻占北京。次日，慈禧太后挟光绪出逃晋、陕。“义和团运动”失败。

8月21日（七月二十七日） 张之洞破获汉口自立会总机关，逮捕唐才常、林圭等二十余人。次日，唐才常等人全部遇难。

8～9月（七至八月） 沙俄乘机于8月4日大举出兵进犯东北，相继攻陷齐齐哈尔、吉林等地，9月26日占领沈阳，东北三省遂为俄国所控制。

10月6日（闰八月十三日） 郑士良率会党六百余众在广东惠州之三洲田起义，转战半月，攻克沙湾、崩岗墟、三多祝等地，声势大振，拥众二万。此为孙中山二次起义。

10月28日（九月初六日） 党人史坚如为策应惠州起义，在广州谋炸署理两广总督德寿，事败被捕。11月9日死难。

1901年（光绪二十七年·辛丑）

9月7日（七月二十五日） 清政府全权大臣奕劻、李鸿章与德、奥、比、西、美、法、英、意、日、荷、俄十一国在北京正式签订丧权辱国的《辛丑条约》。

10月6日（八月二十四日） 慈禧太后一行从西安启程回京。

11月7日（九月二十七日） 李鸿章病卒。直隶总督兼北洋大臣遗缺，由镇压义和团有功的袁世凯署理。次年6月实授此官。

1902年（光绪二十八年·壬寅）

2月8日（正月初一日） 梁启超在日本横滨创办《新民丛报》，成为保皇会与革命派进行思想大论战的主要阵地。

12月（十一月） 孙中山自日本抵安南（今越南）河内，向华侨宣传革命，组织河内兴中会分会。

1903年（光绪二十九年·癸卯）

1月29日（正月初一日） 留日学生会馆在东京举行新年团拜演说，到会千余人，党人刘成禺、马君武等慷慨陈词，宣传反清革命。湖北留日同乡会在东京创办革命刊物《湖北学生界》，传播新学，鼓吹反清。不久，改名《汉声》。

5月8日（四月十二日） 日本政府应清廷之请求，勒令解散拒俄义勇队。11日，义勇队变名“军国民教育会”继续活动，分派“运动员”回国策动起义。

5月（四月） 邹容所著革命宣传读物《革命军》在上海出版，不胫而走，辗转翻印逾百万册。

6月29日（闰五月初五日） 清政府勾结上海公共租界工部局查封《苏报》，制造“苏报案”。次日捕章炳麟入狱。7月1日邹容自动投案。

8月（七月） 孙中山在日本东京秘密创办青山革命军事学校，培养军事人才。在誓词中第一次提出“驱除鞑虏，恢复中华，创立民国，平均地权”的革命宗旨。

秋、冬之际　陈天华所著《猛回头》《警世钟》两书在东京相继出版，广泛流传于国内外。

11月4日（九月十六日）　黄兴、刘揆一、章士钊、宋教仁、周震鳞等在长沙发起组织革命团体“华兴会”。

1904年（光绪三十年·甲辰）

1月11日（癸卯十一月二十四日）　孙中山为与保皇会争夺群众，在檀香山加入洪门组织“致公堂”，受封“洪棍”（军师）之职。

2月6日（癸卯十二月二十一日）　日、俄为争夺中国相互火并，在中国东北爆发日俄战争。12日，清政府竟不顾国家主权，宣布严守“局外中立”。

2月15日（癸卯十二月三十日）　华兴会在长沙正式召开成立大会，公举黄兴为会长，宋教仁、刘揆一为副会长。

10月24日（九月十六日）　长沙起义事泄，湖南当局出动军警搜捕黄兴等人，起义未及发动即遭失败。

1905年（光绪三十一年·乙巳）

1月（甲辰十二月）　科学补习所成员王汉在河南彰德谋刺清户部侍郎铁良，未果。清吏严行搜捕，王汉被迫在旅馆投井死难。

2月（正月）　陈独秀、常恒芳、柏文蔚等在安徽芜湖成立革命团体“岳王会”，举陈独秀为总会长。秋冬间在南京、安庆设立分会。

4月3日（二月二十九日）　邹容病死于上海租界西牢。

6月3日（五月初一日）　宋教仁、程家柽、田桐等在日本东京创办《二十世纪之支那》杂志，鼓吹革命独立，建设民主共和“新国家”。

7月19日（六月十七日）　孙中山于6月11日离欧东返，是日抵日本，为筹建资产阶级革命政党积极活动。

7月下旬　孙中山首次与黄兴会晤于东京中国餐馆凤乐园，共商筹组“革命大同盟”事。孙建议兴中会与华兴会联合，黄极表赞同。

8月20日（七月二十日）　中国同盟会在东京赤坂区灵南坂召开正式成立大会，通过《同盟会章程》，正式确认“驱除鞑虏，恢复中华，创立民国，平均地权”为纲领，暂定东京为同盟会本部所在地。大会根据黄兴的倡议，选举孙中山为总理，下设执行、评议、司法三部并决定以《二十世纪之支那》杂志为机关报。是日到会一百人，全体加盟。

9月24日（八月二十六日）　爱国志士吴樾在北京前门车站谋炸清政府派遣出洋考察宪政五大臣，伤载泽（镇国公）、绍英（商部右丞），吴樾当场死难。

11月26日（十月三十日）　中国同盟会机关报《民报》在东京正式出版，以宣传同盟会纲领为宗旨，每月一期。孙中山在《发刊词》中第一次提出“民族、民权、民生”三大主义，号召进行民族民主革命，主张“举政治革命、社会革命毕其功于一役”。

12月4日（十一月初八日）　中国留日学生八千多人，为抗议日本政府颁布《取缔清韩留学生规则》实行总罢课。8日，陈天华愤于日本报纸对中国留日学生的诋毁，在东京大森海湾蹈海自杀，以示抗议。

1906年（光绪三十二年·丙午）

2月16日（正月二十三日）　孙中山抵新加坡，建立同盟会分会。

9月1日（七月十三日）　清政府诏颁预备仿行宪政（即“预备立宪”），宣布“大权统于朝廷，庶政公诸舆论”，开始“官制改革”。

12月4日（十月十九日）　由同盟会员刘道一、蔡绍南等策动的萍浏醴起义爆发。起义军转战两旬失败，蔡绍南、刘道一、魏宗铨、廖叔保等义军首领数十人死难，万余群众惨遭杀害。

秋、冬　孙中山、黄兴、章炳麟等在东京共同制订对内对外纲领性文件《革命方略》，以备各地革命党人夺取政权后应用。

是年　广西、陕西、福建等省分别建立同盟会分会。

1907年（光绪三十三年·丁未）

5月22日（四月十一日）　革命党人在广东发动潮州黄冈起义，拥同盟会员（原三合会首领）陈涌波、余既成为革命军正、副司令，檄告除暴安良，免除苛税。因起事仓促，伤亡过重，于27日失败。此即孙中山第三次起义。

6月2日（四月二十二日）　为响应黄冈起义，同盟会员邓子瑜领导会党二百多人，在广东惠州府归善县七女湖起事。战斗十余日，失败。此为孙中山领导的第四次起义。

6月　章炳麟、张继、陶成章借潮、惠起义失败和《民报》经费分配等事，大肆攻击孙中山，催逼代行总理职权的刘揆一召开大会，期以罢免孙中山，改选黄兴继任，遭拒绝，黄兴亦在安南复函表示反对。

7月6日（五月二十六日）　光复会员徐锡麟率巡警学堂学生数十人在安庆举义，击杀安徽巡抚恩铭，占领军械局。旋失败。徐被捕英勇就义。

7月13日（六月初四日）　秋瑾谋响应安庆起义，被清廷侦悉，是日在绍兴大通师范学堂被捕。15日凌晨壮烈牺牲于轩亭口。

9月1日（七月二十四日）　同盟会会员王和顺率二百余人在广西发动钦廉防城起义，5日攻占防城，杀县令，后又攻袭钦州、灵山等地。中旬，起义军退入十万大山。此为孙中山第五次起义。

12月2日（十月二十七日）　同盟会员黄明堂率乡勇八十多人在广西镇南关起义。4日，孙中山、黄兴、胡汉民由河内赶赴战地参战。起义军与数千清军血战七昼夜，最后失败。此即孙中山第六次起义。

1908年（光绪三十四年·戊申）

2月（正月）　清政府议定再加二十万金的赏额，通令全国缉拿孙中山。

3月27日（二月二十五日） 黄兴亲率以安南华侨同盟会员二百多人组成的“中华国民军南路军”，在广西发动钦州马笃山起义，坚持四十余日。5月3日，退回河内。此为孙中山第七次起义。

4月1日（三月初一日） 汪兆铭在缅甸仰光建立同盟会分会。

4月30日（四月初一日） 黄明堂、王和顺、关仁甫在云南河口起义。5月26日，河口失陷，起义军退回安南。至此，孙中山在西南边境领导的武装斗争完全失败。此即孙中山第八次起义。

6～7月 预备立宪公会在上海发动国会请愿运动，电请以两年为限，决开国会。8月派代表进京向都察院呈递请愿书。

8月27日（八月初一日） 清政府宣布自本年起于第九年召开国会，实行宪政。同日颁布《钦定宪法大纲》，规定君上大权十四条，臣民权利义务九条。宣布皇统万世一系，君权不可侵犯。

11月14日（十月二十一日） 清光绪帝载湉死。次日，慈禧太后那拉氏死。立醇亲王载沣之子溥仪为帝，载沣以摄政王监国。

11月19日（十月二十六日） 熊成基率马、炮两营士兵千余人发动安庆新军起义，旋失败。熊成基出走日本。

12月2日（十一月初九日） 溥仪即位，改元宣统。

1909年（宣统元年·己酉）

1月2日（戊申十二月十一日） 清载沣亲贵集团鉴于军机大臣兼外务部尚书袁世凯权势日盛，难于驾驭，以袁患有足疾为由，命其“回籍养疴”。

4月 孙武、焦达峰在汉口法租界设立共进会鄂部总会。8月，焦达峰在湖南长沙建立共进会机关。

6月6日（四月十九日） 张之洞与英、法、德三国银行团订立《湘鄂境内粤汉铁路、鄂境川汉铁路借款合同》，借款五百五十万英镑。

9～10月 同盟会、光复会之间的派别纠纷加剧。章炳麟、陶成章在南洋、日本等地大肆攻击孙中山，公开散发《伪〈民报〉检举状》《孙文罪状》（即《七省同盟会员意见书》）等文件。

10月4日（八月二十一日） 清军机大臣、粤汉川汉铁路督办张之洞死。7日，清政府命将该铁路事宜归邮传部接办。

1910年（宣统二年·庚戌）

1月16日（己酉十二月初六日） 请愿国会代表团三十三人齐集北京，要求一年内即开国会。清政府以“筹备既未完全，国民知识又未划一”为借口，拒绝所请。第一次请愿失败。

2月12日（正月初三日） 广州新军起义，举倪映典为司令。起义军三千人分路进攻广州城，遭清水师提督李准镇压，倪被诱杀，起义失败。此为孙中山第九次起义。

春　江苏、浙江、江西、湖北、湖南等省相继爆发“抢米”风潮和抗捐斗争。

4月2日（二月二十三日） 喻培伦、黄复生、汪兆铭在北京谋炸摄政王载沣，事泄。4月16日，黄复生、汪兆铭被捕入狱。

4月13日（三月初四日） 长沙发生“抢米”风潮，14日数万饥民焚毁巡抚衙门、外国洋行和教堂。旋被镇压。

8月9日（七月初五日） 各省谘议局联合会在北京举行第一次会议，公推汤化龙为主席，蒲殿俊为副主席。通过请开国会案，议决发动新的请愿。

11月4日（十月初三日） 清政府宣布缩短预备立宪期限，于宣统五年召开国会，国会未开以前，先厘定官制、设立内阁。同时下令各省请愿代表“即日散归，各安职业”，不得再行请愿。

1911年（宣统三年·辛亥）

1月30日（正月初一日） 湖北振武学社改组为文学社，举蒋翊武为社长。以《大江报》为宣传机关。

2月4日（正月初六日） 黄兴电邀谭人凤至香港，共商联络中部各省策应广州起义。次日，谭即赴湘、鄂活动。23日抵汉，与居正聚商，希望湖北急起响应。

2～3月 同盟会革命军统筹部指派郑赞臣、方君瑛等分赴苏、浙、皖、桂等省进行联络。又命各地同盟会负责人做好起义准备，以策应广州起义。

春、夏 孙中山在美国域多利、芝加哥、旧金山等地，先后成立“革命公司”“中华革命军筹饷局”（亦称“洪门筹饷局”），号召华侨认购股票，解囊捐资，以助革命。

4月8日（三月初十日） 同盟会革命军统筹部在香港召开重要会议，制订广州起义作战计划，预定13日发难，分十路进攻。任命赵声、黄兴为革命军正、副总司令。

同盟会员、华侨工人温生才在广州刺死广州将军孚琦，温被捕，15日遇害。

4月13日（三月十五日） 广州起义因孚琦被刺，清军严加戒备，未能如期发动。

4月26日（三月二十八日） 黄兴电召在港敢死队悉数潜入广州，准备发难，同时改十路进攻为四路发动。

4月27日（三月二十九日） 广州起义（亦称“黄花岗之役”或“孙中山第十次革命”）爆发。黄兴、朱执信亲率“选锋”（敢死队）进攻两广总督署，总督张鸣岐逃走。起义军奋战一昼夜，后因孤军无援，失败。方声洞、林时爽、林觉民、喻培伦等八十余人死难。事后收殓烈士遗骸七十二具，合葬于黄花岗，史称“黄花岗七十二烈士”。

5月3日（四月初五日） 广州起义失败的消息传到湖北，共进会等革命团体于是日召开紧急会议，议定今后以两湖地区为“中国革命之主要中心”，积极筹划起义。

5月8日（四月初十日） 清政府组织“皇族内阁”，庆亲王奕劻任总理大臣，大学士那桐、徐世昌任协理大臣。

5月9日（四月十一日） 清政府宣布将粤汉、川汉铁路收归国有。

5月10日（四月十二日） 湖北文学社召开代表会议，决定在武昌小朝街八十五号设立起义领导机关。次日，与共进会代表筹商合作，共同起义。

5月18日（四月二十日） 清政府任命端方为督办粤汉、川汉铁路大臣。

5月20日（四月二十二日） 邮传部大臣盛宣怀与英、法、德、美四国银行团签订《粤汉、川汉铁路借款合同》，借款六百万英镑，以路权相交换。

5～7月 湘、鄂、川、粤四省绅商学界和工农群众，相继集会、游行，罢课、罢市，呼吁保路，反对清政府铁路国有政策。保路运动迅速兴起。

6月17日（五月二十一日） 四川谘议局铁路公司股东会在成都发起组织保路同志会，推立宪党人蒲殿俊、罗纶主持会事，以“拒借洋款，废约保路”为宗旨。自此，保路同志会在四川各府州县普遍建立，拥众数十万人。

7月31日（闰六月初六日） 宋教仁、谭人凤、陈其美等人在上海组织中国同盟会中部总会，作为策动长江流域各省起义的领导机关。举宋教仁、谭人凤、陈其美等五人为总务干事，设本部于上海，设分会于苏、皖、湘、鄂、川各省。

8月初 同盟会员龙鸣剑、王天杰等在四川联络哥老会，成立保路同志军，发动反清起义。

8月24日（七月初一日） 四川铁路公司股东会和保路同志会为反对铁路国有，在成都发动罢市、罢课，全川响应。

8月25日（七月初二日） 清政府命川督赵尔丰严行弹压保路运动。9月2日，又命端方率鄂军入川查办。

9月7日（七月十五日） 赵尔丰诱捕四川谘议局正、副议长蒲殿俊、罗纶等人。成都立时聚众万人，齐集督署请愿，要求释放蒲、罗等人。赵尔丰竟下令开枪，数十人惨遭杀害，制造了“成都血案”。

9月8日（七月十六日） 四川保路同志军在各州、县相继起义，全川震动。

9月14日（七月二十二日） 文学社、共进会召开联席会议，公推居正、杨玉如赴沪，邀请黄兴、宋教仁来汉主持一切。

9月16日（七月二十四日） 湖北文学社、共进会召开联合会议，成立起义统一机构，举蒋翊武为总指挥、王宪章为副总指挥、孙武为参谋长。

9月24日（八月初三日） 文学社、共进会再次密商起义计划，决定于中秋节（10月6日）举事，后展期至10月9日。

9月25日（八月初四日） 吴永珊（玉章）、王天杰等在四川荣县宣布独立，建立革命政权。

10月3日（八月十二日） 黄兴致书同盟会中部总会，赞成在武汉起义。5日复表示不日将由香港赴汉指挥。

湖广总督瑞澂、提督兼第八镇统制张彪召开防务会议，下令全城戒严，搜捕革命党人。

10月9日（八月十八日） 孙武在汉口俄租界宝善里配制炸药失慎爆炸，革命秘密机关暴露。湖北当局根据沙俄驻汉领事馆所抄获之革命党名册，在武汉三镇大肆进行搜捕，彭楚藩、刘复基、杨宏胜被捕，翌晨遇害。原定起义计划因此受阻。

10月10日（八月十九日） 是日晚，新军工程第八营熊秉坤等鸣枪起义，占领楚望台军械库，新军各标、营革命党人纷纷响应，齐集楚望台，推举吴兆麟为临时总指挥，旋攻占湖广总督衙门。瑞澂、张彪弃城逃命。辛亥革命爆发，史称“武昌起义”。

10月11日（八月二十日） 起义军占领武昌，攻克汉阳。

中华民国湖北军政府正式成立，举新军协统黎元洪为都督，汤化龙为民政总长。

宋教仁在沪获悉武昌起义，即电黄兴回沪，共商革命大计。

10月12日（八月二十一日） 汉口光复。湖北军政府通电全国，宣告武汉三镇光复。电促黄兴、宋教仁速来湖北，并请转电孙中山从速回国，主持大计。

孙中山在美国欣悉武昌起义，决定放弃筹款计划，转赴欧洲从事外交活动，然后返国。

10月17～18日（八月二十六至二十七日） 帝国主义各国驻汉领事和驻京公使，相继宣布“严守中立”。与此同时，英、德、美、日、俄、奥等国兵舰二十艘在武汉江面集结，阴谋进行武装干涉。

10月22日（九月初一日） 党人焦达峰、陈作新在长沙率新军分两路合攻湖南抚署。湖南首先响应革命，宣布独立，组织湖南军政府，举焦、陈为正、副都督。

同盟会会员钱鼎在西安率新军、会党起义，陕西光复。25日组织军政府，推新军管带张凤翙为秦陇复汉军大统领，钱鼎和哥老会首领万炳南为副大统领。旋改称都督、副都督。

10月23日（九月初二日） 江西九江新军起义，成立九江军政府，举标统马毓宝为都督。旋湖口、马当炮台守军反正。

10月27日（九月初六日） 清政府授袁世凯为钦差大臣，所有派赴湖北进剿革命军的海陆各军及长江水师，均归袁氏节制调遣。

10月28日（九月初七日） 黄兴自香港经上海到达武汉，指挥汉口保卫战。

袁世凯命道员刘承恩致书黎元洪，以实行立宪、赦开党禁、下诏罪己、皇族不问国政为条件，期与革命军议和。11月1日复致书提议言和。

10月29日（九月初八日） 姚维藩率新军在太原起义，击毙巡抚陆钟琦，山西光复，举标统阎锡山为都督。

10月30日（九月初九日） 蔡锷、李根源、罗佩金等在昆明发动新军“重九起义”，激战一夜，次日攻占督署，云南光复。11月1日成立云南军政府，举协统蔡锷为都督。

清政府以摄政王载沣名义，下罪己诏，誓言维新更始，实行宪政。

袁世凯正式接受清廷委任，是日离彰德南下视师。次日抵信阳，11月1日至孝感。

蒋介石由日本返抵上海，旋奉陈其美命赴杭州运动新军。

10月31日（九月初十日） 南昌新军起义。

湖南发生长沙兵变，杀害正、副都督焦达峰、陈作新。旋举立宪党人、谘议局议长谭延闿为都督。

11月1日（九月十一日） 奕劻皇族内阁解散。清廷任命袁世凯为总理大臣，负责组织责任内阁。同时诏令所有开赴湖北陆海各军及长江水师，仍归袁氏节制调遣。召其即速来京就任，袁电辞。

11月2日（九月十二日） 北洋军陷汉口，大肆焚劫市区。

湖北军政府召开紧急会议，正式举黄兴为中华民国军政府战时总司令。次日，黎元洪在武昌阅马厂举行“登坛拜将”仪式，亲将印信、委任状、令箭授予黄兴。

湖南军政府派兵援鄂，是日第一、二协援军抵达武昌。

陈其美、李燮和率商团、新军起义，次日攻占江南制造局，上海光复。6日成立沪军政府，举陈其美为都督。

11月4日（九月十四日） 贵阳张百麟策动陆军小学和新军宣布起义，迫贵州巡抚交出政权。成立“大汉贵州军政府”，举杨荩诚为都督。

新军第六镇统制、新任山西巡抚吴禄贞（革命党人）与山西都督阎锡山计议组织燕晋联军，直取北京，推翻清廷。事泄，袁世凯派人于6日在石家庄将吴刺死，华北新军起义受挫。

是日晚，杭州新军会同上海敢死队进攻抚署，俘巡抚增韫。次日成立浙江军政府，举立宪派首领汤寿潜为都督。

11月5日（九月十五日） 江苏巡抚程德全在苏州宣布和平独立，改巡抚衙门为江苏都督府，自任都督。

11 月 6 日（九月十六日） 清政府将谋刺摄政王载沣之汪兆铭、黄复生等释放出狱。

11 月 7 日（九月十七日） 广西立宪派力劝巡抚沈秉堃宣布独立，改巡抚衙门为军政府、谘议局为议院、桂军为国民军，举沈秉堃为都督。24 日，广西提督陆荣廷宣布自任都督。

11 月 8 日（九月十八日） 党人许崇智（清新军协统）在福州率新军起义，次日占领省城，闽浙总督松寿自杀，福建光复。11 日组织军政府，举第十镇统制孙道仁为都督。

安徽谘议局在安庆宣布独立，举巡抚朱家宝为都督。

清资政院正式选举袁世凯为内阁总理大臣。

11 月 9 日（九月十九日） 广东谘议局于 8 日召开绅商会议，议决即时宣布独立。9 日组织军政府，举两广总督张鸣岐、提督龙济光为正、副都督，张、龙坚拒。10 日，改举革命党人胡汉民为都督。

湖北都督黎元洪通电各省，请派代表来鄂组织全国统一政府。

蔡锷通电各省，力主各省派代表集合武昌，筹设统一机关，规划国体政体。

黄兴以战时总司令名义函复袁世凯，敦劝归诚起义，倒戈反清，期“以拿破仑、华盛顿之资格，出而建拿破仑、华盛顿之事功”。

江浙联军在镇江组成，举徐绍桢为总司令，筹划进攻南京。

袁世凯遣刘承恩、蔡廷干赴武昌，谋与黎元洪“议和”。20 日，双方代表在汉口俄领事署会谈，未达成协议。

11 月 13 日（九月二十三日） 山东宣布“独立”，巡抚孙宝琦自封临时政府大总统。旋于 24 日自行宣布取消独立。

是日袁世凯抵达北京，开始组阁。

11 月 14 日（九月二十四日） 清政府令各省派代表三五人来京会议，以定国是。

11 月 15 日（九月二十五日） 各省军政府代表在上海集会，成立各省都督府代表联合会，筹组临时政府。旋于 21 日议决，承认武昌为中华民国中央军政府，以鄂督执行中央政务。

清海军“海琛”“海容”“海筹”等舰在九江反正，归附革命。

11 月 16 日（九月二十六日） 袁世凯责任内阁正式组成，分设十部，以梁敦彦（外务）、赵秉钧（民政）、王士珍（陆军）、萨镇冰（海军）、张謇（农工）、梁士诒（邮传）、严修（度支）、唐景崇（学务）、沈家本（司法）、达寿（理藩）为各部大臣。

孙中山自西欧电中华民国军政府，赞成推选黎元洪或袁世凯为总统。

黄兴统湘、鄂革命军八千余人，分三路渡汉水反攻汉口，失利，次日退回汉阳。

11 月 22 日（十月初二日） 重庆独立，成立蜀军政府，党人张培爵、夏之时任正、副都督。

11 月 23 日（十月初三日） 各省都督府代表联合会在沪议决：来沪代表改赴武昌筹组临时政府。次日决定各省代表指派一人留驻上海，组成通讯机关，以便联络。

11 月 24 日（十月初四日） 谭延闿电黎元洪，主张公推孙中山为全权大使赴各国交涉，敦促列强承认中华民国。

11 月 26 日（十月初六日） 湖北入川新军在资州反正，杀署理川督、川汉铁路大臣端方。

11 月 27 日（十月初七日） 成都宣告独立，成立大汉四川军政府，举谘议局议长蒲殿俊为都督。至此，全国有十四省宣告起义“独立”，脱离清廷统治。在清廷新练陆军十四镇、十八协中，参加起义或已溃散的计达七镇、十四协。

汉阳失守。黄兴主张放弃武昌，进取南京，遭否决。次日，黄兴离汉赴沪。

11 月 29 日（十月初九日） 汉口英领事插手南北议和，向南北双方提出议和三条件：停战、清帝退位、举袁世凯为大总统。

11月30日（十月初十日） 十四省代表在汉口英租界集会，举谭人凤为临时议长。

12月1日（十月十一日） 黄兴抵上海，表示“此行目的，在速定北伐计划，并谋政治之统一”。

12月2日（十月十二日） 江浙联军经过十天奋战，于是日攻克南京城。

12月4日（十月十四日） 汉口各省代表会议议决，以南京为中央临时政府所在地，同时确定会议移至南京举行。

上海各省都督府代表联合会留沪代表开会，举黄兴为大元帅、黎元洪为副元帅。次日议决由大元帅主持组织中华民国临时政府。黄兴坚辞。

12月5日（十月十五日） 北伐联合会在上海成立，举程德全为会长，以联合各省都督会同北伐，统一军机，共谋光复为宗旨。

汉口各省代表会议通过“推翻清朝政府、主张共和政体、礼遇旧皇室、以人道主义待满人”的《议和纲要》四条，同时议决以汉口为议和地点，准备与清政府开议。

12月8日（十月十八日） 成都兵变，是晚建立新的四川军政府，举尹昌衡、罗纶为正、副都督。

12月12日（十月二十二日） 十四省代表自武汉齐集南京。15日议决暂缓选举临时大总统。17日改选黎元洪为大元帅，黄兴为副元帅。同时议决由黄兴代行大元帅职权，组织临时政府。

12月18日（十月二十八日） 南北议和代表伍廷芳、唐绍仪在上海英租界市政厅首次开议。

12月25日（十一月初六日） 孙中山自美国经欧洲回国，是日抵达上海，在答中外记者问时表示：“革命之目的不达，无和议之可言也。”

12月26日（十一月初七日） 孙中山在上海寓所召开同盟会最高干部会议，与黄兴、宋教仁、胡汉民、陈其美等共商组织临时政府方案。众举孙为总统，黄为内阁总理。由于孙中山坚主总统制，就决定暂不设总理一职。

12 月 27 日（十一月初八日） 黄兴、宋教仁赴南京。黄兴向各省代表会提议，政府组织取总统制，并请速举孙中山为临时总统，以一事权。

各省代表会通过《临时政府组织大纲》，议决 29 日选举临时大总统。

12 月 28 日（十一月初九日） 袁世凯奏请召集王公会议，请旨以决大计。同日裕隆太后发表懿旨，命召开临时国会，公决国体。

12 月 29 日（十一月初十日） 十七省代表和华侨列席代表共四十五人，在南京召开选举临时大总统会议，每省一票，孙中山以十六票的绝对多数，正式当选中华民国临时大总统。

1912 年（中华民国元年 · 壬子）

1 月 1 日　中华民国宣告成立。是日晚十时，孙中山在南京宣誓就任中华民国临时大总统职，发表《临时大总统就职宣言》和《告全国同胞书》，竭诚表示将“尽扫专制之流毒，确定共和，以达革命之宗旨”。

北洋军将领冯国璋、段祺瑞等四十八人发表联名通电，叫嚣“誓死拥护君主立宪，反对共和政体”。

1 月 2 日　孙中山以临时大总统名义通电全国改用阳历，以 1912 年 1 月 1 日为中华民国建元之始。

滦州新军起义，次日宣布独立，成立“北方革命军政府”。袁世凯急调重兵镇压，起义失败。

1 月 3 日　中华民国南京临时政府正式成立。孙中山任命各部总长：陆军黄兴、海军黄钟英、外交王宠惠、财政陈锦涛、教育蔡元培、实业张謇、内务程德全、司法伍廷芳、交通汤寿潜。

各省代表会选举黎元洪为中华民国临时副总统。

1 月 5 日　南京临时政府发布《告友邦书》，宣告承认清政府在革命前与各国所缔结的一切条约、所借外债、所认赔款及让与权利继续有效。

1 月 6 日　甘肃新军起义，举黄钺为都督。

1月7日　伊犁宣布反正，举协统杨缵绪为都督。

1月11日　孙中山组织鄂湘、宁皖、淮扬、烟台、关外、山陕六路北伐军，拟同时发动，取道河南、山东、直隶，会师北京。下旬，开始北伐，但均进展不大。

满洲皇族良弼、溥伟、铁良在北京组织宗社党，反对清帝退位，顽固维护清朝统治。

1月15日　孙中山电南方议和代表伍廷芳，宣告如清帝退位，宣布共和，则将正式辞临时大总统职，将政权让与袁世凯。

1月16日　革命党人杨禹昌等在京谋炸袁世凯不中，被捕牺牲。

各省代表在南京开会，通过“临时政府组织大纲修正案”。改总统制为责任内阁制。

南京临时政府向袁世凯正式提出清帝退位优待条件，同意保存清帝尊号、优待岁俸等。2月10日，在参议院正式通过。

1月26日　同盟会员彭家珍在北京炸伤宗社党头目良弼，越二日死。彭则当场身殉。

北洋军将领段祺瑞等四十六人秉袁世凯之意旨，联衔电奏，吁请清帝即日退位，立定共和政体。

2月12日　清宣统帝溥仪下诏宣布退位。持续两千多年的封建帝制最后终结。

2月13日　袁世凯通电全国，宣言赞成共和。

2月15日　孙中山率临时政府文武官员谒明孝陵，以昭告清帝退位、民国统一的完成。

临时参议院选举袁世凯为第二任临时大总统。

2月18日　南京临时政府迎袁专使蔡元培偕欢迎员魏宸组、宋教仁、汪兆铭等八人离上海北上，敦请袁世凯南下就职。27日抵京。

2月28日　湖北“群英会事件”爆发。是日，由原文学社成员组织的改良政治群英会联合湖北军界数千人，在武昌暴动，反对黎元洪和孙武所把持的湖北军政府，起事于当日平息。亦称“湖北二次革命”。

3月3日　中国同盟会本部在南京召开会员大会，制订新纲领，宣布以“巩固中华民国，实行民生主义”为宗旨，举孙中山为总理，黄兴、黎元洪为协理。自此，同盟会由秘密转入公开活动。

3月10日　袁世凯在北京宣誓就任临时大总统。13日，任命唐绍仪为内阁总理。

3月11日　孙中山颁布《中华民国临时约法》，凡七章五十六条。规定“中华民国由中华人民组织之”，“中华民国之主权属于国民全体”，人民享有各种自由和政治权利。申明在正式宪法未制订以前，其效力与宪法相等。

3月30日　袁世凯任命各部总长，外交陆徵祥、内务赵秉钧、财政熊希龄、陆军段祺瑞、海军刘冠雄、教育蔡元培、司法王宠惠、农林宋教仁、工商陈其美、交通唐绍仪（兼）。

3月31日　袁世凯任命黄兴为“南京留守”，以统辖、裁遣南方革命军。

4月1日　孙中山正式宣告辞去临时大总统职。

4月2日　临时参议院议定临时政府迁北京。4日，议决该院迁北京。

4月3日　孙中山离宁赴沪，随后历游武汉、福州、广州等地，致力宣传民生主义，鼓吹发展民族工商业和铁路交通事业，阐述平均地权学说。6月22日回到上海。